LOS MONTONEROS

Universitas

Eduardo Gutiérrez

Los Montoneros

Universitas

Diseño de Tapa: Jorge G. Sarmiento

Diseño Interior: Jorge G. Sarmiento. Te: 0351-153650681

Producción Gráfica: Universitas. Obispo Trejo 1404. 2 B. Cordoba

Tirada: 1000 Ejemplares.

Colección *La Cultura Argentina*

ISBN: 978-987-572-976-6

Este material es de dominio publico

Hecho el depósito que marca la ley 11.723.

Impreso en Argentina - Printed in Argentine

Indice

Universitas

El cura Campos

Empezaba entonces a figurar en Tucumán, acusando un porvenir brillante, el joven cura don José María del Campo, perteneciente a la distinguida familia de don Leopoldo del Campo. Carácter firme y apasionado, se había entregado a la carrera eclesiástica, con todo el encanto que despierta la noble figura de Jesús. Educado por el buen franciscano Padre Quintana se había ordenado en Tucumán, donde fue nombrado cura párroco de Santa Cruz, departamento de aquella provincia.

En 1852, cuando cayó Rosas, y Urquiza empezó a dominar en el interior por el triunfo de Caseros, el cura del Campo era un joven de veinticuatro años. Con su conducta ejemplar y la mansedumbre excepcional de su carácter, se había hecho querer con locura por sus feligreses, que miraban en aquel joven un amparo contra todas las desventuras de la vida. A él acudían los perseguidos de la política, buscando un refugio contra el puñal de la Federación, a él acudían los míseros a quienes las rapiñas de aquellos gobiernos asesinos habían dejado en la calle, y a él acudían por fin todos los que necesitaban un socorro y un consuelo. Y el joven del Campo atendía a todos con igual cariño, tendiéndoles su mano generosa, partiendo con ellos cuanto poseía, y haciendo del curato un amparo contra los perseguidos, salvándolos así del degüello y el escarnio.

La fama de su generosidad y de su bondad inagotable había pasado de departamento en departamento, al extremo de que desde los más lejanos acudían en busca de su amparo y de su consejo, librando así a muchos de la persecución federal, no solo sus vidas, sino sus fortunas. Su prestigio creciente y el cariño idólatra que había logrado captarse de esta manera, le habían dado un dominio absoluto sobre las masas. A su palabra se habrían levantado como al llamamiento del más prestigioso caudillo. Su talento bello y brillante, y su palabra fácil e inspirada, habían llamado la atención de los hombres del gobierno, y el general Gutiérrez intentó más de una vez traerlo a su lado.

Pero el joven cura se había excusado siempre, bajo el pretexto de que la consagración a su ministerio le impedía tomar parte en la política. Es que del Campo odiaba desde el fondo de su alma aquella política de sangre y aquellos hombres que habían erigido su sistema de gobierno en el asesinato y el robo. Aquella persecución de mujeres indefensas y aquellos degüellos sólo por apoderarse de la fortuna de las víctimas, eran crímenes que indignaban profundamente al sacerdote y sublevaban al hombre.

Puesto en contacto con los hombres del partido unitario, por los mismos que él había protegido y salvado, el joven del Campo hizo entre ellos sus más estimables relaciones. Y contaba entre sus mejores amigos al coronel Espinosa, y a los principales miembros de la familia Posse, sobre los que tenía una influencia decidida. Su bello ideal era la caída de aquella ignominiosa tiranía, que no se saciaba de crímenes de toda especie.

El partido liberal empezó a ver en aquel joven lleno de patriotismo al único hombre que podía guiarlos y acaudillarlos en una cruzada libertadora y empezaron a acariciar con calor aquella idea. El cura del Campo era el solo que podía levantar al sonido de su palabra mil quinientos o dos mil hombres, y lo entusiasmaron en aquel sentido.

-Soy enemigo de todo derramamiento de sangre, y más aún si esto es inútil -decía-; no tenemos armas para luchar contra el Gobierno, que está demasiado fuerte por desgracia, y llevaríamos a todos esos hombres a un sacrificio estéril.

-Poco sacrificio es el que se sufre con la vida y la fortuna a merced de esos bandidos -replicaban los más entusiastas por la revolución-. Esta es una trama que no acabará nunca si andamos con contemplaciones; algún sacrificio será preciso hacer, y bendito sea el sacrificio que se haga por el bien de todos y de la patria.

-Es que el terreno no está preparado aún -decía el joven-, y esta no es la labor de un día. Esperemos una oportunidad que no ha de tardar mucho -agregaba-, y entretanto vamos preparándonos tranquila y silenciosamente para la lucha, que debe ser tremenda una vez emprendida, porque este enemigo no se consideraría vencido con el primer revés y volvería siempre a la lucha por la reconquista de su poder perdido. Los federales no se han de conformar nunca con perder su dominación, y hay que tener presente que lucharán desesperadamente. Pues esperemos, siempre que esta espera sea empleada en preparar los elementos que necesitaremos en la lucha.

Los que se iban comprometiendo en el movimiento se iban pasando la palabra, y al saber que el cura del Campo estaba con ellos, todos aceptaban la idea llenos de júbilo y se ponían desde el primer momento a preparar lo que podrían necesitar. El curato de Santa Cruz fue desde entonces el punto de reunión de los conjurados liberales.

El coronel D. Manuel Espinosa, hombre prestigioso, empezó a trabajar personalmente, viendo a los que debían ayudarlos y tomar parte individualmente o con los peones y hombres de que disponían. Cada uno traía el arma que tenía en su poder, que se iba depositando en el curato para el momento oportuno.

El general Gutiérrez no se sospechaba nada de todos estos trabajos y descansando en la dominación absoluta que ejercía y en el apoyo moral y material del general Benavídez, ni siquiera pensó jamás que nadie pudiera atentar contra su autoridad, y menos aquel cura manso que creía consagrado por completo a su ministerio. Rodeado de hombres serviles y suyos por completo, disponía de un regular número de soldados y de todos los elementos bélicos que las pasadas guerras habían aglomerado en la gloriosa ciudad. Alguien le indicó que podían atentar contra la paz de Tucumán y que era preciso estar alerta, pero demasiado ensoberbecido en su poder, miró a todos lados y se convenció de que en toda la provincia no había quien se atreviera a luchar con él, ni elementos con qué intentarlo tan solo. Y entretanto el cura del Campo seguía entendiéndose con los parciales que sigilosamente iban a buscarlo, y adquiriendo armas malas y buenas por todos los medios de que podían valerse.

El momento oportuno tan pacientemente esperado no tardó en presentarse. Urquiza triunfante, se celebró el acuerdo de San Nicolás al que concurrieron todos los gobernadores de provincia. El general Gutiérrez, que no temía nada, dejó de gobernador interino a un hombre completamente suyo, de quien estaba perfectamente seguro, y marchó al acuerdo de San Nicolás.

Con una inteligencia asombrosa y una actividad que no se hubiera sospechado en él, el cura del Campo organizó el movimiento que debía ejecutar el coronel Espinosa, y asumía desde el primer momento toda la responsabilidad. Y predicó el triunfo de la libertad y los principios por que iba a combatir, encareciendo el deber en que estaban todos y cada uno de poner al servicio de la gran causa todo su esfuerzo y acción.

Todo lo más importante de Tucumán estaba con ellos, de modo que la revolución fue fácil y poco sangrienta. Atacados por el coronel Espinosa el cuartel, la casa de Gobierno y Policía, no tardaron en rendirse a discreción, entregando sus armas bajo la sola condición de que se les había de conservar la vida. Dueños de una gran cantidad de armas y municiones, los revolucionarios no tardaron en apoderarse de toda la Provincia, derrocando todas las infames autoridades puestas por Gutiérrez.

Elegido gobernador el coronel Espinosa por el partido de la revolución, empezó a establecerse un orden constitucional que devolviera a todos los habitantes el goce de sus derechos y libertades. El cura del Campo puso toda su inteligencia vigorosa al servicio de aquellos propósitos, cuyas ventajas empezaron a apreciarse bien pronto.

El coronel Espinosa y todos los amigos que habían contribuido con su brazo y con su esfuerzo a aquella situación de libertad y de paz, rogaron al joven cura que tomara participación en el gobierno prestándole la dedicación de su carácter y de su inteligencia, pero él se negó resueltamente.

-En Tucumán y con ustedes -decía- hay muchos hombres que saben más que yo y que servirán mejor al país. Yo me retiro a mi curato, feliz de haber contribuido a la grande obra y donde me llevan mi vocación y mis deberes.

En vano fueron todos los ruegos y todos los empeños. Establecido un orden de cosas constitucional, el joven del Campo se retiró a su curato donde se consagró por completo a sus tareas, volviendo a ser el amparo del miserable y el apoyo del pobre.

El general Gutiérrez, sabedor de que había sido derrocado por la revolución, manifestó al general Urquiza la necesidad de reponerlo, y este, que con Gutiérrez se apoderara de Tucumán, pidió al general Benavídez lo ayudara con algunos elementos, puesto que Gutiérrez había sido derrocado a consecuencia de haber acudido al acuerdo de San Nicolás. Gutiérrez, con astucia infinita, se puso al habla con sus partidarios en Tucumán y propuso la contrarrevolución que no esperaron ni del Campo ni Espinosa. Y mientras en la ciudad se llevaba a cabo la revolución, el general Gutiérrez, con elementos que le diera Benavídez, se presentó victoriosamente intimando a las puertas de la ciudad la entrega.

Espinosa no pudo resistir a la revolución interior apoyada en el ejército que traía Gutiérrez, y fue derrocado apoderándose de nuevo el general Gutiérrez de toda la provincia, donde repuso todas las autoridades que habían sido derrocadas.

Espinosa, a quien Gutiérrez habría hecho degollar, si lo tomaba, emigró a Santiago del Estero, donde tenía amigos y parientes en el gobierno, y donde no había de ir a buscarlo su vencedor, de miedo a una nueva revolución.

El cura del Campo siguió a su amigo y aliado, llevando consigo un grupo de hombres, de cuya lealtad estaba perfectamente seguro. Él no podía quedarse en Tucumán porque el Gobierno Federal lo hubiera perseguido de todos modos, y quería estar libre para ayudar a sus amigos.

La derrota sufrida, para un hombre como del Campo, no era más que un contratiempo que de ningún modo podía hacerlo desmayar. Bien al contrario: con más ardor y más empeño que nunca, empezó, desde que llegó a Santiago, a organizar los elementos con que había de volver a la lucha.

El coronel Espinosa, que se había desalentado con el contraste sufrido, trató de disuadir a del Campo de su propósito. Pero el joven, con una asombrosa firmeza de carácter, no sólo persistió en su idea, sino que convenció a Espinosa que no debían omitir esfuerzos por recuperar todo lo perdido.

-No podemos abandonar al pueblo a la triste suerte que le espera -decía-, ni podemos nosotros resignarnos al destierro. Es preciso luchar, amigo; Gutiérrez ha ido apoyado en elementos que no son suyos, el pueblo estará siempre de nuestra parte y esto es ya una garantía de éxito.

-Pues luchemos entonces -repuso Espinosa, y se puso a la obra de regeneración con todo anhelo.

Los hombres que el cura del Campo había llevado consigo a su salida de Tucumán, empezaron a ser utilizados de la manera más hábil y provechosa. Estos eran enviados con mensajes verbales a sus amigos, para que pasaran la palabra entre los suyos y fueran viniendo a reunírsele en la frontera de Santiago, tratando de traer consigo las armas que tuvieran. Aquel sistema dio bien pronto los mejores resultados, mostrándoles que aún no se había perdido todo.

Quince días después había en Santiago más de cien hombres que habían acudido al llamado del cura, con sus armas y caballos, y que aseguraban que todos irían cayendo, a medida que fueran recibiendo el aviso. Y viniendo en pequeños grupos de cinco, ocho, diez o veinte, se reunieron pronto más de ochocientos hombres aguerridos y dispuestos a jugar la vida por servir a la causa liberal y al prestigioso cura. Ya no podían dudar del buen éxito de una campaña en que se sentían apoyados por el pueblo, de aquella manera decidida.

El gobierno, según los caudillos departamentales que habían acudido, seguía tranquilo y cometiendo todo género de horrores. Y el pueblo, fingiendo la mayor conformidad, esperaba solo verlos llegar para pronunciarse en masa.

"El general tiene muchos soldados que ha traído de San Juan, decían, y que unidos a los que ya tenía forman un buen ejército. Pero el pueblo les dará en la cabeza, no tengan duda, y tendrán por fin que entregarse, mal que les pese. No se espera sino que usted se presente en Tucumán, para hacer la revolución."

Del Campo y Espinosa no se contentaron con los recursos que les venían de Tucumán y empezaron a reunir en Santiago hombres y elementos que los ayudara en la cruzada, hallándose bien pronto al frente de una división de caballería de más de mil quinientos hombres. Podían haber esperado a tener más, pero el cura del Campo consideró que aquello era bastante para iniciar la campaña, desde que contaban con el apoyo de todo el pueblo, y se pusieron en marcha.

Fue esta la primera vez que el cura del Campo abandonó la cruz para empuñar la espada, y se puso al frente de una brigada que había de servir de vanguardia. El coronel Espinosa se puso al frente de la reserva sonriendo de ver a su amigo tan completamente militarizado. E invadieron a Tucumán por el sur, levantando a su paso todos los departamentos, donde eran recibidos con entusiasmo incalculable.

Al saber que el cura del Campo iba al frente de la vanguardia, todos querían seguir con él, abandonando familia, intereses y cuanto tenían. Pero como ya no tenía armas que repartirles, solo admitía a aquellos que las tenían.

Alarmado el general Gutiérrez cuando supo que del Campo y Espinosa habían invadido la provincia, no quiso quedarse en la ciudad, temiendo que al acercarse el enemigo hubiera un levantamiento. Y reunió apresuradamente un ejército saliendo a esperarlo a la margen del Río Colorado. Fiado en la superioridad de sus tropas y de sus armas, tenía la seguridad de que Espinosa y del Campo no podrían resistirlo en una batalla campal. Sus tropas de infantería eran numerosas y bien armadas, su artillería era de gran calibre y bien servida, y no podía dudar de un triunfo, desde que el enemigo solo podía presentar en batalla fuerzas de caballería, que él podría deshacer a cañonazos antes que pudieran organizarse. Y aunque el coronel Espinosa era jefe bravo y práctico, no podría, en su opinión, ni siquiera deshacer los desatinos militares que cometería el cura. Así es que la batalla que dentro de poco debía librar, no lo preocupó en lo más mínimo; para él, el triunfo era solo cuestión de diez minutos de fuego de artillería.

Cuando del Campo y Espinosa supieron que el general Gutiérrez los esperaba fuera de la ciudad, se dirigieron en su busca. Espinosa fue de opinión que debían apoderarse de la capital y atrincherarse adentro, pero del Campo le demostró fácilmente que aquel sería un error imperdonable, no teniendo como no tenían cañones con que hacer una resistencia seria. Y demostró rápidamente cómo Gutiérrez podría ponerles un sitio en toda regla, y deshacerlos a cañonazos.

-Es que usted juzga al general como a usted mismo, suponiéndole toda su penetración -decía Espinosa.

-Es que así se debe pensar para estar seguro del éxito. Es como el jugador de ajedrez, que antes de hacer la suya, piensa en todas las jugadas ventajosas que tiene el adversario, y sale al encuentro de la mejor.

Espinosa comprendió toda la razón que asistía al joven cura que se revelaba más militar que él mismo y siguió sin vacilar su plan de campaña. Como militar lo único que le preocupaba seriamente era la artillería enemiga.

Pero el cura del Campo, siempre entusiasta y animoso, lo alentaba recordándole que Quiroga tomaba a ponchazos los cañones y que Peñaloza los enlazaba, cuando no podía apagar sus fuegos de otra manera. Y para animar a sus tropas y hacerles arrastrar valientemente el peligro, lejos de ocultarles el poder del enemigo, se los exageraba en lo posible, para que la realidad no pudiera imponerles.

-El enemigo tiene gran artillería y muchos fusiles -les decía sonriendo-; sus cañones son poderosos, mientras que nosotros no tenemos nada de esto. Es preciso entonces arrebatarles las piezas y los fusiles, no solo para tenerlos nosotros, sino para concluirlos con sus propias armas.

Al sentirlo hablar así, los soldados vivaban al cura con delirante entusiasmo y se prometían hacer prodigios por más importante que fuera el armamento enemigo.

-Así -decía del Campo a Espinosa- no podrán sorprenderse, por más numeroso y bravo que sea el ejército de Gutiérrez, porque ellos siempre se imaginan algo mejor todavía.

Cuando avistaron el ejército del gobierno, este se hallaba tendido en línea y preparado para recibirlos con el estruendo de sus cañones que rompieron fuego inmediatamente, pero con poco éxito, logrando solo asustar los caballos.

-¡Allí! ¡Allí! -les gritó el cura del Campo señalando el centro enemigo donde se hallaban los cañones-. ¡Allí está el triunfo de la jornada, en cuanto les quitemos las piezas el miedo solo los va a vencer! -Y cargó él mismo, seguro del éxito en el ataque.

Los quinientos hombres que formaban su vanguardia lo siguieron, disputándose todos el primer puesto en el combate.

El joven tenía un valor magnífico y comunicativo, capaz de convertir en un héroe al más cobarde. Espinosa, asombrado ante tanto valor, envió en el acto una brigada en protección de su amigo, considerando que aquella carga era una imprudencia. Pero cuando llegó la protección, el cura se retiraba batiéndose como un león y llevando consigo una de las mejores piezas que hizo dar vuelta en el acto y dispararla sobre el enemigo. Ante aquella prueba de valor heroico el ejército de Gutiérrez se desconcertó, vaciló y dos batallones de infantería, levantando sus armas, se pasaron a las fuerzas de del Campo.

El aspecto del combate había variado por completo; aquella pasada de dos batallones provocó la de una compañía de artilleros, que concluyó por desmoralizar a las tropas leales de Gutiérrez, que eran las menos pues aquel ejército en su mayor parte se componía de soldados reclutados a la fuerza, y que solo el terror podía obligar a servir. Ya operando con confianza, el coronel Espinosa llevó personalmente una carga sobre la izquierda enemiga, donde estaba Gutiérrez, carga que dio por resultado la pasada de nuevas tropas.

La batalla se hallaba ganada por completo, cuando un incidente desgraciado, un crimen verdadero, vino a arrancar un triunfo a aquel ejército, victorioso a fuerza de heroicidades y de constancia. Dos de los batallones que se habían pasado a Espinosa, lo habían hecho de mala fe, y calculadamente para cometer el más cobarde de los crímenes. Eran cuerpos que pertenecían completamente a Gutiérrez y con cuyos jefes este estaba seguro de contar hasta el último trance. En un descuido del coronel Espinosa y mientras este estudiaba detenidamente el estado de la batalla, estos dos cuerpos hicieron fuego por la espalda a las tropas de aquel bravo, mientras algunos soldados y oficiales ya convenidos de antemano, cosían a puñaladas al intrépido jefe. Y al tener la señal de haberse cumplido la infamia, Gutiérrez mandó cargar las tropas de Espinosa con una fuerte división de caballería, que las tomó confundidas con aquella traición y aterradas ante el asesinato de su jefe.

Cuando el cura del Campo estaba saludando el triunfo que no tardaría en ser completo en toda la línea, se encontró aislado, y con la dolorosa noticia de lo sucedido a su amigo. No había que hacerse ilusiones, solo con su vanguardia no podía hacer nada: las tropas de Espinosa, derrotadas, huían en todas direcciones, en completa desmoralización, lo que decidió al cura del Campo a retirarse, con todo el valor de su alma. Y con aquellos soldados que acababan de batirse una hora como verdaderos leones, emprendió su triste retirada en perfecta organización.

Los que asesinaron a Espinosa hicieron correr la voz de que otros cuerpos de pasados habían hecho lo mismo con el cura del Campo, siendo esta la causa del terror que se apoderó de los soldados, al extremo de que, triunfantes, fugaron inmediatamente del campo de batalla. Aquella retirada del cura del Campo, perseguido con tenacidad por un enemigo que quería tomarlo a toda costa, fue verdaderamente heroica y hábil; parecía mandada por el militar más táctico. Mientras unos regimientos se retiraban a gran galope, otros desplegados en guerrilla cubrían la retaguardia para impedir la matanza.

Y cuando el enemigo apuraba mucho y se aproximaba demasiado, del Campo hacía dar media vuelta a sus soldados y les traía una carga soberana. Y seguía su retirada, cuando aquellos habían sido arrollados completamente. No parecían soldados en derrota, dada la precisión con que obedecían las voces de mando, sino soldados que hacían movimientos estratégicos para asegurar el triunfo.

En aquella retirada el cura del Campo, lleno de actividad y desplegando un valor extraordinario, llenó de asombro a sus mismos jefes y compañeros, quienes, por más que lo conocían, no se sospecharon nunca lo que valía aquel extraordinario carácter. Así, en aquella retirada que debió ser desastrosa, no se perdieron más que cinco soldados, y estos por imprudencias individuales que habían cometido. De aquel horrible desastre se habían salvado los cuatrocientos hombres que guió del Campo a la pelea y la mayor parte de los infantes que se habían pasado a sus filas. Así llegó a la provincia de Santiago del Estero, en aquella heroica retirada, más animoso que nunca.

-Es una derrota debida a la más miserable traición -decía-, porque sin el asesinato del coronel Espinosa, a estas horas seríamos dueños de Tucumán.

Algunos de los oficiales de Espinosa se habían incorporado a del Campo, y le referían cómo se había llevado a cabo el hecho infame.

-Nada hubiera sido la muerte del coronel -decían-, sino que aquellos bribones empezaron a gritar que nos rindiéramos porque lo mismo que se había hecho allí con Espinosa, se había hecho con la división de usted. Y esto fue lo que aterró a la tropa en el primer momento, haciéndola desbancar en todas direcciones.

-No importa -replicaba del Campo-, no importa, esto no es más que un contratiempo y un contratiempo que han de pagar bien caro; es cuestión de tiempo y nada más.

Del Campo se detuvo en la frontera dentro de Santiago, y pasó a conferenciar con Taboada, que acababa de mudar a Ibarra en el gobierno. Había tenido una idea que le pareció luminosa y quiso ponerla en práctica sobre tablas. Aquel espíritu activo no reposaba un minuto. Para él la redención de Tucumán era cuestión de vida o muerte y a ella había consagrado todo su esfuerzo, tanto material como espiritual. Con una increíble facilidad de palabra, él sabía traer a sus ideas al opositor más tenaz y en esto confiaba para convencer a Taboada. Después de narrarle con gran vigor de colorido el contraste que sufrió aquella compañía brillante, le hizo presente que el general Gutiérrez, ensoberbecido y lleno de ambición, pretendería llevar su dominio hasta la misma provincia de Santiago y sus vecinos, para estar seguro de perpetuar su poder.

-Es necesario unirnos para la común defensa, puesto que Gutiérrez tiene poderosos elementos de guerra y no tardará en invadir a Santiago. Quinientos hombres que he salvado de la derrota, mi partido en Tucumán y todo el esfuerzo de mi persona, es el contingente que ofrezco, a cambio del apoyo de Santiago. Aliados nosotros, yo vuelvo a ponerme en campaña inmediatamente, con la vanguardia del ejército que usted puede mover y no abrigo la menor duda en el éxito. Una vez triunfante en Tucumán el partido liberal, el general Taboada podrá contar siempre y para todo con aquella provincia heroica.

La proposición de del Campo era humanamente tentadora, pues Taboada conocía bien toda la influencia que el joven cura tenía en su provincia. Pero era necesario meditar un poco antes de contraer un compromiso de aquella naturaleza. Taboada era un hombre astuto y de una inteligencia inmensamente cultivada; indudablemente el general Gutiérrez era un peligro para sus vecinos, desde que contaba con el apoyo indirecto de Benavídez. Tarde o temprano tendrían que pelear con él, ya lo sabía, mientras que del Campo, dueño de Tucumán, ofrecería siempre una fuerte columna de apoyo para Santiago. Sin embargo, antes de decidirse y comprometerse en una contestación definitiva, quiso esperar hasta ver el camino que tomaba Gutiérrez.

Este no había descansado un momento desde la muerte de Espinosa, y viendo que Santiago era la provincia donde se aislaba el cura del Campo, preparó una expedición para dar en tierra con el poder de Ibarra y de Taboada, invadiendo la provincia de Santiago, cuando menos esperado era un golpe de aquella naturaleza. Fue entonces cuando Taboada e Ibarra celebraron un tratado con el cura del Campo en representación del partido liberal en Tucumán por cuyo tratado de alianza Tucumán y Santiago se obligaban a sostenerse mutuamente. Esto importaba para del Campo el triunfo indudable de su partido, escribiendo en el acto a sus amigos, por medio de chasques seguros, que aprovechando la ausencia de Gutiérrez y su ejército hicieran la revolución en Tucumán apoderándose del gobierno, mientras ellos darían una batalla seria al ejército de Gutiérrez. Seguro de que el movimiento se haría y triunfaría, porque el partido liberal era numeroso y decidido, del Campo solo se preocupó en ayudar a Taboada en la rápida organización del ejército que era necesario para rechazar la invasión de Gutiérrez.

Los quinientos hombres que estaban con el cura del Campo se internaron hacia la capital, formando un ejército que se convino confiar a la exclusiva dirección del general Taboada, sin excluir por esto de sus filas al joven sacerdote, cuyas condiciones militares eran ya conocidas. Por otra parte, era necesario darle toda la participación militar posible, pues así los contingentes de Tucumán harían con más entusiasmo la campaña.

En Santiago había magníficos elementos de fuerzas y era grande el prestigio de Taboada sobre las masas. Esto y la invasión de Gutiérrez, que se había apoderado ya de algunos departamentos, facilitó nuevamente la formación del ejército, que en pocos días llegó a contar con más de dos mil quinientos hombres. Y dando a del Campo el mando de la vanguardia para que operase, según sus instrucciones, Taboada se puso en marcha sobre los departamentos invadidos por las fuerzas de Gutiérrez.

Estos, después de saquear las pequeñas poblaciones tomadas y cometer en ellas todo género de excesos, vivaqueaban[1] tranquilamente para seguir las primeras partidas desprendidas por el cura del Campo, a quien sus soldados, para mayor facilidad, empezaban a llamar el cura Campos, nombre con que fue después generalmente conocido. Aquellos grupos, atacados rudamente, que no eran más que avanzadas de Gutiérrez, empezaron a plegarse apresuradamente hacia el grueso del ejército, calculando que detrás de aquellos pelotones vendría el cura Campos, que había empezado a hacerse temible por su arrojo en el combate y la insistencia durísima de sus cargas.

Gutiérrez, al ver el desorden con que se le reincorporaban sus avanzadas, creyó que Campos se le echaría encima de un momento a otro y empezó a contramarchar hacia Tucumán, buscando salir de las poblaciones y campar en sitios a propósito para hacer jugar su artillería, arma en la que tenía ciega confianza. Como la mente del general Gutiérrez había sido apoderarse de la provincia de Santiago batiendo en toda regla a Taboada, había llevado consigo lo mejor de sus tropas en armas y en hombres, buscando la mayor facilidad y rapidez de resultados. Sus marchas eran pesadas y no estaban en relación con las que podía hacer un ejército liviano que operaba en territorio propio.

Los encuentros del cura Campos con las avanzadas de Gutiérrez empezaron a producirse con las mayores ventajas del primero, que logró hacerles muchos prisioneros y tomarles algunas armas y cabalgaduras. La campaña no podía empezar con mayores ventajas. La invasión había sido completamente corrida de Santiago y empujada en derrota hacia Tucumán. Gutiérrez podía volver a la capital a rehacerse o fortificarse, pero del Campo contaba con que entonces hallaría triunfante en la ciudad la revolución liberal.

Taboada se detuvo en el límite de Santiago esperando las noticias que vinieran por chasques de Tucumán, para según ellas, resolver las operaciones más convenientes.

Del Campo esperaba también aquellas noticias de un momento a otro no comprendiendo cómo no las había aún recibido. Es que el paso era difícil sin que las fuerzas de Gutiérrez los sintieran siendo expuesto caer en sus manos con comunicaciones importantes. De pronto Gutiérrez, que se había detenido como a esperar el ejército de Taboada, levantó campamento emprendiendo una marcha forzada hacia la ciudad de Tucumán. Y como ellos no lo hostilizaban era indudable entonces que aquella marcha se emprendía por malas noticias recibidas de la ciudad.

-La revolución debe estar triunfante y Gutiérrez marcha a sofocarla -dijo del Campo a Taboada-; me parece que es el momento de atacarlo.

---

[1] Vivaquear: Pasar la noche al raso

Taboada fue de la misma opinión, poniéndose en marcha inmediatamente para dar la batalla. Y fue en esta marcha cuando los alcanzó el primer chasque[2] con las más felices noticias.

La revolución estaba triunfante en la capital y derrocado el gobierno provisorio que dejó Gutiérrez. Sus jefes se ocupaban en organizar algunas fuerzas para salir al encuentro de ellos así que se presentaran, o sostenerse en caso de ser atacados por el ejército.

En vista de aquellas noticias Taboada apresuró sus marchas, y dos días después estaba sobre Gutiérrez, obligándolo a la batalla inmediata. Este no dudaba un momento del éxito de la batalla, dada su gran superioridad de tropas y elementos bélicos, así es que la aceptó desde el primer momento, tendiendo su compacta línea.

-En cuanto hagamos jugar la artillería -dijo- no queda un santiagueño sobre el campo de batalla.

-Un momento -dijo del Campo a Taboada, antes de entrar en combate-. No es difícil que, como en la última acción, se pase a nosotros la mayor parte de la infantería enemiga; es preciso entonces, para prevenir una traición, que aquellos cuerpos pasados de cuyos jefes no pueda yo responder, sean colocados con un batallón o un regimiento a la espalda, que pueda hacerlos pedazos en cuanto intenten volver sus armas contra nosotros. Visto el buen resultado de la primera traición, no será extraño que intenten la segunda; yo conozco a Gutiérrez y sé que para él todos los medios son buenos. El asesinato de Espinosa es una débil muestra de lo que él es capaz.

-¡Oh!, no lo han de hacer conmigo -dijo Taboada-. En primer lugar porque se hará lo que usted dice y en segundo porque no me pondré yo a tiro de pasados.

Concluida esta conferencia, cada uno ocupó su puesto y poco después el cañón del ejército de Gutiérrez daba la señal de la pelea. El general Taboada era un guerrillero práctico y hábil; no tenía cañones, pero sabía apagar sus fuegos con buenas y prudentes cargas. Gutiérrez se hacía muchas ilusiones en su artillería, pues aunque es verdad que sus cañones eran de primer orden, allí adonde apenas se conocían las piezas de veinticuatro[3],(sus artilleros no sabían manejarlos, de modo que sus piezas no hacían al enemigo el menor estrago. De aquí venía que la vanguardia de del Campo no tuviera ningún miedo a las piezas, cargando sobre ellas como sobre pedazos de palo.

Gutiérrez hizo cargar a la bayoneta a sus dos mejores batallones sobre el centro de Taboada. Pero estos cuerpos, a cierta distancia cambiaron de dirección, y con los fusiles dados vuelta marcharon hacia donde estaba del Campo. Eran pasados, y pasados de buena ley, pues apenas tomaron colocación entre las filas del cura, rompieron sobre el enemigo un fuego tremendo y certero.

Campos, lleno de entusiasmo y de esperanzas, reforzó estos dos cuerpos con un regimiento de sus mejores jinetes y los mandó que se estrellaran contra la artillería, tratando de tomar las piezas. Los artilleros, que no podían estar en

---

[2] Chasqui: (De or. quechua). 1. m. Am. Mer. En el Imperio incaico, mensajero que transmitía órdenes y noticias. 2. m. Am. Mer. Emisario, correo.

[3] Cañón de veinticuatro libras

todos los detalles de la batalla, no vieron más que compañeros que volvían de una carga y trataron de abrirles paso. Y el mismo Gutiérrez que creyó que ellos volvían con un regimiento prisionero o pasado los miró llegar con placer inmenso.

Así la sorpresa fue estupenda cuando ellos rompieron el fuego a quemarropa y la caballería los cargó de una manera imponente. La sorpresa no dio lugar a la defensa, y la derrota se pronunció en la artillería.

-¡Que me deje atender este punto! -mandó decir del Campo a Taboada con un ayudante-, y opere sobre el enemigo de una manera decisiva.

Y como Gutiérrez enviaba refrescos en defensa de sus piezas, del Campo en persona cargó con toda su división para reforzar los suyos y sacar los cañones del campo enemigo. El combate era allí formidable y los de Gutiérrez perdían terreno sensiblemente. Viendo que la izquierda se debilitaba para acudir a sostener las piezas, allí mandó Taboada una carga por regimientos que la puso en derrota en menos de diez minutos.

El cura del Campo, que no perdía un solo detalle de la batalla en general, mandó sacar las piezas por su caballería, mientras él, con la infantería, sostenía la retirada y contenía a los cuerpos que trataban de arrebatarlas nuevamente. Y mientras el grueso del enemigo atendía su izquierda y su centro rudamente atacados, volvió al lado de Taboada y las colocó en batería.

Un abrazo fuerte y cariñoso del general fue la felicitación que recibió el joven al lado de las piezas, que con tanto brillo acababa de tomar, las que empezaron a hacer sobre Gutiérrez un fuego terrible y continuado. La batalla estaba completamente ganada y la retirada no podía tardar en principiar. Tomada la ciudad por los liberales, ¿adónde se retiraba Gutiérrez con los restos de su ejército?

Este, que sabía ya que la capital estaba en poder de la revolución y que derrotado en el campo de batalla ni tenía adónde huir, se concluyó de desmoralizar y los cuerpos no solo empezaron a dispersarse abandonando las armas, sino que empezaron a rendirse a discreción y pidiendo solo que se les conservara la vida. El entusiasmo de las tropas de del Campo era indescriptible, no se escuchaban más que los estruendosos vivas al cura Campos, y las alegres dianas que repetían todos los cuerpos en señal de triunfo. La batalla de Laureles, que así se llamó, auguraba la tranquilidad no solo de Tucumán sino de las provincias vecinas amenazadas por la ambición de Gutiérrez.

En cuanto este vio perdida su artillería y envuelta la izquierda, convencido de que aquello no tenía remedio huyó para San Juan acompañado de algunos jefes y un pequeño grupo de soldados sin que de ello se apercibieran sus mismas tropas, aturdidas por la confusión natural de la derrota. Cuando el ejército empezó a desbandarse huyendo o rindiéndose, Taboada quiso mandar hacer una nueva persecución en toda regla, pero del Campo se opuso con palabras llenas de nobleza que convencieron sin ningún esfuerzo al general santiagueño.

-¡Son tucumanos -dijo-, tucumanos que han venido violentados porque no tenían más remedio que obedecer o hacerse fusilar! Van sin armas la mayor parte y sin dónde volver la cara; no son siquiera enemigos y no merecen la matanza inevitable en toda persecución. -Taboada no insistió.

Era un pedido hecho de una manera noble y razonadísima, cuya concesión no podía importar el menor perjuicio, y ocuparon sus tropas en recoger las armas diseminadas en todas direcciones. Lo único que sentían los dos vencedores era que Gutiérrez se les hubiera escapado con sus principales cabecillas y corifeos federales.

-No importa -exclamó del Campo-, ya ningún mal pueden hacer.

El cura del Campo mandó inmediatamente a Tucumán chasques anunciando su triunfo y su llegada para dentro de dos días, pues era necesario dar descanso a aquellos valientes que habían batallado de una manera tan heroica, contra un enemigo diez veces superior, si se atiende a su número y a su armamento. Y pedía se le alcanzara en el camino con una buena provisión de víveres para repartir entre vencedores y vencidos.

Todo aquel día se empleó en recoger las armas, que se repartieron por partes iguales entre santiagueños y tucumanos, se descansó toda la noche, y a la madrugada siguiente, después de saludar la salida del sol con alegres dianas, se emprendió la marcha a Tucumán por parte del cura del Campo y el general Taboada, mientras la mayor parte del ejército de este último regresaba a Santiago.

La alegría del pueblo tucumano era inmensa; la población en masa salía al encuentro de su caudillo, rindiéndole el tributo de su admiración y su cariño. La batalla de Laureles era el golpe de muerte asestado contra la tiranía irritante del general Gutiérrez, y el triunfo estable de la libertad y los principios garantidos por un carácter como el del cura del Campo, cuyo temple acababa de probarse de tan brillante manera.

Organizándose el país, se trató de nombrar gobernador, y el nombre del cura Campo brotó espontáneamente de todas las bocas. ¡Jamás en la República se habrá hecho una elección más libre y unánime! Una sola dificultad se presentaba y es que el gobernador electo no tenía aún los treinta años que le exigía la ley.

Del Campo quiso renunciar y retirarse a su curato una vez concluidos los tratados que había que ratificar con Taboada, e indicó a sus conciudadanos los candidatos entre quienes debían elegir. Pero todo Tucumán insistió en que su gobernador había de ser el cura del Campo, para lo cual la Legislatura se vio obligada a habilitarle la edad. El joven del Campo se vio obligado a aceptar, y desde el primer momento se entregó con toda abnegación a hacer la felicidad de su provincia, tan tiranizada hasta entonces.

Se ocupó en asegurar por medio de un tratado la alianza con el gobernador de Santiago, organizó los tribunales de justicia, cosa desconocida en Tucumán donde no había más justicia que la que mandaba el general Gutiérrez, y concluyó bien pronto con el abuso y las enormidades que hasta entonces habían imperado como único sistema de gobierno. Y los pobres paisanos que no tenían la más remota idea de lo que era derecho y libertad se quedaron pasmados al saber que tenían donde quejarse cuando se cometiera con ellos una injusticia y dónde reclamar lo que era de su propiedad y que estaba en manos de tal o cual personaje. Gobierno de orden y de libertad, no permitió que se efectuaran persecuciones en las personas del partido caído, las que podían vivir en Tucumán sin que nadie las molestara para nada.

-Ahí están los tribunales de justicia -decía cuando se quería hacer una persecución odiosa-; al que sea culpable acúsenlo ante los jueces que ellos le aplicarán la ley haciendo rigurosa justicia.

Y los mismos federales, aquellos más intransigentes y empecinados, se hicieron tan partidarios de aquel gobierno de orden, que fueron los primeros en prestarle su más eficaz ayuda.

La administración y la política absorbieron por completo el espíritu elevado de aquel joven, a quien las puertas de la vida se habían abierto en medio del trabajo y la fatiga. Y comprendió que la vida encerraba algo más que trabajo y sufrimiento, que el espíritu tenía también sus goces y que la juventud tenía también sus halagos y sus horas de suprema ventura. Y la religión de su ministerio, a la que había dedicado los primeros años de su vida, con toda la fuerza de su gran carácter, fue mirada como una cadena de presidiario que era preciso romper, porque la misión que Dios había dado al hombre en la sociedad y en la familia, era mil veces más sublime que la inútil misión del claustro, donde un hombre al encerrarse en vida, se roba a su verdadera misión y a la utilidad común.

El hombre sintió sobre su cabeza juvenil la atmósfera del poder y de aquel clima eminentemente poético y comprendió que el corazón estaba en el pecho del hombre para algo más que para amar a Dios y a la patria. Y las reuniones de la primera sociedad tucumana donde brillaban ojos humanos, con toda la expresión juvenil y ardiente y fisonomías radiantes de belleza, con sus bocas tropicales y sus párpados mortecinos, dieron a su espíritu un nuevo soplo de vida, levantándolo a una esfera para él desconocida. Y colgó su sotana, puesto que los acontecimientos lo habían empujado en un sendero bien distinto del que se había trazado en los primeros años de su laboriosa vida.

El caudillo general

El Chacho se había entregado por completo a servir los intereses de Urquiza, porque lo creía un gobierno de principios que importaba la salvación del país del abismo en que hasta entonces había rodado. Le había jurado lealtad, porque estaba convencido de que era el gobierno legal y ya sabemos hasta dónde llevaba Peñaloza su lealtad y su abnegación.

De aquel lado estaba su amigo el general Benavídez y el Chacho no podía tener entonces duda de que el general Urquiza representaba el dominio del partido liberal y unitario. El general Peñaloza había llegado al apogeo de sus aspiraciones. La posición de general, dada por el Congreso de la Nación para un hombre de su condición humilde y que no daba la menor importancia a los servicios que había prestado, era el último límite donde podía llegar un hombre.

El general Urquiza lo había nombrado segundo jefe del ejército de Cuyo, en la seguridad de que la paz no sería alterada y que Peñaloza sería el viejo sostenedor de su política. Urquiza, que no se fiaba de nadie, escarmentado tal vez con lo mismo que él había hecho con Rosas, había sin embargo depositado toda su confianza en el Chacho, porque había calado ya toda la nobleza y lealtad de su gran carácter.

"Mientras viva Peñaloza, se había dicho este, puede el gobierno estar tranquilo descansando en mí."

El gran caudillo riojano por un error de apreciación se alejaba así del lado de la verdadera causa liberal, apoyando a los hombres que más tarde habían de ensangrentar el suelo de la patria por sus más mezquinas ambiciones.

Peñaloza se retiró a Jáchal al lado de su familia donde vivía rodeado de toda la felicidad que puede ambicionar el hombre más exigente. Querido hasta el delirio por el pueblo y respetado de todos a causa del poder que representaba, no se mezclaba para nada en la marcha del país, que tenía sus autoridades libremente elegidas, y que lo guiaban por el buen camino. Consultado en las cuestiones más graves, porque era un hombre de muy buen juicio y vistas claras, manifestaba sus opiniones sin hacer la menor fuerza en que ellas fueran aceptadas, limitándose a decir: "Ahora que el gobierno haga lo que le parezca, que para eso es gobierno, yo nada tengo que hacer en esto."

Peñaloza nunca recurrió al gobierno para pedir un servicio para sí, porque decía que basta que él pidiera para que al gobierno acudan aunque no fuera justo. ¿Pero para qué necesitaba del gobierno él que era el verdadero gobernador de La Rioja?

Nadie se hubiera atrevido a contrariar la menor disposición por él tomada, no porque tuvieran miedo de que fuera a enojarse, sino por no causarle el menor disgusto. Peñaloza era la suprema justicia de La Rioja, porque a él acudían todos para zanjar sus mayores dificultades, porque sabían que Peñaloza era la rectitud personificada, incapaz de tener parcialidad a favor de su mejor amigo. Si se trataba de uno que debía dinero a otro y acudían al Chacho en demanda de justicia, este los oía atentamente, y si lo encontraba justo, condenaba al deudor a pagar la suma cobrada sin más trámite. Pero daba el caso de que siempre el deudor no tenía dinero y el acreedor exigía el pago en animales y en prendas, lo que importaba dejarlo en la miseria. Entonces el Chacho pagaba por él todo si podía, y si no entregaba una suma a cuenta, haciéndose responsable de lo demás. Esta era la manera de arreglar las cuestiones entre los que a él acudían en demanda de justicia. De modo que Peñaloza tenía un capital empleado en préstamos diferentes que no cobraría nunca, porque eran hechos a infelices que nada tenían.

Cuando alguno necesitaba alguna concesión del gobierno, o algún favor de la autoridad, acudía al Chacho, que se costeaba a la fija para ir a pedir el servicio, porque entendía que él tenía la obligación de servir a todos, puesto que todos lo servían a él cuando lo necesitaba. Y si el gobierno hacía alguna objeción o ponía alguna dificultad, el Chacho tenía una filosofía original de convencerlo.

-Dígame -preguntaba-, ¿si yo le pidiera esto para mí, podría hacerlo?

-Es claro que sí -era la respuesta-, pues que el gobierno no debe negar nada al mejor y más leal hijo de la provincia.

-Pues si se puede conceder para mí, se puede conceder para cualquiera -concluía Peñaloza-, porque yo no tengo corona y soy igual al último de los riojanos. Dígame, si en una cosa tan sencilla que a nadie perjudica se les dice que no, ¿con qué derecho va a pedirles después el gobierno el sacrificio de su vida cuando la necesite? Vamos a pelear, decimos nosotros al pueblo cuando es necesario y el pueblo nos sigue sin preguntarnos por qué vamos a pelear y qué van ellos a ganar en la cruzada. Y abandonan sus familias y sus intereses sin mirar para atrás, exponen la vida y reciben la muerte con la sonrisa en los labios y sin pedir la más miserable compensación. Entonces, pues, no es posible negarles algún miserable servicio que pidan y que nunca vale un átomo de todo lo que ellos dan cuando es necesario, puesto que empiezan por dar la vida. El gobierno que no sabe compensar los sacrificios de un pueblo, no merece que un pueblo acuda a su llamado con la lealtad que acude el pueblo riojano.

Y como esto lo decía delante de todos, todos sabían que del Chacho podían esperarlo todo, y de ahí se explica aquella idolatría ciega que los hacía acudir en el acto allí donde había sonado la voz del Chacho. Por esto es que el Chacho en un momento reunía dos o tres mil hombres, puesto que todos, por seguirlo, abandonaban todo cuanto tenían, sin cuidarse de si lo encontrarían o no a la vuelta y si volverían ellos mismos. Así la idolatría por aquel hombre extraordinario había pasado los límites de La Rioja para extenderse por las demás provincias, adonde directa o indirectamente llegaban sus beneficios.

La Victoria, por otra parte, era la gran columna de apoyo de los necesitados, porque para complacer su menor deseo, el Chacho no conocía imposibles. Amaba a su compañera por sobre todas las cosas de la tierra; no existiendo nada para él comparable a la satisfacción suprema de proporcionarle un placer. Así es que cuando a un solicitante le parecía demasiado gordo el empeño que solicitaba acudía a la Victoria, en la plena seguridad de conseguirlo. Porque la mujer del Chacho no razonaba, ni discutía la justicia de su empeño.

"Quiero hacer tal servicio", mandaba decir al gobierno, y el gobierno le otorgaba porque no era posible resentirla sin haber hecho a Peñaloza la mayor ofensa. Así es que en los empeños grandes y aventuras difíciles era siempre a la Victoria a quien acudían, como que a ella nadie le hubiera negado la menor cosa. Las madres cuyo único hijo se les escapaba para irse a la guerra, a ella acudían para que el Chacho no lo admitiera como soldado.

-Vuelve, hijo, vuelve al lado de la madre que te necesita para su sustento -decía Peñaloza al muchacho-, que si acaso necesito más gente, yo te avisaré y entonces ella te dará licencia, porque será peor que por no pelear conmigo entren los enemigos a La Rioja y hagan otra clase de herejías.

Esta clase de empeños los hacían siempre a la Victoria, porque alguna vez que se habían dirigido a Peñaloza, este había contestado que él no se metía en los actos voluntarios de los demás.

-Para defender los derechos de La Rioja -decía entonces- ya ven que hasta mi misma mujer marcha a campaña, y pelea a la par de cualquier soldado.

Así el Chacho contaba con la bendición de todos, pues no tenía que acusarse de haber hecho derramar una sola lágrima. Jamás había forzado a nadie a marchar contra su voluntad ni contra la de sus padres, y jamás había ordenado para nadie un castigo corporal. Sus labios estaban vírgenes de haber pronunciado una sentencia de muerte. El castigo más cruel, que aplicaba como correctivo al robo, era la expulsión de los que este delito habían cometido, de entre las filas de sus soldados, con prohibición expresa de no ponérsele jamás por delante.

Así, se veía que aquellas tropas, voluntarias en su totalidad, y sin más disciplina ni freno que el amor de su caudillo, no solo no habían cometido nunca esas depredaciones que cometían las mismas tropas regulares, sino que eran la verdadera garantía de los departamentos donde campaban. Las casas de comercio estaban seguras de que no les sería sacada por la violencia ni una sola libra de azúcar, puesto que el mismo Peñaloza era el primero en empeñar sus prendas para comprarla, y permanecían con sus puertas abiertas, lo que no sucedía cuando la provincia era cruzada por otra tropa extraña a Peñaloza. Es que Peñaloza tenía también su manera original de proceder con respecto al comercio que obligaba a este a facilitar a sus soldados lo que estos le pidieran con buenas garantías.

Cuando había tomado alguna de aquellas grandes arrias con que alguna autoridad federal pagaba a otra alguna contribución de guerra, como varias veces sucediera con el general Gutiérrez, el Chacho repartía entre sus soldados todo lo que era dinero, yerba, azúcar y tabaco. La bebida, los cueros y otra clase de artículos que la tropa no podía aprovechar, la repartía entre los comerciantes que alguna vez habían servido al ejército. Y su memoria era tan larga a este respecto, que cuando alguno de los negociantes que se hallaban en estas condiciones no acudía al reparto por algún inconveniente, el Chacho hacía reservar su parte y se la remitía a su misma casa, a cualquier distancia que esta estuviera situada. Así en las épocas de mayor miseria para los soldados de aquel gran caudillo, los pulperos y negociantes se habían cotizado en toda la provincia de La Rioja para mandar al Chacho la yerba y azúcar que pudiera necesitar. Con la garantía verbal de Peñaloza, ningún negociante tenía inconveniente de entregar los artículos que se les pidiera, porque ya sabían ellos que el Chacho no salía de garantía sino por aquellos que podían pagar cómodamente, y porque ningún comprador a quien el Chacho hubiera garantido se atrevería a faltar a su compromiso, dejando mal a su caudillo.

En aquella época de paz general, tanto La Rioja, como Tucumán, Mendoza y Santiago mismo, habían adelantado de una manera notable. Había dinero porque Urquiza pagaba con cierta regularidad a las tropas que había movilizado y ocupaba en las provincias de Cuyo y la gente podía entregarse con descanso al trabajo, pues después de la caída de Rosas, el comercio con Buenos Aires y el litoral empezó a tomar una importancia que jamás había tenido. A Buenos Aires venían continuos y numerosos cargamentos de todas las provincias del Norte, que se cambiaban aquí por artículos de primera necesidad o se vendían para el litoral, a buenos precios. Como la Federación ya no metía mano en las haciendas y dinero de los unitarios y los gobiernos pagaban más o menos bien sus compromisos, la plata circulaba y todos tenían con abundancia o con escasez, pero todos tenían.

Peñaloza era el soldado predilecto de Urquiza y su brazo derecho en el interior. Y como para este Urquiza no era más que el gobierno supremo de la Nación, ni siquiera meditaba las órdenes que emanadas de él recibía. Las cumplía al pie de la letra dejándole toda la responsabilidad de su ejecución, siempre que estas no fueran órdenes de sangre, se entiende, pues el Chacho no derramaba sangre sino en el campo de batalla, y eso, durante la pelea. Concluido el combate, el enemigo era sagrado para el general Peñaloza, sin que haya hasta ahora un solo prisionero que pueda decir que fue maltratado por las tropas de aquel jefe modelo de generosidad y de hidalguía. Cuando el prisionero era un jefe o un oficial herido, que no podía seguir la marcha de sus tropas, lo dejaba en la primera población del tránsito, recomendando de esta manera:

-De la vida y del bienestar de este hombre respondo yo con mi buen nombre: que se le cuide como si fuera el más querido de nuestros oficiales, para que no se diga que somos bandidos que no respetamos ni al prisionero herido. -Y lo dejaba, en la seguridad de que sería tratado tal como lo había dicho y atendido en todo aquello que pudiera necesitar y fuese posible darle.

Al fin aquellos prisioneros no eran culpables porque ya se sabía que la mayor parte venía a combatirlos porque no tenía más remedio que obedecer las órdenes que recibía. Las batallas no eran sangrientas, porque una vez que cayó Rosas y desaparecieron Oribe, Aldao, y Gutiérrez mismo, no se combatía con esa saña imponderable, con ese odio que negaba todo favor al vencido, a quien solo se trataba de destruir y aniquilar, degollando los prisioneros sin distinción de clase ni de persona. Esto no se había hecho nunca en los ejércitos de Peñaloza, donde no había precedente de un solo acto de crueldad, desde que desapareció Quiroga, único que hacía cometer y los cometía él mismo.

Así es que las poblaciones de La Rioja, habituadas a aquellos tratos nobles del caudillo, eran las primeras en amparar no solo a los heridos, sino a los rezagados de las marchas por cansancio, o por enfermedad. La provincia de La Rioja se ha distinguido siempre así, por el valor y constancia de sus hijos y por la hospitalidad ejemplar de sus poblaciones, que no hacían la menor distinción entre el herido enemigo y el propio herido. Las familias no veían en él más que un herido digno de compasión y de respeto, cuidándolo como si se hubiese tratado de uno de sus miembros.

En La Rioja se practica la hospitalidad franca y sin reserva, como un deber de conciencia e ineludible, compartiéndose con el forastero lo mejor que se tiene; la más cómoda casa y el alimento más fresco. En las mismas poblaciones más pobres donde se hacen provisiones de carne y otros alimentos para una semana, estas se sacan todas para que el huésped se sirva a su voluntad y sin medida, aunque a su retirada no tengan ellos qué comer.

Si el huésped tiene con qué corresponder a los beneficios recibidos y corresponde a ellos espontáneamente, se recibe su obsequio con la mayor buena voluntad. Pero no habrá labio que se mueva para pedirle una recompensa por los favores que se le han hecho. Esto en las poblaciones más miserables, que las otras tomarían a ofensa todo lo que tuviera al menos carácter de remuneración.

Sin la menor relación de amistad y sin dos reales en el bolsillo, se puede dar la vuelta a toda la provincia de La Rioja, sin temor de sufrir necesidades, porque la hospitalidad allí es un deber tan ineludible que todas las casas de familia tienen su habitación de huéspedes dispuesta siempre a recibir al primero que llama a la puerta. Enemigos y amigos todos son iguales para la consideración del que hospeda. Muchos han pagado ingratamente los beneficios recibidos, pero esto no ha modificado en nada el carácter de las gentes. Las tropas nacionales han cometido excesos de todo género, horrores verdaderos que más adelante hemos de narrar. Y sin embargo nunca preguntó nadie al soldado herido a qué tropa pertenecía ni cuál era su modo de pensar. Se le ha cuidado, y una vez bueno, se le indicaba el camino que habían tomado los suyos.

Una aventura de Sarmiento

Nadie había mirado el triunfo de los principios en Tucumán, con más placer que Benavídez. Eminentemente liberal y unitario en creencias, no había podido desligarse del elemento federal que había manejado siempre y había sostenido al general Gutiérrez porque así convenía a los intereses del general Urquiza, pero en cuanto pudo, lo había abandonado a su suerte y a su derrota, no queriendo meterse para nada en los asuntos de Tucumán, y menos hacer oposición a la política recta y liberal del cura Campos, quien no miraba ya en Benavídez un enemigo político sino un amigo personal.

Es que el general Benavídez no tenía resistencias enconadas ni entre los más exaltados unitarios, porque era un hombre que nunca los había perseguido a muerte, que nunca había hecho degollar por su cuenta como los hombres de Rosas en las otras provincias. Al contrario, siempre que había podido prestar un servicio lo había hecho sin mirar para atrás, y sin importarle si aquel servicio prestado a un unitario descontentaba o no al círculo federal que lo rodeaba. De esta manera él tenía sus amigos en todos los círculos, y lograba hacer un gobierno tranquilo, ganando por lo pronto la seguridad de que, una vez terminado su período, lo dejarían vivir en paz y sin persecuciones, fuera cual fuese el hombre que viniera al gobierno. Esta era sobre todas su mayor aspiración porque quería vivir entre los suyos y en su provincia sin que nadie le hiciera objeto de sus persecuciones y de sus odios.

Una prueba de las contemplaciones, que Benavídez había tenido con los unitarios, era la siguiente aventura que motivó la emigración de Sarmiento a Chile, poco antes de la caída de Rosas y cuando más exaltados estaban los ánimos federales en contra de los revoltosos unitarios que no perdían oportunidad de hacerles la guerra y mostrarles el odio que por ellos tenían. En esa época vivía en San Juan el general Sarmiento, hombre joven entonces, y entusiasta por todo lo que era libertad y tendencias a destruir el gobierno infamante de Rosas y sus caudillos feroces del interior.

Lleno de juventud, y de un carácter tenaz y emprendedor, sin que hubiera nada capaz de imponerlo, como sucede a aquella edad en que el temor no entra para nada en los cálculos del hombre, Sarmiento se reunía con algunos amigos, jóvenes y entusiastas como él, y tenían largas conversaciones, en las que no eran ajenas las largas tiradas revolucionarias y los discursos contra la tiranía. Sus originalidades y el empeño de combatir al Partido Federal, sin preocuparse de las dificultades que había que vencer, le habían dado cierta fama de loco, en el sentido cariñoso que se da a esta palabra, cuando se emplea para designar a un hombre alegre y original. Porque no es que Sarmiento fuera loco en realidad, sino que era un joven que se preocupaba muy poco de los demás cuando quería hacer una cosa y no consultaba jamás la opinión de nadie. Tenía una franqueza ruda para decir sus cosas, sin importarle nada el ardor que sus palabras pudieran causar en los demás. Esto le había captado algunas enemistades, sobre todo en el círculo de Benavídez que era contra quien Sarmiento se ensayaba haciendo alarde en no saludar a los hombres de más significación entre aquel círculo, burlando amargamente a los pequeños corifeos y rateruelos de la federal época.

-Ese loco es un gran pillo a quien va a sucederle un chasco el día menos pensado -decían unos.

-Son locuras de Sarmiento -decían los otros-; ¿quién le va a hacer caso?

Y como a cargo de locuras nadie lo tomaba a lo serio, más se enconaba Sarmiento y más hacía alarde de hablar contra el gobierno y sus hombres más prestigiosos, verdaderos bandidos que no tenían otra ley ni aspiración que el saqueo y el robo.

Sarmiento era dependiente de una casa de negocio a estilo de las provincias en aquella época, donde se vendían cosas de la tierra con preferencia a cualquier otra; negocios cuyo mayor capital estaba representado por pasas, licores, orejones, arrope, etc. Desde atrás de aquel mostrador que había convertido en gabinete de lectura, era desde donde el travieso joven asestaba sus más furibundas púas contra los federalazos que paseaban por las calles. Era desde allí que solía lanzarles su más sangrienta injuria, que consistía en gritarles aquello de adiós federal.

La familia de Sarmiento, calculando que aquella injuria tarde o temprano había de costar caro al joven, se había empeñado para que modificara su carácter y modo de ser, concluyendo por intimárselo sus tíos y personas más respetables. Pero si Sarmiento por respeto a ellos se modificaba un par de días, era para volver más seriamente a sus originalidades y diatribas.

Entonces no había ninguna ley tras de la cual pudiera ampararse un ciudadano. No imperaba más ley que la suprema voluntad de los señores mandatarios, que se hacían respetar, muchos de ellos por medio del rebenque como primera y contundente medida, sin perjuicio de usar otros más eficaces si este no producía los resultados que se buscaban.

El jefe de policía, por ejemplo, era un tipo excepcionalmente terrible y caprichoso. Insigne reñidor de gallos, pasaba su vida dedicado a los gallos y al reñidero, y se figuraba que la ciudad no era otra cosa que un reñidero de que él era juez, tratando a los ciudadanos como a simples gallos y resolviendo toda cuestión policial como cualquier riña o moguillo. Lo que él mandaba era lo que se hacía aplicándose siempre como primera amonestación una rebenqueadura de primera fuerza. El personal de la policía era un personal digno de semejante jefe. Compuesto de los peores elementos posibles y con el ejemplo del jefe, cada comisario, cada empleadote, se creía una autoridad suprema contra la que no había apelación posible puesto que el jefe sostenía sus actos a toda costa. Muchos, groseros y sin la menor educación, procedían siempre de una manera contundente, sin detenerse en la averiguación de los hechos. Procedían siempre por la primera impresión y según sus simpatías y caprichos, seguros de que el jefe, lejos de observar su conducta, cargaría la mano, en pleno apoyo de la resolución que ellos hubieran adoptado.

El general Benavídez lamentaba estos abusos, pero no podía cortarlos de raíz sin disgustar al círculo que lo sostenía y en quien tenía depositada su mayor confianza. Era necesario contemplarlos y contemporizar con sus abusos que iría modificando poco a poco y como fuera pudiendo. Esto era lo que aterraba a los amigos de Sarmiento, que le hacían observar detenidamente todos estos peligros, con buenas y aceptables razones.

-Es necesario que no seas loco, y que te convenzas que de todos modos nada vas a ganar con tu conducta original que a nada conduce, y que ninguna ventaja puede importar a las teorías que profesas. Ya sabes que aquí no impera más voluntad que la del jefe de policía y el capricho estúpido y gauchesco de los bandidos erigidos en subalternos suyos y representantes de la ley. Guarda silencio hasta que los sucesos se presenten de una manera más favorable, porque lo que tú haces con tu conducta es provocar a esa chusma infame y exponerte a que hagan contigo una de aquellas atrocidades que vemos diariamente.

Pero Sarmiento no tenía cura posible, prometía moderarse, pero era para volver con más fuerzas a su oposición y sus diatribas, lo que autorizaba más la clasificación de loco con que todos lo designaban. O no creía que esto pudiera ocasionarle el menor disgusto o no conocía peligro capaz de torcer sus propósitos. Conocido en toda la ciudad, muchos festejaban sus originalidades como verdaderas locuras, pero la autoridad había empezado a mirarlo de mala manera y a cobrarle una antipatía sumamente peligrosa, que felizmente aún no se había traducido en la menor persecución.

El mismo general Benavídez, hablando de estas locuras que era el primero en festejar, había dicho más de una vez a los amigos del joven:

-Es preciso que digan a Sarmiento que no sea loco, porque las locuras como todas las cosas deben tener su límite. A mí no me importa que hable de mí y diga lo que más rabia le dé, porque sé que es loco, pero a los demás no les sucede lo mismo y se va a hacer odiar de todos, no siendo extraño que el día menos pensado le jueguen alguna broma desagradable.

Los amigos transmitían a Sarmiento todas estas prevenciones, pero él las atribuía al miedo del gobierno por el mal que le hacía en oposición y reía alegremente del temor que manifestaban sus amigos.

-Que no se meta conmigo -había dicho el jefe de policía-; que no se meta conmigo porque o me voy a olvidar de ese loco, o como a loco lo voy a tratar aplicándole el remedio que hace volver cuerdo al loco más rematado.

Aquélla era una amenaza directa y grave y los amigos hicieron presente a Sarmiento que era preciso se reformara por completo en su modo de ser, pues de lo contrario ellos mismos se le separarían temiendo los complicara en sus locuras, añadiendo que era un disparate completo estar provocando a la autoridad de aquella manera, sin ningún propósito meditado y sin la menor ventaja digna de un sacrificio por obtenerla.

-Si ustedes tienen miedo -les dijo entonces Sarmiento-, francamente yo no lo tengo; soy unitario, enemigo intransigente de la Federación, lucho por el partido unitario y no habrá amenaza capaz de hacerme retroceder en mis propósitos.

Los amigos, temiendo efectivamente la persecución de los bribones de la policía, empezaron a esquivarse de juntarse con Sarmiento, quien tuvo una manera originalísima de enmendarse.

Allí atrás de aquel mismo mostrador que había erigido en gabinete de lectura y estudio, fundó un diario liberal con el cual pensaba hacer al gobierno su más terrible oposición, haciendo propaganda contra Rosas y la política de sus tiranuelos en el interior. Aquel diario, naturalmente, debía ser manuscrito por el mismo Sarmiento, y ser semanal, para tener tiempo de copiar él mismo los diez o doce números en que debía circular. Y así pasaba la semana escribiendo y copiando sus más famosos artículos, con gran perjuicio del mostrador, cuyos parroquianos no eran atendidos con la actividad deseada.

El primer número que salió, en diez ejemplares, no dejó de hacer su impresión, aunque era bastante moderado para lo que se esperaba de Sarmiento. Muchos rieron de la ocurrencia, pero todos reprobaron el diario, diciendo al joven que se dejara de estas cosas que podían acarrearle una desgracia seria, pues ya sabía que los federales no toleraban oposición de ningún género, y mucho menos que se les pusiera en ridículo provocando contra ellos la risa del pueblo.

Sarmiento reía siempre alegremente de estos temores, y siguió en su empresa con todo el ardor de que era susceptible, trabajando día y noche, sin descanso, para poder hacer circular su diario siquiera en veinte ejemplares, que él mismo repartía entre las familias amigas. Así, aunque los suscriptores como los números no fueran más de veinte, los lectores habían de pasar más de cien, porque el diarito circulaba de mano en mano, teniendo toda la semana para leerse.

De la oposición moderada pasó a la oposición violenta y viendo que Benavídez no hacía mucho caso de lo que en el diario escribía, la emprendió con el jefe de policía y sus subalternos, en artículos que no carecían de gracia y de contundencia. Si ahora mismo un artículo de Sarmiento, de esos artículos apasionados y vivaces, es una pieza curiosa y risueña, ya podrán calcular lo que serían aquellos artículos llenos de juventud y travesura. En ellos se ponía en ridículo al jefe de policía, se criticaba con amargura y originalidad el proceder inicuo de la autoridad, y se invitaba al gobierno a cortar de raíz estos abusos.

Aquellos primeros artículos hicieron profunda impresión en el virginal pellejo del jefe de policía que juró se la habían de pagar, siendo este el principal motivo que incitara a Sarmiento a seguir en su propaganda. Sus artículos habían picado como un diablo al jefe de policía, en todo San Juan se hablaba de él y de su diario, y Sarmiento se hallaba dominado por una inmensa alegría. Lo único que sentía profundamente era no tener el tiempo necesario para copiar doscientos ejemplares de su diario, y hacerlo circular en toda la provincia. Y siguió, absolutamente solo, aquella rara campaña que tan tenazmente emprendiera.

Al segundo artículo contra su honesta persona, el jefe de policía no pudo contenerse y se fue a conferenciar con el gobernador Benavídez.

-Yo vengo a prevenir al gobierno -dijo enfurecido- que no estoy dispuesto a dejarme manosear por un loco. Es preciso que el gobierno tome sus medidas para que esto no se repita, porque yo entonces voy a hacerme justicia por mi mano y tendremos la fiesta en paz.

-Pero, hombre -decía Benavídez tratando de calmarlo, a Sarmiento no hay que hacerle caso porque es loco, ¿no ve lo que he hecho yo? Con no hacerle caso lo aburrí, al extremo de que no volvió a ocuparse de mí. Haga usted lo mismo y verá cómo no vuelve a decirle nada.

-Cada uno tiene su temperamento, señor gobernador; yo, porque no digan que quiero ser más que usted, me callaré ahora la boca, pero si ese loco vuelve a importunarme y a injuriarme, yo lo voy a poner cuerdo a fuerza de golpes.

Sarmiento, que sabía la impresión que en el jefe de policía hacían sus sátiras, preparó para el otro domingo la más famosa de todas. Era una tunda en toda regla, como la puede escribir Sarmiento en un momento de mejor humor, salpicada de palabritas agudas y zafadas en grado heroico.

El jefe de policía leyó aquella tunda y se fue en persona a buscar a Sarmiento, pero no lo halló en su casa, por fortuna, y enfiló a la del gobernador a darle la última queja, diario en mano.

-Señor -dijo enfurecido-, yo no puedo tolerar esta burla que se me está haciendo y que autoriza al primer borracho a reírse de mí. Yo ya no tengo paciencia, y es necesario que el gobernador tome una medida seria si no quiere que yo haga una herejía.

Benavídez volvió a insistir en lo que antes le había dicho, aconsejándole que el mejor castigo que podía dar a Sarmiento era tratarlo como a un pobre loco, no haciéndole caso.

-Yo no puedo, señor, no tengo sangre para aguantar estas cosas y ya toda mi paciencia se ha ido al diablo; si usted no toma una medida para que este loco termine cuanto antes con su pasquín, yo le voy a romper las costillas y así estaremos en paz.

Benavídez prometió a su jefe de policía que él mismo hablaría con Sarmiento, haciéndole prometer a su vez que él no tomaría medida de ningún género contra el joven, hasta que él no le hubiera contestado.

-Es que todo el personal a mis órdenes se anda saliendo de la vaina por caerle -decía el jefe-; y me va a costar mucho evitar que alguno le dé una paliza. Sin embargo, desde que el gobernador me ofrece tomar medidas, yo también las tomaré y nada sucederá al loco hasta ver si muda o no de conducta.

Benavídez tenía miedo de una medida violenta, porque conocía a su jefe de policía y lo creía muy capaz de cualquier atrocidad. Por esto quería convencerlo de que no debía hacer nada, resolviéndose en último caso a ver a Sarmiento para que se dejara de locuras. Al efecto, lo mandó a llamar a su casa, teniendo con él la conferencia más graciosa.

Sarmiento acudió al llamado del gobernador, sospechándose más o menos de lo que se trataba, y dispuesto a mantenerse en sus trece, pues se había persuadido de que le tenían miedo.

-Bienvenido, amiguito -dijo el gobernador-; se le ha mandado a llamar para que se deje de locuras, que ninguna ventaja puede reportarle, si no es alguna mala aventura con la policía. ¿Para qué está embromando al jefe? ¿Qué es lo que se propone en ello y qué es lo que va a sacar en limpio? Ya que quiere escribir, escriba sobre lo que más rabia le dé, pero deje en paz a la policía por la cuenta que le tiene.

-Es que el jefe de policía es un tirano -contestaba Sarmiento-, y yo debo atacarlo en calidad de diarista, y como defensor de los derechos del pueblo.

-Qué diaristas, qué pueblo ni qué locuras. Yo podría hacerlo callar, haciendo uso de mi autoridad, pero no quiero porque poco me importan esos papeluchos. Pero el jefe de policía, que no piensa como yo, se ha propuesto darle un susto y esto es lo que yo quiero evitar. No sea loco, entonces, déjese de diarios y de ataques que ya le habrían costado caros si no hubiera sido porque yo estoy conteniendo a esa gente. Le prevengo, entonces, que toda provisión se les ha agotado y que si usted persiste en sus locuras, yo no podré evitar que ellos hagan una mayor.

La prevención era como para no echarla en saco roto y Sarmiento prometió no insistir más en sus ataques, pero dijo que era preciso al mismo tiempo que el jefe de policía dejase de ser un tirano espantoso y no persiguiera al pueblo como lo había hecho hasta entonces.

-¿Y qué le importa a usted de todo esto?

-¿Cómo no me ha de importar? Para eso es la prensa, señor gobernador, para defender los derechos escarnecidos del pueblo.

-Bueno, basta de locuras -terminó el gobernador-, que yo demasiado he hecho con prevenirle lo que puede sucederle, y pedirle que cese en sus locuras si quiere evitar una desgracia.

Sarmiento se retiró prometiendo al gobernador que no atacaría a la policía, pero más decidido que nunca a atacarla. Cualquiera que conozca al señor Sarmiento, sabe que es sumamente terco, y que cuando se propone una cosa, no hay medio de hacerlo desistir de ella.

En su número siguiente no se personalizó con la policía, aunque habló de tiranos y libertades usurpadas, quedando conforme el jefe de policía con que dejaría en paz al loco, puesto que él ya no se metía con ellos. Pero aquella tregua no podía ser más que un descanso que Sarmiento se tomaba para volver con más bríos a su tema favorito. Viendo que la policía no se metía para nada con él y no pudiendo aguantar la poca bulla que hacía su diario, volvió a las andadas con un artículo formidable, en el que no se perdonaba ni siquiera a los vigilantes.

Todo San Juan sabía lo que había pasado con Sarmiento, asombrándose de que este volviera a la carga, provocando las iras de un poder de la magnitud de aquel. Para mayor desventura, el general Benavídez se había ido aquel domingo a su estancia y el jefe de policía era la única autoridad que allí había. En la creencia de que todo estaba arreglado, y de que Sarmiento se había dejado de locuras, ni siquiera volvieron a leer en la policía el diario del loco, que era como lo llamaban.

Aquel domingo el jefe y empleados superiores de la policía estaban de farra, a propósito de una riña de gallos que aquel había ganado. La comilona había sido en toda regla y se había bebido con un entusiasmo que hizo subir el barómetro de la sangre policial a una altura fabulosa. Se reía y se chacoteaba comentando precisamente las locuras de Sarmiento y lamentando que no se le hubiera pegado una tunda para hacerle pagar las insolencias que les había dicho.

-Es que el gobernador se empeñó -decía el jefe-, y yo tuve que ceder, para no parecer caprichoso, a cambio de que el loco se callara la boca, y se dejara de importunarnos.

-Lo siento mucho- argumentaba uno de los comisarios presentes, cuya cintura como la de todos se hallaba adornada por un sable capaz de meter miedo al más guapo.

-Yo me había hecho la ilusión de medirle al loco las costillas, porque me tiene caliente; pero no pierdo la esperanza y a la primera que haga, y tal vez sin esperar a que la haga, lo voy a poner más manso que un cordero.

Y como seguían bebiendo, los colegas seguían perdiendo la serenidad, y el deseo de todos se iba manifestando en contra de las costillas de Sarmiento, que no se sospechaba el peligro que en aquel momento corría.

El edificio ocupado por la policía era uno de esos edificios muy antiguos, de los que aún quedan algunos, como muestras de aquella arquitectura original. Un edificio de gruesas y enormes paredes, con piezas altas de balcón volado a la calle, balcón que venía a estar, cuando más, a unas cuatro varas sobre la vereda. En la planta baja estaban las oficinas, calabozo, cuerpos de guardia, etc., y en la alta algunas piezas de empleados, y un salón donde tenían lugar las farras policiales, cuyo balcón volado a la plaza tendría una altura de cuatro varas. Era en este salón donde había tenido lugar la comilona, y donde seguían mamándose cristianamente las autoridades policiales de San Juan.

-Este Benavídez es muy débil -decía el jefe de policía-; lo que él debía haber hecho era mandarnos preso aquí al loco y autorizarnos siquiera para pegarle un manteo[1], porque el resultado ha sido que nos ha dicho cuanto se le ha venido a la boca, y se ha quedado riendo, lo que no está bien.

-No importa, no importa -exclamaba aquel que tanto interés demostraba en caerle a Sarmiento-; el loco no ha de tardar en darnos un motivo divertido y entonces, sin que lo sepa el gobernador, nos desquitaremos de todas las que nos ha hecho.

No bien había este concluido de hablar, cuando entró un amigo con el diario de Sarmiento en la mano y diciendo:

-Este loco no tiene cura, ahí vuelve otra vez a poner a la policía como trapo de cocina; me parece que si no se le da una paliza, esto no va a concluir nunca.

-¿Qué, nos vuelve a insultar? -preguntó el jefe con mirada amenazadora-, pues nunca podía haberlo hecho en mejor oportunidad. A ver, venga el diario, y veamos lo que dice.

El diario fue desdoblado y todos escucharon atentamente la lectura que del artículo hizo con toda malignidad el portador. Era uno de aquellos artículos de Sarmiento, llenos de sal, pimienta y ají cumbarí. Se pintaba al jefe de policía con colores terribles y se manoseaba al personal de la repartición, citando algunas iniquidades por él cometidas y poniendo en la fiesta al gobierno que tales enormidades permitía.

-Esto ya pasa los límites de mi paciencia -gritó el jefe de policía- y por lo mismo que el gobernador no está, voy a darle una lección a ese loco pillo, y juro que en adelante no volverá a meterse más con nosotros. El loco por la pena es cuerdo y veremos si hace tanto caso del rigor como de los consejos de Benavídez.

1.　Mantear: americanismo. Dar una zurra a alguien.

-Esto no es nada -agregó el que había llevado el diario-; todavía hay peor.

-¿Peor que eso? Vamos a ver, vamos a ver -observó el jefe interrumpiendo una orden que había empezado a dar-; no quiero que digan que abuso de mi posición y de mi poder. Vamos a ver qué más dice, porque estoy resuelto a cargarle la mano tanto como él me haya cargado la pluma.

Y el que había llevado el diario, que era sin duda algún enemigo de Sarmiento, deseoso de que hicieran con él una herejía, empezó a leer otro artículo, indudablemente más fuerte que el primero, y que él llenaba de comentarios y paréntesis, para hacerlo más inaguantable todavía.

-Es preciso degollar a ese loco -gritó el comisario más vapuleado en el artículo-, porque en mi concepto no es loco, se hace el loco para pasarlo mejor y poder decir cuanto le da la gana.

-Tal vez tenga usted razón -dijo el jefe de policía-; pero real o fingido, es un loco a quien yo voy a poner cuerdo en menos de cinco minutos. Vaya usted mismo y dígale que se presente ahora mismo en esta jefatura.

Todos aquellos desalmados se frotaron las manos pensando en lo que iban a hacer con Sarmiento, mientras el empleado iba a cumplir la orden recibida. La lectura de los artículos había concluido de alterar las cabezas que el licor tenía ya embarulladas y cada cual pensaba una enormidad distinta contra el loco. Con un par de copas más, algunos concluyeron de mamarse acariciando mentalmente el cuello de Sarmiento y la catadura que este ofrecería después de degollado. El peligro aumentaba de una manera enorme y parecía que no había escapatoria para el joven. El comisario se trasladó a casa de Sarmiento cuya puerta estaba cerrada a pesar de ser las ocho de la noche.

Sarmiento, después de haber saboreado durante el día el efecto de sus artículos, se había retirado temprano aquella noche porque harto conocía a aquella gente y no quería darles la ocasión de jugarle una mala pasada. Se creía seguro en su casa, porque pensaba que allí nadie iría a buscarle, y que el gobierno no había de consentir contra él ninguna medida violenta. Si no estuviera dispuesto a defenderlo, no lo hubiera hecho llamar para darle sus consejos y hubiera dejado al jefe de policía hacer desde el primer momento lo que hubiera querido. Así descansaba en el miedo que suponía tener Benavídez a su diario, y pensaba que él no saliendo a la calle de noche tenía ganada la cuestión, pues no les daba oportunidad de hacer un descalabro que después no tuviera remedio. Así aquel día, después de haber saboreado el efecto de sus artículos, se retiró a su casa con el propósito de no salir hasta el siguiente día. Sus mismos amigos habían contribuido a esta resolución, diciéndole que habían oído decir que se trataba de darle una paliza o romperle los huesos, y que por lo menos era necesario que se ocultara mientras el general Benavídez faltara de la ciudad.

El comisario golpeó la puerta con esa insolencia característica de todos los agentes de un poder despótico, que se creen con facultades plenas para proceder según se les antoja. Y como no le respondieron inmediatamente, volvió a golpear con mayor insolencia.

Para Sarmiento no había duda de que quien llamaba así era la autoridad policial; al primer golpe se hizo el muerto, pero al segundo se resolvió a responder, para evitar que le echaran la puerta abajo, de lo que eran muy capaces. Así se vino inmediatamente a la sala, y abriendo la ventana pudo ver, no sin cierto temor, que quien golpeaba la puerta era nada menos que un comisario de policía.

-¿Qué se le ofrece a usted que de esa manera llama a mi puerta? -preguntó el joven bastante enérgicamente-. ¿No podía esperar a mañana?

-Se me ofrece -contestó el comisario haciendo lujo de la mayor insolencia-, se me ofrece decirte que de orden del jefe de policía te presentes inmediatamente a su despacho.

Bastaba la insolencia inaudita usada por el comisario, para comprender las disposiciones de que estaría animado el jefe. Sarmiento entendió que se trataba de caerle, y respondió que iría en el acto, pero que desde ya protestaba ante la manera brutal de comunicarle la orden.

-Protesta todo lo que quieras -repuso el comisario-, pero date prisa porque si tengo que volver a buscarte te llevaré de las orejas. -Y se retiró después de añadir algunas palabrotas eminentemente federales.

Sarmiento quedó algo aturdido y desconcertado. La grosería empleada por el comisario, y su última amenaza, indicaban que estaban dispuestos tal vez a matarlo, y se resolvió a no salir más, desde que no sabía si el gobernador había vuelto de su estancia, único que podía salvarlo de semejante emergencia. Recién entonces comprendió cuánta razón habían tenido sus amigos al aconsejarlo que no se metiera con la policía; pero ya era tarde para volver sobre sus pasos. No había más que sostenerse hasta la vuelta del gobernador y tomar sus medidas para que se impidiera a la policía proceder violentamente. Y resuelto a no moverse de su casa, se retiró a su habitación a pensar sobre el lance del momento y los recursos que para evitarlo tenía. Si Sarmiento hubiera esperado que la policía obrase dentro del límite de sus atribuciones, se hubiera presentado, aunque sabía que algunos vejámenes iba a recibir. Pero es que él sabía cómo obraba aquel tiranuelo, y que en situaciones análogas se había limpiado al que le estorbaba. Y aunque no creía que lo habían de fusilar, no dejaba de temerlo, dados los hábitos de aquella gente. El caso era apurado y merecía por lo menos detenerse a pensarlo.

Entretanto el comisario había vuelto a la policía, anunciando la próxima llegada de Sarmiento. Todos seguían bebiendo de una manera extraordinaria, e irritándose, a medida que bebían, contra Sarmiento. Se había vuelto a leer la parte más injuriosa de los artículos, y el jefe de policía había aglomerado tanta bilis como anisado y opinaba que era preciso no solo dar un susto a Sarmiento sino matarlo, si en el acto no se desmentía de cuanto había escrito.

-¡Y aunque se desmienta -vociferaban los subalternos aludidos-, y aunque se desmienta! Debe aplicársele el castigo que ha merecido por lo escrito ya, para que escarmienten todos aquellos que tengan iguales teorías. ¿Adónde vamos a parar si cualquier loco insolente tiene el derecho de insultar a la autoridad sin más motivo que ser loco? ¡Nada, que le rompan el alma! ¡Así aprenderán a respetar la autoridad!

Los demás compañeros, completamente anisados, eran de la misma opinión, añadiendo que si el loco no se presentaba inmediatamente, se le fuera a traer por la fuerza.

-Y es preciso hacerlo así antes que vuelva el general y vaya a oponerse. El gobernador es muy débil y muy capaz por consiguiente de empeñarse porque no se le haga nada al loco, que ya sin duda lo tiene calado cuando tan poco caso ha hecho de todas sus prevenciones y consejos.

-Sí, sí -gritaron todos-, que se le caiga y se haga con él un escarmiento.

Como el tiempo pasaba y Sarmiento no se había presentado como se le ordenó, el jefe mandó al mismo comisario fuese a buscarlo acompañado de dos soldados, y lo trajera por la fuerza si se resistía a venir voluntariamente. El peligro, como se ve, aumentaba por momentos para el joven, que no podía sospecharse lo que le esperaba, en la duda de si el gobernador habría o no vuelto de su hacienda. No dejó sin embargo de atemorizarse cuando sintió por segunda vez golpear la puerta con tal estrépito, que los vecinos empezaron a asomarse a las ventanas, sospechando ya lo que podía pasar. Sarmiento acudió también, y para ganar tiempo, antes que le dijeran una palabra, exclamó:

-¿Pero para qué golpea de ese modo? Me han llamado y voy a ir; no creí que corriera tanta prisa y me parece que nadie va a morirse porque yo me tarde cinco minutos más o menos.

-Es que no podemos estarte esperando toda la noche, loco de porquería, y te prevengo que si no te apurás, tengo orden de llevarte de las orejas. Conque pronto, loco de porquería, pronto o echo la puerta abajo y entonces no es de las orejas sino del pescuezo de donde te he de llevar.

Imposible era resistirse ante órdenes tan terminantes, puesto que resistirse no serviría sino para irritarlo más y hacer que lo llevaran a la fuerza y tal vez a golpes. Aquélla podía ser muy bien una simple insolencia del comisario que no hubiera recibido órdenes tan terminantes; así es que se resolvió a obedecer creyendo que este sería el mejor camino y la manera mejor de impedir malos tratos.

-Un momento, entonces -dijo-, y vuelvo, el tiempo necesario para ir a buscar mi sombrero.

-Está bueno -terminó el comisario-, bajo la inteligencia que si tardas dos minutos, echo la puerta abajo y te llevo mediante una buena rebenqueadura.

No había medio de resistirse sin correr mayor peligro; tal vez ocurriendo al llamado se contentaran con echarle una buena filípica o tenerlo preso un par de días. Así es que resuelto a correr su suerte, dijo al comisario lo esperara que en el acto salía, como en efecto salió, pero bien pronto comprendió que se trataba de algo más serio que reprimenda y prisión, puesto que el comisario lo puso en camino mediante un par de formidables empujones.

Todos los vecinos se habían impuesto de la prisión de Sarmiento que emprendió la marcha protestando enérgicamente del proceder de aquel comisario, que lo trataba de manera tan poco comedida.

-Protesta todo lo que se te antoje -decía el comisario-, pero chupate la paliza que te van a sacudir. -Y el comisario añadía algunas otras expresiones poco edificantes, que arrancaban a los soldados estruendosas y alegres carcajadas.

En la policía lo esperaban con algún plan inicuo, pues desde la esquina se sentían las risas y algazara que sonaban en el salón cuyo balcón estaba abierto, como si quisieran lucir aquel peludo formidable. Porque habían seguido bebiendo de sobremesa, de tal manera, que había empleado que ya no podía tenerse en pie. El jefe de policía era el que conservaba más serena la cabeza, porque resuelto a hacer [un ejemplar] con Sarmiento, no quería que fueran a atribuir su conducta a los resultados de alguna tranca[2], como ya lo había insinuado el mismo Sarmiento en el diario que había levantado aquella polvareda.

Mientras más se acercaba a la policía, mayores eran los recelos de Sarmiento, porque las amenazas del comisario seguían, y por aquellas risas y chacotas comprendía que se trataba de un peludo general, y si en estado normal la autoridad cometía los crímenes que él había denunciado, qué sería en estado de peludo pleno...

La presencia de Sarmiento fue saludada con toda clase de gritos y exclamaciones capaces de meter miedo al hombre mejor templado.

-¡Al fin te pescamos, loco de porquería! -gritó el jefe de policía-. Ahora vamos a ver si repites lo que dices en este papelucho.

Sarmiento quiso alegar que aquella no era la manera legal de proceder ni de hacerle cargos, que si era culpable aceptaría la pena que le impusieran sus jueces, que si él los había atacado ellos no podían erigirse en jueces y parte al mismo tiempo. Pero todas sus razones eran ahogadas por los gritos formidables de: "¡Que se calle el loco insolente!" llegando algunos hasta tirarle algún moquete que se veía en serios apuros para evitar.

-¿Por qué has dicho que somos unos criminales infames a quienes se debía aplicar todo el rigor de la ley?

-Porque ustedes proceden de una manera arbitraria, valiéndose de la fuerza, como lo están haciendo ahora conmigo -contestó el joven sin declinar de la severidad de sus cargos, a pesar de la actitud amenazadora de aquellos hombres.

-¿Quiere decir que somos unos bandidos infames que el gobierno debería entregar a la justicia?

-Ustedes no proceden como autoridad, puesto que violentan a los ciudadanos, amenazando hacerse justicia por mano propia, como lo están haciendo conmigo.

-¡Ah, loco audaz, insolente! ¡A ver cómo me afeitan a ese pillo! -gritó el jefe dando un puñetazo en la mesa, y todos se lanzaron sobre Sarmiento sujetándolo fuertemente, armados de los cuchillos que había sobre la mesa, unos, y con los que habían sacado de su propia cintura, otros.

Joven fuerte y lleno de bríos, Sarmiento empezó a defenderse con toda energía de aquella agresión, que iría a terminar tal vez en un degüello y opuso toda la resistencia de sus puños y de la rara agilidad con que trataba de sacar el cuerpo para que no pudieran sujetarlo. ¿Pero qué iba a hacer en una lucha tan desigual?

El jefe de policía reía como un loco al verlo debatirse y luchar con aquellos borrachos, muchos de los cuales se caían al suelo no pudiendo guardar el equilibrio. Los empleados de policía y amigos de estos habían acudido a la lucha, y desde la puerta de la sala contemplaban la escena como quien asiste a una

---

2. Borrachera.

función de circo, festejando a la vez con palmoteos y carcajadas, cada golpe, cada moquete, cada incidente de la lucha.

Y la algazara seguía con un estrépito creciente, y Sarmiento, que empezaba a fatigarse, era sujetado por fin y arrinconado contra el enorme sofá de seda. Todos se le echaron encima y como quien pela a un cerdo empezaron a afeitarlo a simple cuchillo, ofreciendo un espectáculo verdaderamente espantoso. Aquello era cobarde y repugnante, pues cada contorsión era saludada con grandes risotadas y palmoteos por la chusma que se iba aglomerando a la puerta a cada momento. Sarmiento, con el rostro ensangrentado, pues aquello no era afeitar sino degollar, se debatía como un loco para librarse de sus enemigos, quienes debilitados por la tranca no podían hacer gran fuerza. Aquello era desesperante, terriblemente desesperante, bastaba que cualquiera de aquellos borrachos diera la idea, para que la afeitada se convirtiese en degüello, y era esto el temor más serio que abrigaba Sarmiento.

-¡Escribí ahora, loco pícaro -gritaba el jefe de policía-, escribí ahora, loco bandido, y decí que somos unos degolladores!

-¡Que escriba el loco, que escriba! -gritaba el coro, y los aullidos continuaban de una manera formidable y la afeitada se convertía en algo monstruoso.

Era preciso salir pronto del lance, porque cada minuto que pasaba el peligro se hacía mayor, puesto que todo era cuestión que a un borracho se le ocurriera o no degollarlo. En un esfuerzo violentísimo y con una agilidad prodigiosa, Sarmiento logró desprenderse de aquellos salvajes y saltó al medio de la sala. Su estado era terrible, tenía un lado de la cara cubierto de sangre, allí donde las patillas habían sido sacadas a cuchillo y su traje se hallaba en el mayor desorden por lo violento de la lucha sostenida. El joven miró por todas partes buscando una salida por donde escapar, pero todas estaban llenas de curiosos, e imposible de franquear. No había más salida que el balcón abierto; y acometido de nuevo por los borrachos el joven se acercó a él de un brinco, miró sus cuatro varas de altura y antes que alguno pudiera darse cuenta de lo que hacía, se dejó caer a la calle con el mayor tino, y echó a correr en dirección a la casa del gobernador, única casa segura, y adonde por su proximidad podía llegar antes que lo alcanzaran.

Los oficiales de policía que estaban menos pesados bajaron la escalera, saltando a caballo uno de ellos, para evitar que Sarmiento pudiera escaparse. Pero era tal la rapidez con que aquel había corrido, que cuando el oficial llegó a la esquina opuesta de la plaza, ya aquel desaparecía en el zaguán de la casa del gobernador. Como Benavídez no estaba en la ciudad, el oficial, entusiasmado con la cacería, se dejó caer del caballo y se entró detrás y sable en mano, en persecución violenta.

Benavídez, como se sabe, no estaba en su casa, hallándose allí solamente su señora, que leía, sentada en el salón, esperándolo sin duda, cuando llegó el joven Sarmiento en el desorden y agitación que hemos indicado. Al ver llegar a aquel joven de aquella manera violenta, en tal desorden y lleno de sangre, la señora quedó aterrada, no pudiendo comprender en el primer momento de lo que se trataba.

-¿Qué hay? ¿Qué significa esta manera de entrar hasta aquí? ¿Qué es lo que sucede? -preguntó con cierto terror.

Sarmiento se nombró en seguida para tranquilizarla, narrando en pocas y rápidas palabras el motivo de su conducta.

-Me he escapado violentamente de la policía donde me querían matar -dijo-, y como de cualquier parte me sacarían violentamente como me han sacado de mi casa, he venido aquí, única parte adonde no se atreverá a venir para que usted me salve mientras viene el general.

No bien había terminado de hablar el joven, sin que la señora tuviera tiempo de responderle, cuando asomó su cabeza por la puerta de la sala, el oficial que venía persiguiéndolo.

-¿Qué insolencia, qué atrevimiento es este? -preguntó la señora en el colmo del asombro-. ¿Cómo se permite usted entrar de esa manera hasta la pieza donde me hallo? ¿Sabe usted, señor insolente, qué casa es esta?

Aterrado el oficial de policía con aquellas palabras, y comprendiendo la enormidad que su entusiasmo le había hecho cometer, trató de dar aquellas disculpas que le parecieron más razonables.

-Iba a prender a este loco que se ha escapado de la policía -dijo-, y que se ha metido aquí. Distraído con el ardor de la persecución, no vi más que una casa donde él se entraba, y entré detrás sin fijarme qué casa era, dominado por el deseo de capturarlo. Ruego a usted me perdone, señora, y quiera echar a ese loco para llevármelo.

-Mándese mudar de aquí el insolente -exclamó la señora visiblemente indignada-, que cuando venga el general sabrá lo que tiene que hacer con ustedes. Salga usted de aquí inmediatamente, y Dios lo libre de que semejante escena vuelva a repetirse.

El oficial salió inmediatamente y muerto de rabia pues la presa se le escapaba sin remedio; el jefe de policía se iba a enojar de una manera terrible y el gobernador probablemente iba a castigarlo por la manera como había entrado a su casa, lo que importaba un verdadero delito. Y corrido y avergonzado, se retiró a la policía donde todos esperaban a Sarmiento para molerlo a palos positivamente.

Así es que la furia de todos llegó a su colmo cuando vieron que el oficial volvía solo y supieron que el loco había sido demasiado cuerdo para buscarse una salvación segura. En el primer ímpetu de ira llegaron a insultarlo de una manera espantosa, no faltando quien quisiera darle de golpes y aún de puñaladas. ¡Oh!, los federales de aquella época no se guardaban consecuencia ellos mismos, no teniendo a quién degollar eran capaces de degollarse entre ellos mismos para darle gusto a la mano, aunque más no fuera. El peludo era recio, tan recio, que sin respetar la presencia del jefe de policía hubieron de venirse a las manos, en favor unos y en contra los otros del oficial que había dejado escapar al loco.

-No es él culpable -gritó el jefe- por no haberlo alcanzado puesto que el loco llevaba una gran ventaja; los culpables son los tontos que le dejaron ir de aquí, cuando lo tenían tan bien asegurado; ¡estos son los que merecen un buen castigo! ¿Qué confianza puedo tener yo en hombres que siendo diez o doce, dejen escapar a uno que tienen apretado en el suelo? ¡Flojos! ¿Le han tenido miedo? ¿Qué hubiera sido si el loco hubiera estado armado? Disparan a la calle, estoy seguro.

Con semejante reprimenda, los que habían tomado parte en el atropello contra Sarmiento, quedaron aterrados. Habían perdido la gracia del jefe, que era muy capaz de meterlos al cepo de cabeza, porque ahora Sarmiento hablaría por ochenta exagerando bárbaramente lo que le había pasado.

-Ustedes tomen sus medidas para cazarme al loco y traérmelo aquí en cuanto salga a la calle -les dijo-; de lo contrario no me vuelvan a poner los pies en la policía. ¡Y cuidado con tomarlo en casa del gobernador ni en sus inmediaciones! Él ha de volver a su casa o a su boliche; es allí donde tienen que tomarlo, bien entendido que no admito disculpas y que yo lo quiero aquí en cuanto salga a la calle.

Los empleados de la policía allí presentes, salieron completamente dados al diablo, reuniéndose allí en la esquina, para tomar sus medidas más seguras.

-Aquí no hay más medidas que tomar -dijo uno- que emboscarse en los alrededores de su casa y echarle el guante en cuanto vaya a entrar; y si es que ya está adentro, sacarlo por la fuerza mañana a la noche para no hacer de día algún gran escándalo, porque el loco se ha de defender a toda costa suponiendo ya lo que va a sucederle.

Resuelto así lo que habían de hacer para asegurar a Sarmiento, se señaló cada uno su escondite y punto de espera, yendo a ocuparlo inmediatamente. El jefe de policía se recostó en un sofá, donde se quedó dormido para disipar los humos de aquella comida formidable, dando orden que solo lo recordaran en el caso de que trajeran preso al loco Sarmiento.

Este quedaba, pues, sitiado de todos modos y bajo el mayor de los peligros, pues era seguro que si lo llegaban a tomar, lo matarían a golpes antes de llegar a la policía. Solo el gobernador podía salvarlo, y eso ayudándolo a esconderse o teniéndolo en su casa, pues ya se sabía que contra su jefe de policía, el gobernador no había de proceder en ningún caso. Y era inútil que le pidiera o le mandara no proceder contra el joven, porque lo haría matar por ahí, y que adivinara el diablo quién lo mató. A Sarmiento no le quedaba más camino que huir de San Juan, pero esto mismo era muy difícil, porque la policía lo andaría buscando y en cuanto saliera a la calle, le habían de echar el guante y el cuchillo.

Entretanto Sarmiento conversaba con la señora de Benavídez, sobre el peligro del que había escapado. La señora lo había hecho conducir a la habitación del general, donde se había arreglado algo su traje, y curado en lo posible las raspaduras de la cara. El peligro pasado lo había hecho reflexionar con más cordura y comprender que no era posible continuar con la publicación de sus ideas liberales, sin correr todos los días un peligro de muerte. Y hacía en su interior propósito de enmienda y suspensión del diario, por lo menos, quedándose escondido hasta que pasara el encono de la policía.

Sarmiento pedía a la señora le permitiera permanecer en su casa hasta la vuelta del gobernador, pues sabía que en cuanto saliese a la calle sería muerto, cuando el tropel de los soldados de la escolta les anunció que el general Benavídez acababa de llegar. El general pasó a la sala en busca de su señora, según su costumbre, no pudiendo dominar un movimiento risueño al hallar allí al joven Sarmiento y ver el extraño aspecto que presentaba su persona, a pesar del esmero con que había arreglado su traje.

-Me han querido matar, señor general -dijo el joven después de saludarlo-, y si estoy vivo, es debido a la intervención de su esposa a quien debo la vida.

Benavídez, haciendo esfuerzos para conservar su serenidad, después de conversar cariñosamente con su esposa, pidió a Sarmiento le refiriera lo sucedido.

Y este lo hacía con tal viveza de colorido, con tal expresión de ademán, que el general, a pesar de sus esfuerzos, no podía contener la risa, que escapaba juguetona y alegre. Porque Sarmiento, en aquel estado, y refiriendo con la vivacidad que le es característica todo cuanto le había sucedido era algo de exageradamente gracioso.

-Usted se ríe porque no es usted quien ha pasado el peligro -decía el joven algo resentido-, y porque sobre usted no pesa la amenaza de esa gente capaz de todo. ¡Si usted se hallara en mi pellejo, seguramente que no se había de reír así, señor gobernador!

-Comprendo, amigo mío, lo crítico de su situación -decía Benavídez bondadosamente-, pero tiene usted tal modo de contar, que hace reír a la fuerza. Ya se lo había dicho yo que se dejara de tonterías y de oposiciones que a nada conducían, pero usted no ha hecho caso, ha seguido atacando a la policía, y la policía, como es natural, ha tomado su desquite, desquite que felizmente no ha sido tan desgraciado como podía haberlo sido. ¿Qué vamos a hacer ahora? Yo garantí al jefe la vez pasada que usted no volvería a sus ataques y usted me ha dejado mal, inhabilitándome para buscar todo arreglo conciliativo.

-Pero yo necesito una garantía de la vida -decía Sarmiento-, porque en cuanto salga de aquí me matarán.

-Es que cualquier garantía que ellos den será lo mismo que la que yo dé por usted; el jefe de policía me prometió no hacer nada, pero dirá también que no ha podido evitar que sus subalternos hagan una atrocidad, un justo desquite de todo cuanto usted me ha dicho.

-Quiere decir que estoy a la merced de sus hombres, que podrán matarme cuando mejor se les ocurra.

-Desgraciadamente es una situación que usted mismo ha provocado con sus terquedades y con no haber cumplido lo que me prometió. Si usted permanece en San Juan, su vida corre peligro, porque la policía es la primera interesada en suprimirla; no hay más remedio que salir de San Juan y pasar a Chile, si usted quiere, hasta que la situación se modifique.

-¿Pero cómo salgo yo de San Juan sin correr el mismo peligro de que hablamos? -preguntaba Sarmiento para quien la situación se hacía más difícil.

-Saliendo usted de San Juan hay seguridad de que no volverá a suceder lo que tanto ha irritado al jefe de policía, y entonces yo puedo hacerlo acompañar y comprometerme a que nada le suceda. Yo le haré dar mulas, un oficial que lo acompañe y lo garanta y todo cuanto usted necesite para el viaje, pero entonces es necesario que se ponga en camino inmediatamente y antes que el jefe de policía venga a quejarse, y a decirme que, por el mismo respeto a la autoridad, es preciso que yo mismo lo autorice a proceder contra usted y castigar la burla que se ha hecho de la policía, a quien todos se creerán también autorizados a burlar.

La proposición era terminante y Sarmiento no tuvo más remedio que aceptarla y decidirse a salir de San Juan en dirección a Chile, refugio de todos los argentinos perseguidos.

El general Benavídez hizo preparar cuatro de sus mejores mulas, que puso a disposición de Sarmiento y mandó a uno de sus ayudantes que se preparara a acompañarlo. Y para evitar cualquier atropello fatal, escribió de su puño una orden que selló, por la cual se mandaba a toda autoridad de él dependiente, se tuviera el mayor respeto por la persona del joven Sarmiento, y que no se atentara contra él bajo ningún pretexto, porque el gobierno procedería de una manera enérgica y severa.

-Puede ser usted mismo el portador de esta orden -le dijo-, orden que no será necesario exhibir, porque basta la compañía de mi ayudante, a quien todos conocen.

Sarmiento agradeció efusivamente al general y a su esposa todas aquellas bondadosas atenciones y emprendió el camino de la emigración de donde no había de volver hasta el pronunciamiento de Urquiza.

Este era el general Benavídez, gobernador de San Juan, a quien más tarde sus mismos amigos y protegidos habían de asesinar de una manera harto infame y miserable.

El asesinato

La provincia de San Juan ha sido siempre especial como provincia de motines. Allí no se andan con muchas vueltas para quitar de en medio a un gobernador, y hace muy poco tiempo que hemos tenido de ello una buena prueba.

El general Benavídez, concluido su período, había entregado el mando al gobernador Gómez, de que era ministro general el doctor Laspiur. Pero a Benavídez en San Juan le sucedía lo que al Chacho en La Rioja, conservaba su influencia personal al extremo de que el gobierno venía a ser una segunda persona que el pueblo miraba como dependiente del general. Pero Benavídez no se metía para nada en las cosas del gobierno, ni en la política que se enredaba sensiblemente. Querido por ambos partidos, puede decirse, se había retirado a la vida privada, a gozar de aquellas buenas comodidades que su fortuna le permitía.

Los federales lo respetaban y lo temían, habituados a ver en él el caudillo omnipotente, y de los unitarios nada tenía que temer. ¿Qué iba a temer de ellos, él que los había servido siempre en cuanto había podido, e impedido que sus autoridades subalternas los persiguieran, en cuanto le había sido posible? ¿Quién había acudido a él pidiéndole un servicio que no se lo hubiera prestado en el acto, como a Sarmiento y muchos que en iguales situaciones se habían hallado? Muchos le habían prevenido que no se fiara de los unitarios pero él había respondido siempre que de ellos no tenía nada que temer.

-Si cuando yo podía incomodarlos -decía-, nada han intentado contra mí, menos lo han de intentar ahora que no les puedo hacer mal alguno, porque no estoy en el gobierno, ni lo está mi partido.

Otros le habían dicho que no se fiara de los federales, porque resentidos estos con que no les había dejado el gobierno, se habían de vengar matándolo. Pero también respondía él que de los federales no tenía el menor recelo, porque ellos no podrían olvidar nunca todo cuanto le debían, y porque tenía una fe ciega en el cariño del pueblo, de su buen pueblo sanjuanino, como él le llamaba.

Así se reía de los temores abrigados por sus amigos y se negaba a tomar la menor medida para seguridad de su persona. La única guardia, la única fuerza que tenía a sus órdenes era un asistente, el indio Ruarte, en quien tenía más confianza que en un ejército, porque para llegar a su persona era preciso eliminar al indio y esto no se conseguía sin grandes dificultades.

La historia de aquel indio era sumamente curiosa y novelesca. En Los Colorados, estancia del Dr. Gordillo, hoy propiedad del respetable don Timoteo Gordillo, había varios puestos, distantes un par de leguas unos de otros, donde vivían las familias de los pobladores. A Los Colorados iba a buscar leche una tal María, con el objeto de hacer quesadillas para aquellas familias, por el interés de que le dieran algunos pedazos de carne y queso para ella y sus dos hijos. Estos dos hijos de la María, eran dos pergenios de cuatro a cinco años, que se perdían de vista de puro traviesos. Desnudos, completamente desnudos, por la miseria en que vivía la madre, los dos chiquilines huían de la gente, escondiéndose detrás de la madre y disparando si alguno les dirigía la palabra, como si dispararan de algún animal feroz. La María vivía así recibiendo la poca limosna que podían hacerle aquellas familias, y durmiendo en Los Colorados como Dios le ayudaba.

Como tenía alguna familia en Patquia, tan pobre y miserable como ella misma, solía irse hasta allí a compartir con ella sus mendrugos y sus huesos, pero nunca tardaba más de dos o tres días, volviendo a Los Colorados en busca de alimentos. Un día la pobre mujer salió de Los Colorados, con una buena provista de quesos y mendrugos de todas clases, y no volvió a aparecer más. En vano se la esperó, pasaron ocho y diez días sin que se le volviera a ver más la cara. Era imposible que a la María no le hubiera sucedido alguna desgracia, cuando en tanto tiempo no había venido a buscar alimentos para ella y sus hijos.

Cerca de Los Colorados había una especie de cueva entre las sierras, cueva que la María había declarado su domicilio; y era allí donde se metía ella con sus dos hijos, para guarecerse de los rigores de la intemperie.

Alarmados con la ausencia de la María y suponiendo que le hubiera sucedido alguna desgracia, la familia del Dr. Gordillo envió un peón a Patquia, para que se informase lo que de ella había sido. Pero el peón volvió diciendo que la familia no tenía noticias de la María hacía dos semanas, y que también estaban allí alarmados con su ausencia. Se resolvió entonces mandar a la cueva que le servía de refugio, y allí encontraron el espectáculo más triste que pueda imaginarse. En el suelo desnudo, sin abrigo de ningún género y en completa descomposición estaba el cadáver de la pobre mujer, lo que indicaba que la muerte se había producido por lo menos diez días atrás. Al aproximarse la gente, los hermanos Ruarte, que por ese nombre eran conocidos los dos chiquilines, salieron disparando de la cueva, perdiéndose bien pronto entre las sierras. En vano se les buscó para traerlos a la población y socorrerlos, que no se les pudo hallar; sin duda se habían metido en alguna otra de las tantas cuevas que abundaban en las sierras. El cadáver de la María fue sepultado en las inmediaciones, y los peones regresaron a Los Colorados, esperándose allí que acosados por el hambre vendrían los hermanos Ruarte en busca de un alimento que estaban seguros de hallar. Pero pasaron los días y los meses sin que se tuviera de ellos la menor noticia, llegándose a pensar que habían muerto de necesidad, o a manos de algún animal feroz. Se campeó por todos los alrededores, tratando de hallar siquiera los cadáveres, pero ninguna pesquisa dio el menor resultado; los Ruarte no aparecieron ni vivos ni muertos. Se habían perdido hasta sus rastros.

Ocho o diez años después de esto, y cuando la triste historia de la María se refería como un cuento de fantasía, se celebró una gran fiesta con motivo de ser día del Santo de La Rioja. Los paisanos se habían agrupado en Patquia, de que era autoridad un comandante Vera, y se entregaban a sus juegos predilectos. Se corría la sortija, se bailaba sin descanso, y el bombo y el triángulo no dejaban de sonar un momento, en prueba del mayor regocijo público.

Allí son raras y escasas las fiestas, por la misma pobreza extrema en que viven en las poblaciones más apartadas. Las festividades más solemnes tienen lugar cada cuatro o cinco años, en que a la autoridad se le ocurre reunir los paisanos y hacerlos bailar o correr un poco.

El comandante Vera, hombre de genio alegre, y a quien gustaba enormemente hacerse popular entre el gauchaje, había reunido aquel día toda la paisanada, siendo él la primer pierna en las más entusiastas zambas y chacareras. Después del baile y como descanso de este, la concurrencia se agrupaba alrededor del fogón, donde tomaban la palabra los más famosos contadores de cuentos, que referían a los asombrados oyentes las leyendas más fantásticas y asombrosas que hubieran jamás escuchado. Eran los predilectos los cuentos de brujas y aparecidos que hacían parar el pelo en las cabezas más maduras y temblar a los más bravos, cuyo valor terminaba allí donde empezaba un cuento que se refiriese a cosas de otro mundo. Porque pelear en los combates era una cosa y otra muy distinta hombrearse con aparecidos y con los mismos diablos como decían algunos haberlo hecho. No podía haber una prueba de valor más descomunal, que el haber tenido amistad con una bruja, pero eran muy pocos los que podían referir hazañas de esta naturaleza, porque los mentirosos no abundan mucho, y los paisanos eran crédulos e inocentes sobre toda ponderación.

El cuento de la tía María fue entonces referido con gran asombro de los que no lo conocían, dando lugar a los más famosos comentarios sobre la suerte que habrían corrido los hermanos Ruarte. Uno que otro mentiroso de aquellos fabulosamente audaces, aseguraba haberlos visto cruzar por los espacios, a caballo y enancados en una escoba, acompañados de una bruja feroz, y con cara de vicuña, o que se les habían aparecido a medianoche en un carro de oro, acompañados de muchachas lindísimas y de santos con trajes de estupenda pedrería. Y estos grandes soltadores de *guaram* se complacían profundamente ante la enorme boca que abrían los que escuchaban aquellos cuentos fabulosos y aterradores. El comandante Vera reía alegremente, tratando de pasar por el más famoso de los creyentes.

Fue entonces cuando uno de los paisanos presentes, rastreador famoso y hombre de verdad, refirió cómo él sospechaba el paradero de los hermanos Ruarte, que unos suponían muertos y otros aseguraban haberlos visto en compañía de brujas y de vírgenes.

-Yo -dijo hablando con el comandante Vera, lo que daba más visos de verdad a sus palabras- al cruzar por la aguada de Los Colorados y de las Achiras, he visto rastros extraños que no me he detenido a seguir, porque siempre pasé muy apurado, y para hablar verdad, porque no he dejado de tener mi poco miedo. Un día me bajé a estudiar esos rastros, y aquí fue donde mi confusión me puso en apreturas.

Aquellos rastros que acusaban la presencia de dos personas, eran de gente joven y que andaba descalza, no podía caberme la menor duda, y entonces aquellos rastros no podían ser de otros que de los hermanos Ruarte. Pero cuando me bajé del mulo y vi bien los rastros, observé que aquellos pies estaban vestidos de pelo largo y entonces no podían ser de hombres sino de algún animal feroz y desconocido.

Tuve intención al principio de seguir los rastros pero después me dio miedo, sabe Dios con qué clase de animales iba a encontrarme. Si yo hubiera llevado conmigo armas de fuego, tal vez, tal vez me hubiera animado, pero no traía más que mi cuchillo y esto, para pelear con dos animales desconocidos era muy poca cosa.

Desde entonces, siempre que he pasado por aquellas aguadas he hallado los mismos rastros, más o menos frescos, pero siempre viniendo de la misma dirección y acusando que aquellos animales se detenían allí mucho tiempo.

El narrador era mirado por sus oyentes con infinito asombro; un hombre, que se había topado con rastro de animales que tenían pies como gente, era algo definitivamente fabuloso que lo colocaba en la categoría de un descubridor. Los comentarios empezaron a hacerse más o menos razonablemente. Casi todos opinaban que no podían ser sino los hermanos Ruarte, pero ¿y aquellos pelos de los pies? ¿Cómo podría explicarse semejante fenómeno?

-Desengáñense ustedes -dijo un viejo cuentista con sus puntos y ribetes de brujo-, aquellos pies peludos y con forma de gente, no pueden ser sino del diablo, entonces es indudable que un casal de diablos anda por esas inmediaciones.

Un estremecimiento poderoso recorrió todos los cuerpos, y no pocos oyentes se persignaron, llamando en su ayuda a todos los santos del cielo.

El comandante Vera, hombre práctico y que poco creía en aparecidos, resolvió dar una batida por los alrededores hasta encontrar a los dueños de tan famosos rastros.

-Es preciso buscar a esos hombres, animales o diablos -dijo- y traerlos para que digan quiénes son y qué quieren, pues me supongo que desde que tienen pies de gente también han de saber hablar.

¡Con qué asombro miraron todos entonces al comandante Vera! Nunca habían visto un hombre de un valor tan tremendo y de una resolución tan espantable.

-Diga -preguntó al que había hecho el descubrimiento-, ¿sería usted capaz de volver a hallar los rastros y seguirlos hasta su punto de partida?

-¡Ya lo creo que sí! Yo soy capaz de rastrear al diablo en las mismas calles y campos del infierno hasta llegar a su nido, pero siempre que me acompañen, porque solo, francamente, no me animo ni a la cuarta parte. ¡Los vivos poco miedo me meten, pero a los muertos y a los diablos hay que respetarlos, yo no me animo a ir a buscarlos a sus guaridas!

-Está bien, se te acompañará con gente bien armada, aunque desde ya te garanto que no pueden ser otros que los hermanos Ruarte.

-¿Y los pelos de los pies? ¿Ha visto alguna gente que tenga pelos en los pies?

-Es que puedes haberte equivocado y confundido tal vez con pelos algún calzado de paja.

El rastreador sonrió, y no sin cierta soberbia repuso:

-¡Yo no me equivoco nunca! Aquellos son pies con pelo, con mucho pelo, y puedo asegurar que en un paraje donde aquellos hombres han estado sentados, se ve claramente que tienen también pelo, y bastante largo, en las asentaderas y en las piernas.

Aquella afirmación era ya una cosa tremenda, que pasaba el límite de la fantasía. En La Rioja no había monos, ni se sospechaba los hubiese de aquel tamaño en ninguna parte del mundo. ¿Qué podía ser aquello?

-No hay remedio -exclamó Vera-; es preciso buscarlos, y ahora estoy más resuelto que nunca. Yo te acompañaré a la cabeza de todos los que vayan -dijo-, y te garanto que, hombres o diablos, los hemos de traer con nosotros. -Y se convino en que al otro día, muy de madrugada, harían la expedición.

Vera se ocupó en buscar ocho o diez hombres de probadísimo valor, para que infundieran ánimo a los demás, y sobre todo al rastreador, que era el punto más importante, pues si aquel se les asustaba, no había pesquisa posible. Y muy de madrugada, tomaron el camino del punto conocido por la Aguada del Carrizal, donde dijo el rastreador que era fácil que lo encontraran. Y con su mayor o menor miedo, todos se pusieron en marcha, bastante alegremente, puesto que el peligro aún estaba lejos.

Eran por todo unos veintiséis hombres, a cuyo frente iba el comandante Vera, con sus hombres elegidos para infundir ánimo a los demás. Todos iban perfectamente armados, y decididos a meterle un chumbo[1] al mismo demonio si les salía al camino, aunque era voz general que al demonio no le entraban las balas.

Aquella noche camparon cerca de la Aguada del Carrizal, y por consiguiente cerca del más peludo de los peligros. Excusado es decir que nadie durmió, esperando ver al diablo a cada momento, o a los hermanos Ruarte, dándose un corte por los aires y jineteando en un palo de escoba. Y cada uno hacía mentalmente sus proyectos de defensa, admirados del valor intrépido del comandante Vera, que había tenido el coraje de acostarse a dormir en medio de tan tremendo peligro. Y el rastreador agigantaba su fábula de la noche anterior, señalando a los pies dimensiones espantables, y asegurando que aquellos pies tenían que pertenecer a una persona cinco veces más grande que el hombre más corpulento.

Al otro día, muy de madrugada, volvieron a ponerse en camino, recomendando Vera que en caso de encontrar lo que buscaban, nadie había de hacer fuego sin su orden expresa. No habían andado media legua en dirección a la Aguada del Carrizal, cuando el rastreador dio la voz de alto y señaló triunfante una huella que había estampada hacia la derecha. Todos se aglomeraron allí y constataron la presencia de un rastro humano señalado hacia la Aguada. Estudiado bien, resultó ser como el rastreador lo había dicho, el rastro de dos personas, cuyo pie era bastante peludo. Todos se echaron a temblar, pero Vera y los suyos infundieron buen ánimo al resto, y se siguió la marcha, esta vez sobre el rastro hallado.

-Este va para la Aguada del Colorado -dijo el baqueano- y es rastro fresco, tal vez allí los encontremos.

-Cuidado, cuidado entonces con hacer fuego hasta antes que yo lo mande -volvió a decir Vera, y como siempre se puso a la cabeza de la expedición, llevando al rastreador a su lado.

De pronto este alzó la cabeza lleno de satisfacción y exclamó:

-No deben estar lejos, las pisadas son aquí muy frescas.

---

[1] Chumbo: bala, perdigón

Avanzaron más y ya próximos a la Aguada todos lanzaron un grito; acababan de ver levantarse de la Aguada dos hombres de la más rara estampa y catadura. Eran dos hombres de regular estatura, bastante gruesos, completamente desnudos y con la piel llena de pelo tan largo como la barba. El cabello de la cabeza les llegaba hasta debajo de los hombros, y en las piernas y pies el pelo era más largo que en el resto del cuerpo. Aquellos dos extraños personajes, en cuanto vieron la gente que a ellos se aproximaba, prorrumpieron en gritos desaforados que nada tenían de humanos, y echaron a correr dando saltos prodigiosos. Era curioso ver aquellos dos seres de forma humana y con todo el aspecto de animales desconocidos, huyendo a saltos de peña en peña, como el cabrito más práctico.

"¡El diablo!" gritaron algunos echando a correr en sentido opuesto, pero el comandante Vera logró detener el pánico en los demás, asegurando que eran los hermanos Ruarte, y poniéndose él en su persecución seguido del rastreador y de los ocho hombres de confianza que había llevado.

Pero cuando ellos se pusieron en camino, ya los Ruarte o los diablos habían desaparecido detrás de las hermosas colinas, perdiéndose entre las sierras. Era materialmente imposible seguirlos, mucho menos a caballo por entre aquellas asperezas y precipicios. ¿Qué podía hacerse entonces? Nada más que esperar pacientemente y tomar alguna medida que les permitiera sorprender a aquellos dos salvajes, cuya guarida no podía estar lejos. Se detuvieron allí y acamparon preparándose a pasar la noche.

Con lo que habían visto y con lo que Vera les había dicho, los paisanos habían perdido algo del miedo descomunal que los dominaba convenciéndose que se trataba de dos hombres, hombres que huían temerosos de la gente, mostrando el terror que esta les inspiraba, por los terribles alaridos que todos habían escuchado. ¿Qué temor podían tener entonces, cuando veían claramente que eran ellos los que inspiraban miedo a aquellos dos seres desarmados y que ninguna resistencia podían oponer?

Perdido un poco el temor, escucharon con más tranquilidad la palabra del comandante Vera, pues les explicaba razonablemente y al alcance de sus entendederas, que aquellos dos hombres peludos no podían ser otros que los hermanos Ruarte.

-¿Pero y los pelos -preguntaban intrigadísimos-, y los pelos? Los Ruarte no eran peludos.

-Esos pelos se lo habrá hecho salir la intemperie a que han estado sometidos durante tantos años; por aquí no hay ninguna raza de hombres peludos, los indios no lo tienen, entonces no hay más que convencerse de que son los hermanos Ruarte, y ya lo verán ustedes.

-Pues, entonces -dijo el rastreador que los había guiado hasta allí-, para agarrarlos, no hay más que tomar las aguadas más cercanas, yo las conozco todas, ellos tendrán que venir a beber y entonces los agarramos.

Una dificultad se presentaba, y era la manera como los habrían de tomar sin que se viesen necesitados a herirlos o matarlos, porque era natural suponer que aquellos seres extraños se defenderían de una manera terrible y desesperada.

-Hay un medio muy sencillo -dijo entonces Vera, que tenía que allanar todas las dificultades que los paisanos opusieran-. Nos emboscamos en las aguadas de manera que no puedan sospechar nuestra presencia, con buenos lazos preparados; cuando ellos caigan a beber, salimos todos a un tiempo, tratando de encerrarlos en un círculo y los enlazamos. De esta manera los tomamos sin hacerles mal y sin que ellos puedan causarnos el menor daño, que cuando se convenzan que nosotros no queremos hacerles daño, entonces se tranquilizarán y se entregarán por completo.

El procedimiento no podía ser más válido y seguro, aceptándolo los paisanos con muestras del mayor regocijo. En el acto y para aprovechar la noche, se dividieron en tres grupos, que fueron a rodear las aguadas del Carrizal, de los Colorados y otra más sin nombre que quedaba a media legua de distancia de allí. Como era más probable que vinieran a la del Carrizal, en esta se quedó Vera, dando sus órdenes terminantes para que, si eran sentidos en alguna otra aguada, vinieran en el acto a traerle el aviso. La noche la pasaron más tranquila, puesto que sabían ya que no se trataba más que de seres humanos un poco peludos, pero que en nada diferían de ellos mismos, siendo casi inofensivos, puede decirse, desde que no tenían armas ni demostraban intenciones hostiles, atinando solo a huir de allí.

Al día siguiente y ocultándose todo cuanto les era posible, estuvieron esperando la llegada de los Ruarte, pero estos, o no habían sentido sed, o alarmados con el encuentro del día anterior no habían querido venir, temiendo algo. Durante el día nada se sintió que indicara la presencia de los esperados Ruarte. A la noche Vera se vino a recorrer los otros dos puestos, para recomendar que se tuviera la mayor vigilancia y cuidado.

-Mañana -dijo- la sed los obligará a salir, no tengan dudas, ellos no pueden suponerse que los esperamos ocultos y han de venir sin el menor temor, o han de ir a otras aguadas.

-Las otras están muy lejos -dijo entonces el rastreador-, y si no vienen a una de estas tres, es porque se han ido más al norte, y entonces no habrá más que buscar el rastro y seguirlos hasta dar con ellos.

-Es preciso tener paciencia y no apurarse -dijo Vera-, si no vienen mañana, vendrán pasado; ningún motivo tienen para temer que los busquemos, es cuestión de que los apure la sed y nada más, ya lo verán ustedes.

Aquel día lo pasaron sin observar la menor novedad. El rastreador se había trepado a un espeso algarrobo desde donde podía divisar una buena extensión, pero nada indicó la presencia de los Ruarte. Los ánimos se habían tranquilizado completamente convencidos que se les temía, y ya todos deseaban que vinieran los peludos, como los llamaban, para echarles el lazo. Como la noche anterior Vera recorrió los puestos recomendando la mayor atención para el día siguiente, pues era indudable que vendrían a beber.

La mañana pasó sin novedad alguna, pero a eso del mediodía y cuando el calor empezaba a picar, el rastreador pudo verlos a lo lejos que venían saltando de peña en peña y parándose a intervalos para escudriñar los alrededores, en dirección a la Aguada de los Colorados. En el acto y con el mayor recato descendió de su algarrobo y envió a Vera un aviso, que debía ir por entre el monte, de manera de no ser visto ni ser sentido.

Al recibir el aviso, el comandante Vera pensó que el grupo que estaba en Los Colorados era bastante para acometer la empresa, pues si iba con su gente tal vez fuera sentido, y se dirigió solo a Los Colorados. Cuando llegó, su gente, perfectamente emboscada, le mostró a los dos hombres, que estaban sentados tranquilamente a la orilla de la aguada, comiendo algo que no pudieron examinar en el primer momento.

-Es preciso prepararse -dijo Vera a oído de los suyos-, tan silenciosamente que no se sienta el movimiento de una hoja.

Así lo hicieron todos, saliendo del monte con tanta delicadeza que los dos hombres no pudieron apercibirse de nada. Al primer ruido que notaron se pusieron de pie en actitud de disparar; ya los paisanos habían revoleado los lazos lanzándoselos con esa seguridad pasmosa que caracteriza a nuestro gaucho. No habían dado un salto cuando ya habían sido presos por más de dos o tres lazos cada uno. Los gritos con que atronaban el aire, eran algo de terrible y poderosamente salvajes, mostraban los dientes de una manera amenazadora y hacían esfuerzos tremendos por desprenderse de los lazos. Pero todo fue inútil, no podían acometer, porque presos por tres lazos cada uno, eran sujetos de cualquier lado que quisieran correr. Entonces se les acercó Vera, y haciéndoles señas de que guardaran silencio, les habló tranquilizándolos de todas maneras.

-Nosotros no les vamos a hacer ningún daño -les dijo-, absolutamente ninguno, solo queríamos saber quiénes eran ustedes y socorrerlos para aliviar la miseria en que viven, llevándolos a la población, donde pasarán una existencia feliz.

Los dos seres extraños parecieron tranquilizarse con aquellas palabras, y dejaron de forcejear, pero el terror no se borró de sus semblantes azorados.

-¿Quiénes son ustedes, amigos míos, y por qué viven de esta manera, huyendo de las poblaciones y de los hombres, que ningún mal han de hacerles?

-Somos hijos de la María -respondió el más delgado de los dos-, los hermanos Ruarte.

-¿Y por qué no han vuelto a casa del señor Gordillo, donde los hubieran atendido en sus necesidades más apremiantes?

-Porque estábamos desnudos y teníamos miedo.

Mientras este hablaba así, el otro lo miraba asombrado y paseaba los ojos por cuanto lo rodeaba.

-Bueno -dijo Vera-, es preciso que vengan con nosotros, yo los vestiré y les daré las comodidades necesarias; ya esta vida no se puede prolongar más, y es preciso que alguna vez dejen ustedes de ser animales.

Los dos hermanos se resignaron con extraña mansedumbre y montaron en ancas de los paisanos, dirigiéndose todos a la casa del señor Gordillo, quien en el acto los tomó bajo su protección.

José y Domingo, que así se llamaban estos, pronto se familiarizaron con aquella buena gente, que los examinaba llena de curiosidad sin poder dominar su asombro. Y sonreían con una expresión estúpida, como si extrañaran el asombro que provocaban. Todo el departamento de Patquia se había conmovido con la toma de los hermanos Ruarte, y de todas partes acudían a ver a los hombres peludos y escuchar de sus labios como es que habían podido vivir diez años sin tener contacto con ser humano alguno, y sin acercarse a ninguna población para pedir socorro de alimento o de ropa.

-Teníamos miedo -respondía Domingo-, teníamos miedo a la gente, porque nos iban a hacer como a nuestra pobre madre, y por eso huíamos de todos y no queríamos entrar a la población.

Era Domingo el más fuerte y el más comunicativo de los dos. Sus anchas espaldas acusaban una fuerza enorme que comprobaban los poderosos nervios de los brazos y el desarrollo asombroso de las piernas. José era más alto, más delgado y más esbelto pero parecía igualmente fuerte y vigoroso.

Como todos demostraban una gran curiosidad por saber cómo habían vivido estos dos seres, fue Domingo el que tomó la palabra para hacer la curiosísima relación que se les pedía.

-Nos retirábamos una tarde de esta misma estancia -dijo-, acompañando como siempre a nuestra madre, que llevaba esta vez un buen atado de los víveres que aquí le habían dado, para socorrer con ellos a nuestro abuelo que vivía en Patquia. La noche había cerrado por completo, y la pobre María se apuraba porque tenía miedo. Parecía que la pobre presintiera la desgracia que nos iba a pasar.

"Y nos decía que nos apuráramos cuanto pudiéramos, para llegar cuanto antes a la cueva que llamábamos nuestra casa, y seguir viaje al día siguiente para lo de nuestro abuelo. Ya nos faltaba muy poco para llegar cuando vimos venir dos hombres a caballo, que nos cerraron el paso mandándonos parar. Nosotros nos prendimos del vestido de nuestra buena madre y la miramos a la cara para que nos dijera lo que debíamos hacer.

-¿Qué quieren ustedes con nosotros? -preguntó la pobre mujer aterrada, mirando fijamente a aquellos dos hombres, uno de los cuales había desmontado ya.

Y éste, sin contestar a la pregunta de nuestra madre, preguntó a su vez qué llevaba en aquel atado y para dónde iba.

-Voy a mi casa y aquí no llevo más que unos mendrugos de pan duro y un poco de queso que es nuestro alimento y el de mis viejos padres. -Y como para que no hubiera duda de sus palabras, agregó-: yo soy la María que vengo de la estancia del patrón Gordillo, déjenme entonces seguir mi camino puesto que nada tienen que hacer conmigo.

Aquellos dos hombres soltaron una gran carcajada al oír estas palabras, y volvieron a cerrar el paso a nuestra madre que había vuelto a empezar a andar.

-No seas loca, muchacha linda -dijo el otro que hasta entonces había guardado silencio-, vas a empezar por aflojarnos ese atado que nos viene de perilla, porque hace ya dos días que no comemos, y después te vas a venir con nosotros.

Nuestra madre apretó el atado contra su pecho, y se negó a entregarlo.

-Déjenme mi comida, que es la de mi padre y la de mis hijos -dijo casi llorando-; en cuanto a irme con ustedes no es posible, porque yo no tengo nada que hacer con ustedes ni con nadie.

Siempre riendo aquellos hombres perversos atropellaron a mi madre, y le quisieron arrancar el atado violentamente, pero ella se defendía con extrañas fuerzas, y aunque lloraba de temor y de aflicción, no soltaba el atado de sus mendrugos.

Un grito doloroso lanzó nuestra madre al recibir un golpe de puño de aquellos hombres, pero con más encarnizamiento que nunca se prendió de su atado negándose a entregarlo.

-¡Lleva plata! -gritó uno de ellos-; lleva plata y por eso lo defiende tanto. -Y siguió forcejeando y pegando a la María para obligarla a soltar.

Al ver llorar a la madre y sentir que le pegaban nos lanzamos sobre aquellos dos hombres tratando de sujetarlos, pero uno de ellos se separó entonces de la María, y empezó a darnos de lazazos, con un larguísimo arriador que de cada golpe nos envolvía todo el cuerpo. Desnudos como andábamos, aquellos lazazos nos causaban un dolor tremendo, hasta que locos de dolor y desesperación, corrimos, y nos detuvimos a cierta distancia, esperando que nuestra madre corriera también.

Y desde allí presenciamos una bien triste escena, que no podremos olvidar jamás. Nuestra madre había sido volteada al suelo y allí luchaba de una manera desesperada y mientras uno trataba de arrancarle el atado, el otro la golpeaba de una manera terrible, no ya con el chicote, sino con el cabo del arriador. Extenuada sin duda por el dolor de los golpes y la fatiga de la lucha, la pobre mujer fue aflojando poco a poco, hasta que soltó el atado.

Aquellos dos bribones se lanzaron hambrientos sobre el paquete que deshicieron velozmente; volcaron al suelo la comida y empezaron a deshacer un nudo que había en la punta del pañuelo.

-¡Plata! -gritó uno-. ¡Plata! ¡Bien sabía yo que por la comida solo no había de defender con tanta angurria el pañuelo!

Y en verdad, recién recordamos que algunas monedas que el patrón Gordillo y las señoras solían dar a nuestra madre, esta las ataba en la punta del pañuelo, que no abría sino cuando tenía que guardar algunas monedas más.

Mientras ellos se guardaban las monedas y recogían la comida, la madre seguía estirada en el suelo sin dar señales de vida.

-Vamos -le dijo uno de ellos dándole con el pie-, subí a las ancas que te vamos a hacer feliz.

Pero la madre no se movió, como si no hubiera oído lo que se le decía.

-Vamos -repitió el hereje, golpeándola más fuerte-, que subas en ancas te hemos dicho. -Pero ni ante el golpe ni ante la palabra pudo moverse la buena mujer.

Entonces el otro, que no parecía tan feroz, se agachó sobre ella como para reconocerla y dijo a su compañero:

-No puede moverse, la hemos golpeado mucho y está muy lastimada, es una lástima porque es muy buena moza y nos hace falta una mujer, pero si la llevamos así nos va a dar un trabajo inmenso e inútil tal vez, porque se nos va a morir en el camino. -El otro se acercó a su vez, y encontró sin duda muy puesto en razón lo que el compañero decía, porque no insistió más y se acercó a su mulo, montando tranquilamente.

Era tal la impresión que nos habían causado aquellas últimas palabras de los dos hombres que hasta se nos pasó el dolor de los chicotazos.(8) Deseábamos acercarnos adonde estaba nuestra madre pero no queríamos hacerlo hasta que ellos no se fueran.

Comiendo lo que habían quitado y haciendo sonar en la mano las monedas del pañuelo, se fueron de allí tranquilamente, sin ocuparse más de nosotros. Cuando se hubieron perdido de vista, nos pusimos de pie y corrimos al lado de la madre; ¡pobrecita! ¡En qué estado estaba! De un lado de su cabeza había salido mucha sangre, que se había hecho una masa envolviendo su pelo, y su cuerpo estaba lleno de hinchazones y manchas negras. La llamamos, pero no nos contestó, como no había contestado al hombre malo.

Entonces nos pusimos a llorar amargamente, llenándola de caricias. Y lo que no pudo la amenaza y el golpe de los verdugos, lo lograron sin duda las lágrimas de los hijos, porque un momento después nos decía:

-¡Hijitos de mi alma! Ayúdenme a llegar a la casa, porque me siento morir y esos hombres pueden volver y matarlos a ustedes también.

Reuniendo todas nuestras pocas fuerzas, ayudamos a la madre a arrastrarse hasta la cueva, donde la acomodamos sobre un montón de paja donde dormíamos siempre.

-Yo me voy a morir -siguió diciendo-. ¡Pobres mis hijos que van a quedar solos en el mundo! Es preciso que huyan de los malos hombres, porque los van a matar como a mí, huyan siempre mis hijitos porque una muerte así es espantosa.

Nosotros lloramos, lloramos mucho y nuestra madre guardó silencio y ya no nos volvió a hablar más. En vano le hablamos, en vano lloramos y la llamamos, todo fue inútil, no nos volvió a contestar más, aunque tenía los ojos abiertos y parecía que nos miraba sonriendo. Así pasaron muchos días; de su cuerpo duro y frío como la nieve, salía un olor muy feo, como el que sueltan los animales muertos que hay en el campo; sin duda estaba muerta también.

Cuando teníamos mucha hambre, salíamos a buscar algarroba y de las hojas de penco que rompen los burros, y de esto comíamos hasta que no teníamos más hambre. Muchas veces quisimos hacer comer también a nuestra madre, poniéndole en la boca un poco de algarroba, pero ella no quería abrir la boca y siempre nos miraba sonriendo. Después, cuando la agarrábamos para hacerla comer, su carne se rompía en nuestras manos y el olor feo era más fuerte que nunca. Y siempre llorábamos al ver que no quería contestarnos y pronto veíamos sus huesos limpios, como los de esos animales del campo que dicen que están muertos.

Una mañana sentimos rumor de mucha gente, y viendo que se acercaban a nuestra cueva, disparamos y nos escondimos entre las sierras, desde donde podíamos ver lo que hacían. Entre los que habían venido, conocimos muchos hombres de la estancia de Gordillo, que venían sin duda a matarnos, como nos había dicho nuestra madre. Aquella gente registró los alrededores, sin duda buscándonos, y como no nos encontraban, se volvieron a la cueva. Con cuánta razón nos había dicho la madre que huyéramos de la gente, que era muy mala y nos iba a matar.

Aquellos hombres, que tan buenos habían sido antes con nosotros, sacaron afuera en un poncho a nuestra madre y se pusieron a cavar un pozo, tapándose las narices para no tomar aquel olor que llegaba hasta donde nosotros estábamos. Estos malos hombres, después que concluyeron el pozo, pusieron allí a nuestra madre y le echaron encima toda la tierra que habían sacado; y después que concluyeron de echar toda la tierra, pusieron encima dos palitos como una cruz, y se fueron, no sin habernos buscado mucho y habernos esperado, sin duda creyendo que íbamos a volver.

Fue solo cuando no quedó ninguno de ellos que salimos del escondite y vinimos a sacar a la madre de donde la habían puesto, pero no pudimos. Ellos se habían llevado las palas y no teníamos con qué sacar la tierra; ya no volveríamos a ver a nuestra madre, porque la pobre no podría salir más de allí. Llorando entonces como nunca habíamos llorado, resolvimos buscar otra cueva para guarecernos, porque aquélla la conocían y podían volver a buscarnos.

Nosotros temíamos mucho caer en manos de malhechores como los que habían golpeado a la pobre madre, pero temíamos más caer en poder de la gente de Los Colorados, que nos enterrarían como habían enterrado a la María. ¿Por qué la gente nos tendría aquella aversión? ¿Tal vez porque andábamos desnudos? ¿Pero de dónde íbamos a sacar ropa con qué cubrirnos? No había más remedio que lo que nuestra madre nos había dicho: huir de aquella gente que quería matarnos y golpearnos como a ella.

En la sierra más alta y más distante de allí, encontramos una cueva, cuya entrada estaba tan bien oculta, que nadie, ni buscándola hubiera dado en ella. Allí llevamos paja, mucha paja, como habíamos visto hacer antes a nuestra madre, y nos hicimos una cama magnífica. Ya la piedra no nos parecía tan dura y podíamos dormir mejor.

Lo único que nos mortificaba era, no el hambre, porque la matábamos con algarroba, pencas y nueces, pero sí el deseo de comer otras cosas, como la que nos daba nuestra madre. ¿Pero de dónde las habíamos de sacar? ¿Cómo haríamos para ir a la estancia del patrón Gordillo sin que nos agarraran y nos enterraran como a nuestra madre?

Triste cosa era vivir así, como animales feroces, pero no había otro remedio, porque peor sería que nos hicieran lo que habían hecho a nuestra madre.

Mientras el tiempo fue caluroso, no lo pasamos mal; dormíamos de día, y de noche salíamos a buscar nuestra provisión de algarroba y pencas para comer. Y veníamos a apagar la sed, que muchas veces era terrible, a las aguadas, teniendo el cuidado de no venir dos veces a la misma para que no pudieran seguir la pista. Pero cuando los fríos empezaron a apretar, ya la vida se nos hizo más penosa, mucho más penosa. Teníamos un frío desconsolador que solo se nos quitaba cuando estábamos entre la paja de nuestra cueva. De día salíamos a la entrada a tomar el sol y uno dormía mientras el otro estaba bien alerta para ver si alguno se aproximaba. Estando en nuestra cueva estábamos bien seguros porque la abertura era tan estrecha, que era preciso entrar en cuatro pies y meter primero la cabeza. Entonces, con dos gruesos palos que teníamos, podíamos con mucha facilidad hacer retroceder a golpes a cualquiera que la hubiera metido. Pero de noche teníamos que salir a buscar algarroba y agua, y el frío que sentíamos era tanto que muchas veces, sin poderlo remediar, nos sentábamos a llorar amargamente.

Hicimos entonces un descubrimiento que nos volvió la vida, y este descubrimiento era que corriendo mucho de peña en peña y saltando como los cabros, el cuerpo se nos calentaba hasta quedar sudando muchas veces. Así, en cuanto salíamos de nuestra cueva, nos poníamos a saltar y a correr hasta que sentíamos calor, y después nos dedicábamos a juntar nuestro alimento. Al menor ruido que sentíamos, disparábamos y nos metíamos en nuestra cueva, de donde no salíamos hasta la siguiente noche. El cuero se nos había puesto sumamente duro, al extremo que no sentíamos las raspaduras antes dolorosas, que nos hacíamos al subir a los árboles, notando que el pelo del cuerpo se nos hacía más tupido y se ponía tan grueso como el de la cabeza.

Una noche vimos un fuego, como a una legua de distancia de la Aguada del Carrizal donde estábamos bebiendo, y muchas sombras que se movían alrededor de las llamas. Ocultándonos por las colinas y arrastrándonos entre los árboles, nos fuimos acercando recatadamente. La noche era muy serena, tan sumamente oscura, que no se podía distinguir nada a corta distancia. Así anduvimos hasta que nos pusimos cerca del fuego. Las sombras que habíamos visto eran dos hombres que conversaban alegremente al calor de aquel lindo fuego, que llevaba hasta nosotros ráfagas queridas de un aire tibio y consolador. Aquellos hombres tenían la misma facha de los que golpearon a nuestra madre y llevaban un arria de mulas cargadas quién sabe con qué.

¡Cómo reían y conversaban aquellos hombres! ¡Y con qué gusto metían las manos en la llama y se las refregaban en seguida! Habían puesto al fuego un pedazo de carne que, una vez asado, empezaron a comer alegre y vorazmente.

Fue tal el hambre que sentimos, que nos tapamos la boca para no ponernos a gritar; y hubiera dado un brazo por un pedacito de aquel asado. Y comieron hasta que no quisieron más, dejando un pedazo tirado junto al fuego. Entonces uno de aquellos hombres se levantó, fue hasta donde estaban las mulas, y tomó un atado grande que estaba acomodado en una mula tordilla grande. De aquel atado sacó charque, sacó tabletas y sacó una torta de patay, todo lo que trajo a la orilla del fuego, volviendo a colocar el atado sobre la mula.

Yo y mi hermano nos miramos y sonreímos alegremente; habíamos tenido la misma idea que nos habíamos comunicado en aquella sonrisa: apoderarnos de aquel atado, donde tendríamos comida para mucho tiempo. Y mientras los hombres reían y comían alegremente, empezamos a deslizarnos, con el mayor cuidado, adonde estaba la mula tordilla para lo cual tuvimos que perder mucho tiempo no porque la mula estuviese lejos sino porque teníamos que andar como las arañas, para no hacer el ruido menos perceptible. Cuando llegamos al lado de la mula, que comía tranquilamente, miramos al fogón. La ocasión no podía ser más oportuna. Los hombres aquellos, cansados de comer y de charlar se habían ido quedando dormidos al amor de la lumbre, con excepción de tres, que se habían puesto a jugar a la baraja, con tal entusiasmo, que no levantaban la vista del juego y de las monedas.

Entonces, y cada vez con más cuidado, nos pusimos a sacar el atado de sobre la mula que el hombre había dejado descuidadamente, sin duda con la intención de asegurarlo mejor cuando se pusieran en camino. Con qué placer infinito cargamos aquel atado lleno de alimentos, cuyo peso nos hacía temblar de alegría. Ninguno nos había sentido y habíamos hecho la operación con tal delicadeza, que creo que la misma mula no se apercibió de ello. Cargamos el atado, precisamente en un momento en que los tres jugadores discutían como si se pelearan. Aprovechando el estruendo de las voces, y antes que por esta causa fueran a despertar los que dormían, nos pusimos en fuga, con nuestra preciosa carga, y siempre cuidando de no producir el menor ruido. Cuando estuvimos a alguna distancia, nuestra marcha se hizo mucho más rápida, hasta que emprendimos una carrera vertiginosa seguros ya de que, aunque nos sintieran o se apercibieran de la falta del atado, no nos podrían alcanzar.

Con qué alegría famosa nos revolcamos en la paja de nuestra cueva, al vernos dueños absolutos de aquel atado de provisiones. ¡Allí nomás al tanteo, sacamos lo primero que nos cayó a la mano, nos pusimos a comer, como jamás creímos haberlo hecho nunca! Calmado el hambre, y con mucha sed, escondimos el atado entre la paja y salimos a buscar agua, y observar lo que hacían los hombres. Desde lo alto de una cima, descubrimos el fuego y los hombres que estaban en movimiento a su alrededor. Parecía que todos habían despertado ya, sin duda por los gritos y peleas de los que jugaban. Pero sin duda nosotros habíamos tardado mucho en nuestro viaje y nuestra comida, porque no hacía mucho tiempo que estábamos en acecho, cuando empezó a colorearse el cielo con los primeros resplandores del día, y vimos que los hombres se levantaron y empezaron a acomodar sus animales y a seguir la marcha.

No sabemos qué dirían estos de la desaparición del atado, porque estábamos muy lejos, pero cuando el día hubo aclarado algo, los vimos montar, arriar las mulas cargadas y ponerse en camino del lado opuesto adonde nosotros estábamos. El fuego había quedado encendido tan vivamente, que a pesar de la luz del día, se veían sus alegres llamas juguetear en el aire. Y convencidos que podíamos estar tranquilos, nos volvimos a la cueva a mirar todo lo que contenía el atado. ¡Cuánta cosa rica, caramba! Allí había charque, quesadillas y patay del más rico. Aquel día lo pasamos comiendo y mirando los alimentos que nos quedaban para los siguientes. ¡Ah!, teníamos allí para un año de comida, si hubiéramos procedido con método, pero era tal el hambre, que comíamos, comíamos sin medida de ningún género, y sin pensar en que acabadas aquellas provisiones no tendríamos de dónde sacar otras.

A la noche volvimos a salir, con la intención de registrar el paraje donde habían estado los hombres para calentarnos un poco, al fuego, y ver si habían dejado algo que pudiéramos recoger. Nos acercamos al paraje donde había estado escondido el fuego pero sólo quedaban unas cuantas brasitas perdidas entre las cenizas. Las juntamos y tuvimos intención de encender una nueva fogata, pero pensamos que el fuego podía descubrirnos como nosotros habíamos descubierto a los hombres y renunciamos con pesar al proyecto. ¡Ah!, poder tener un fuego que hubiéramos alimentado todas las noches hubiera sido un gran consuelo.

Nuestra excursión fue sumamente provechosa, porque hallamos muchos pedazos de carne asada y un buen pedazo de carne cruda, que pusimos en el acto entre las brasas para que se asase hasta donde fuese posible. ¡Carne! ¡Ya habíamos perdido el recuerdo de su gusto! ¡Hacía tanto tiempo que no la comíamos, que no la veíamos! Y como si en todo el día no hubiéramos comido nada comimos de los pedazos de carne asada, y hasta la cruda, que ni siquiera se había calentado sobre las brasas. Aquella carne, apenas chamuscada, nos parecía exquisita, pero el fuego se nos apagaba y nos hallábamos imposibilitados de encenderlo, puesto que esa lumbre hubiera sido un enemigo delator, que hubiera revelado nuestra presencia a los que hubieran pasado a una gran distancia, porque la noche, como la anterior, era densamente oscura.

Entonces mi hermano tuvo una buena idea: me propuso que echáramos bastante leña al fuego y nos fuésemos a la cueva, así no nos encontraríamos con cualquiera que viniera atraído por la fogata y nosotros tendríamos fuego al día siguiente. Aquella idea fue puesta en práctica. Inmediatamente, llenamos las brasas de leña fina para que encendiese con más facilidad echando la gruesa arriba en gran cantidad para hallar fuego a la noche siguiente. En seguida vinimos a tomar agua, y nos metimos a la cueva, duros de frío, porque la noche era cruda como un diablo. Con la cantidad enorme que habíamos comido aquel día y aquella noche nos pusimos tan pesados, que nos dormimos tan profundamente, que cuando despertamos el sol estaba ya arriba. Me asomé a divisar el campo y ver si el fuego ardía, pero con gran desesperación pude cerciorarme que se había apagado, no se veía la más miserable llamita allí donde creí descubrir una fogata. Comuniqué a mi hermano tan desventurada noticia, y sentados a la puerta de la cueva, nos dieron ganas de ponernos a llorar, de pura desesperación. ¡Adiós noches pasadas entre el calor de las brasas y las cenizas! ¡Adiós asaditos calientes, ya no volveremos a tener fuego sabe Dios hasta cuándo!

Aquel día no pudimos dormir ni un momento, no solo porque habíamos dormido hasta tan tarde, sino de pura desesperación. Y en cuanto cerró la noche nos pusimos a visitar el fogón; el exceso de la leña había ahogado las brasas, no pudiendo encenderse ni siquiera las leñas finas, sofocadas por el gran peso de las gruesas. La ambición de tener mucho fuego, nos había hecho perder aquellas brasitas que, con el sistema de echarles leña a nuestra retirada, nos hubieran servido para tener el fuego todo el resto del invierno.

-No importa -dijimos-, así como han caído estos hombres, alguna vez han de caer otros y así ya sabemos cómo es preciso hacer para conservar el fuego y no lo dejaremos apagar más.

Algo consolados con esta esperanza nos fuimos al agua y no entramos a la cueva hasta el amanecer, mirando al campo en todas direcciones, porque creíamos que de un momento a otro iríamos a descubrir un nuevo fuego.

Cuando volvimos a casa, ya había amanecido, y nos sentamos a comer, felices ante aquella buena provisión de víveres, que nos hizo olvidar la desventura del fuego perdido. Y comimos como el día anterior, hasta que no tuvimos más ganas. Muchos fueron los que pasamos así, comiendo abundantemente y saliendo de noche a beber y a registrar el campo, siempre con la esperanza de descubrir un nuevo fueguito, pero inútilmente. Con el frío, sin duda, era poca la gente que andaba de noche, y esta prefería caminar, durmiendo de día, sin duda, para aprovechar el calorcito del sol.

Un día observamos con desesperación que aquella gran provisión de alimentos llegaba a su fin, y que solo nos quedaba comida para un par de días más. El pedacito de carne cruda que nos quedaba tenía un olor espantoso, el mismo olor del cuerpo de nuestra madre, pero comimos a pesar del olor, porque de todos modos no teníamos otra y no habíamos de tirar aquella. Y esta misma se nos acabó al fin, quedándonos como antes, sin más alimentos que las pencas, las algarrobas, y lo que pudiéramos aprovechar del pasto, quemado por las heladas del invierno. Felizmente algarroba había mucha, el suelo estaba sembrado y no teníamos ni siquiera el trabajo de bajarlas. Lo que hay es que nos habíamos acostumbrado a comer bien, a comer carne y queso e íbamos a sentir más que nunca la falta de alimentos. Pero no había más remedio que conformarnos y salir a disputar nuevamente a los burros las pencas que rompían con el vaso.

Así pasamos todo el invierno, mirando aquel pañuelo que había contenido tanta cosa buena y esperando que algún día haríamos otro hallazgo igual. Y vinieron los primeros calores a alegrarnos el espíritu y a calentarnos el cuerpo. Las noches eran más agradables, permitiéndonos andar con más agilidad y más largas distancias. Varias veces encontramos grupos de hombres que iban arriando mulas cargadas, como aquellos de la provisión y el fuego, pero estos no se detenían a hacer fuego y pasaban de largo. Escondidos entre las sierras, o arrastrándonos como culebras, seguíamos a aquella gente espiando el paraje donde se detenían, pero al fin teníamos que regresar sin haber conseguido nada.

A veces se detenían un momento para dar un resuellito a las mulas, pero bien pronto seguían su camino, sin siquiera haber echado pie a tierra ni para acomodar la montura. Y nos volvíamos por la misma senda que ellos habían venido, registrando el suelo con verdadera avidez, y hallando siempre pequeños mendrugos de charque o quesadilla, o carne asada que habían ido comiendo y arrojando lo que les sobraba. Nosotros recogíamos aquellos mendrugos y los comíamos, aunque más no fuese que por no olvidar por completo lo que era el gusto de aquellos manjares.

Una vez encontramos en el camino el cuerpo de un hombre, lleno de lastimaduras e inmóvil. Aquel cuerpo estaba helado como el de nuestra madre, y con muy mal olor. Sin duda, como ella había sido encontrado por malos hombres que le habían dado de golpes hasta reducirlo a aquel estado. Si alguna idea hubiéramos tenido de venir a las poblaciones y ponernos en contacto con la gente, la vista de aquel cuerpo frío y lastimado nos la habría hecho desechar. Buscamos por las inmediaciones a ver si hallábamos algo pero nada encontramos. El hombre aquel estaba desnudo, lo que probaba que los que le habían pegado se llevaron toda su ropa y cuanto tenía.

Nos retirábamos llenos de horror, cuando mi hermano dio un grito de alegría, levantando del suelo algo grande y pesado. Era un atado lleno de tabletas y patay con el que echamos a correr, temiendo que viniera alguno a buscarlo allí. Ya teníamos una buena provisión con la que no habíamos contado. Sin duda a aquel hombre le habían pegado como a nuestra madre, para quitarle el atado que él había escondido donde lo encontramos o que ellos habían olvidado después.

Temiendo que aquellos hombres anduvieran por los alrededores, no salimos de la cueva en varios días, sino para ir a beber a la aguada, puesto que en la cueva teníamos bastante alimento. Pero aquellas tabletas se acabaron como las otras y volvimos a la misma situación de antes. Ya no podíamos pasar por aquel paraje donde hallamos al hombre lastimado, porque el olor era inaguantable. Y el pobre se fue secando y cayéndosele la carne, hasta que solo quedaron los huesos pelados, que algunos animales venían a roer.

Así pasaron muchos inviernos y muchos veranos, sin haber hallado otra cosa que los mendrugos arrojados por la gente que pasaba, y que nosotros recogíamos de sobre las huellas. El pelo se nos había criado largo y espeso, en todo el cuerpo, como ahora lo tenemos: así no sentíamos tanto el frío del invierno, ni nos incomodaban tanto las lluvias.

Una vez, hace poco tiempo, tropezamos con un grupo de hombres que, como los primeros, se habían detenido a hacer noche. ¡Oh! qué alegría inmensa tuvimos al ver de lejos no uno, sino tres o cuatro fuegos que habían encendido, donde asaban grandes pedazos de carne de chivo. Nos escondimos entre las pajas, a larga distancia, y estuvimos mirando extasiados lo que hacían. Aquellos hombres no eran como los otros, estaban vestidos con otras ropas como ese soldado que había antes en lo del patrón Gordillo, y como él tenían lanzas largas y cuchillones que colgaban de la cintura hasta el suelo. Las mulas que tenían no iban cargadas, pero en una que otra de las que andaban comiendo por allí cerca, se veían aditos más o menos grandes, que debían ser de comida. Unos echados de barriga preparaban los asados, otros estaban sentados jugando a la baraja con muchas monedas, y otros dormían echados panza arriba plácidamente.

-Es preciso ver si llevamos un atado de esos -dijimos casi al mismo tiempo yo y mi hermano, y nos fuimos acercando poco a poco a las mulas que andaban más retiradas. Y agarramos del cabestro a una de ellas y la fuimos sacando un poco más lejos, con tanto cuidado que ni la mula hizo resistencia, ni ellos notaron la operación. Entonces, rápidamente sacamos el atado y nos fuimos con él apresuradamente, volviendo poco después a tentar de hacer la misma operación con otra mula. Y fuimos tan felices que, mientras aquellos hombres comían sus asados, nos apoderamos de otro atado más grande y nos fuimos entonces a guardarlos en la cueva, volviendo poco después a tentar la misma operación.

Pero ya era tarde, el día venía aclarando y los hombres se habían puesto a ensillar para seguir la marcha. Bien escondidos y a larga distancia nos quedamos observando lo que hacían, y los vimos ensillar y ponerse en marcha con toda tranquilidad, sin notar la falta de los atados que nosotros nos habíamos llevado. Temiendo que pudieran volver a buscar sus atados, los seguimos una gran distancia desde arriba de las colinas, y solo cuando los hubimos perdido de vista nos volvimos, no al paraje donde ellos habían estado, sino a nuestra cueva, donde esperamos que llegara la noche para ir a hacer nuestra pesquisa.

El fuego podía apagarse durante el día, pero de aquella manera no nos exponíamos a ser sorprendidos. Registramos nuestros dos atados y nos pusimos a saltar dentro y fuera de la cueva, poseídos de una alegría inmensa. Dentro de aquellos atados había gran cantidad de diversas cosas ricas que nosotros mismos no sabíamos cómo se llamaban. Azúcar, yerba, en fin, no podríamos decir cuánta cosa había en aquellos benditos atados. Comimos, ¡ah! ¡Cómo comimos aquel día! ¡Aún recordamos hasta el gusto que tenían todas aquellas cosas!

A la noche vinimos al paraje donde estaban los fogones y nos pusimos a buscar lo que habían dejado. ¡Cuánta carne asada había allí! ¡Cuánto hueso lleno de comida y cuánto pedazo de galleta tirado en el suelo! Nos llevamos la carne, y volvimos con los mismos pañuelos que vaciamos, a llevar los mendrugos y los pedazos de galleta, sin dejar en el campo ni una miguita.

Los fuegos se habían apagado ya, pero ¡qué nos importaban los fuegos cuando teníamos tanta comida! Nos volvimos a la cueva antes que amaneciera, y allí vaciamos todo, mirando y remirando pedazo por pedazo, y comiendo de todos, con una avidez enorme. Era tanta la cantidad de comida que habíamos recogido, que creíamos que nunca íbamos a necesitar más.

A la noche siguiente, cuando volvimos al paraje donde habían estado los fogones, todavía encontramos con qué llenar los pañuelos, de recortes de carne y mendrugos de otras cosas. ¡Qué contentos pasábamos la vida entonces, comiendo como cuando vivía nuestra madre y viviendo en una cueva que nunca podría nadie descubrir!

Aquel paraje estaba lleno de asperezas y de precipicios; había que saltar por sobre el abismo para llegar allí, y era imposible que pudiera dar ese salto ninguna persona que no tuviera, como nosotros, la práctica de andar por aquellos parajes. Escarmentados con el consumo rápido que habíamos hecho de las otras provisiones, estas las comíamos con más medida para que nos duraran más.

Aquel verano fue una bendición del cielo, porque cada tanto tiempo encontrábamos gente que se detenía en el camino a hacer noche, dejando siempre desperdicios que llevábamos a casa, juntándolos a los que ya teníamos. El agua la tomábamos siempre de distintos puntos, para no dejar rastros en uno solo, aunque todo rastro tenía que perderse por aquel gran salto que nos veíamos obligados a dar para llegar a nuestra cueva. Cualquiera que hubiera seguido el rastro de nuestras pisadas, al llegar allí se hubiera encontrado perdido. Así podíamos vivir perfectamente tranquilos que nadie nos había de venir a asaltar allí. Y pasó mucho tiempo más, todo aquel verano y el invierno siguiente, sin que tuviéramos ningún mal encuentro. Nosotros mismos, para encontrar los grupos que pasaban teníamos que acercarnos al camino, bastante alejado de nuestra casa.

Un día, hace muy poco, habíamos venido a beber al Carrizal, cuando nos sorprendió un grupo de hombres que parecía esperarnos para darnos caza, y huimos velozmente sin que pudieran alcanzarnos. Y como aún no habíamos podido beber bien, nos retiramos con bastante sed, sed que vino a aumentar aquella carrera inesperada. Teníamos que volver a beber pero no nos animábamos, temiendo que nos estuvieran esperando allí. Sin embargo, pensamos que aquel encuentro debía ser casual, pues nada nos indicaba que anduviera gente alguna en nuestra busca.

Dejamos pasar todo aquel día y la noche sin salir de nuestra cueva para evitar todo peligro. La misma imposibilidad de beber aumentaba nuestra sed de un modo endiablado. Nos resolvimos, pues, a salir, observando detenidamente todo el terreno, para retirarnos inmediatamente que hubiéramos sentido algo sospechoso. Pero en vano miramos a todas partes, en vano nos detuvimos a observar a cada momento, nada vimos, nada sentimos que pudiera hacernos notar la presencia de ninguna persona. Llegamos al agua y nos sentamos a la orilla tranquilamente, con la mayor confianza de que no podía sucedernos nada, cuando nos pareció sentir un movimiento leve a nuestra espalda.

Dimos vuelta llenos de asombro y haciendo un movimiento para huir, cuando nos vimos rodeados de gente que nos tiró los lazos con tanto tino, que toda defensa fue inútil. Ustedes saben lo demás, puesto que eran ustedes mismos los que nos espiaban para agarrarnos."

En seguida los dos hermanos suplicaron que no los fueran a golpear como la habían golpeado a la madre y a aquel otro hombre que encontraron una vez, puesto que ellos no habían hecho mal a nadie. Y llorando amargamente pedían que se les devolviera su libertad, se les dejara ir a su cueva, ya que, como les manifestaban, ningún interés tenían en hacerles mal.

Fue difícil convencerlos de que, por lo mismo que no tenían otro interés que el de hacerles bien, los retenían allí, donde gozarían de tanta libertad como antes, y no vivirían llenos de zozobras y temores, y careciendo de todo aquello que hace llevadera la vida. Ellos escuchaban atentamente y no oponían otra dificultad que aquellas palabras que les había dicho la madre antes de callar para siempre, y la creencia de que los hombres que los hallasen, los habían de golpear hasta dejarlos en aquel estado que tanto los horrorizaba.

Fue entonces cuando el señor Gordillo, con toda paciencia y con palabras claras para ellos, les explicó cómo la madre había sido asaltada por ladrones que querían robarla, y que la habían muerto porque ella no les quiso entregar lo que llevaba y seguirles ella misma. Pero que todos los hombres no eran así, y que sin duda la María, lo que había querido recomendarles era que huyeran de la gente mala para que no les sucediera lo mismo, pero que la vida le había faltado a lo mejor.

-De otra manera, estoy seguro que lo que ella deseaba recomendarles era que huyeran de la gente mala, y se vinieran aquí, por ejemplo, donde hallarían un amparo seguro.

Los hermanos se miraban como si quisieran consultarse lo que debían de hacer, porque no se animaban a quedarse, creyendo que todo aquello no era más que un engaño para matarlos después.

-Pero, hombres -les dijo Gordillo, tratando de convencerlos totalmente-, la prueba de que no tratamos de hacerles mal, es que no le hemos hecho ya, ¿para qué habíamos de engañarles en una cosa que podíamos haber hecho en seguida de tomarlos? Voy a darles una prueba de que lo que queremos es ampararlos y ayudarlos en cuanto nos sea posible. Voy a darles ropa para que se vistan y comida para que lleven, y en seguida pueden volverse libremente a su cueva, puesto que así lo quieren. Cuando la comida se les acabe, pueden volver a llevar más, como lo hacía la María, que no temía nada malo de nosotros y que venía aquí con ustedes mismos, sin que jamás haya tratado nadie de hacerle daño, socorriéndola cada uno con lo que buenamente podía.

Este fue el argumento que hizo más fuerza en los hermanos Ruarte, y los concluyó de convencer con la verdad de lo que se les decía, resolviéndose a quedar allí, desde que se les permitía irse en el momento que así lo desearan.

-Nos quedamos entonces -dijo Domingo que parecía dominar por completo al hermano-, nos quedamos, pero a condición de que hemos de quedar en la casa del patrón Gordillo.

-Convenido -dijo este-, y cada vez que quieran ir a la sierra y a la cueva donde vivían, podrán hacerlo, en la seguridad de que ya no ha de ser necesario irlos a buscar para que vuelvan; ustedes mismos no habían de quererse quedar allí, desengañados que se puede vivir entre gente, sin que se les haga el menor daño.

En seguida fueron llevados a la casa del señor Gordillo, donde debían quedarse, vistiéndolos en el acto, que era lo que más necesitaban. Como en realidad nunca habían estado completamente vestidos, porque, en vida de la madre todo su traje se reducía a una camisa, no sabían cómo darse vuelta con la ropa que se les había puesto. El pantalón, sobre todo, les incomodaba enormemente, no dejándoles dar un paso.

Todo su apuro, por el momento, era regresar a la cueva para traer los mendrugos que allí tenían amontonados, y que no querían perder, porque les sería difícil conseguir otros.

-Dejen eso -les decían- que aquí no les hace falta, nosotros les daremos comida fresca y tanta que no la podrán comer toda.

Como cada cual se afanaba por socorrerlos en lo que podía, pronto juntaron un montón de tortas, galleta y una buena cantidad de mazamorra. Gordillo les mandó hacer un buen asado, sobre el que se lanzaron como perros hambrientos, mirando a todos lados como si temieran fuesen a quitárselo. Y comieron de una manera tal, que en pocos momentos dieron fin con un asado del que podían haber comido abundantemente cuatro hombres. Y asimismo, llenos hasta no poder pasar un bocado más, y rodeados de comida de toda clase, no dejaban de lamentar los mendrugos abandonados en la cueva, diciendo que les iban a hacer falta cuando concluyeran todo aquello.

-Aunque aquí tendrán mucho más de lo que allí han dejado, descansen primero, duerman y después irán a buscarlos aunque ya se convencerán ustedes mismos que para nada necesitan aquellas miserias.

La curiosidad que habían despertado los hermanos Ruarte era inmensa; de todas partes acudía la gente, ávida de verlos y oírlos, al extremo de que la estancia de Los Colorados parecía una gran feria. De Patquia y de todos los departamentos vecinos a donde había llegado la noticia, acudían las familias con todo género de socorros para los dos hermanos, que habían despertado la compasión de los más indiferentes. Todos querían escucharlos, preguntarles mil detalles sobre su vida, y sobre todo verlos desnudos, pues nadie quería creer que estaban naturalmente vestidos por un pelo negro y espeso. Y era tal la curiosidad por conocer este detalle que Gordillo tuvo que hacerlos desnudar de medio cuerpo para que todos pudieran verlos.

Solo les dejaron tranquilos cuando el señor Gordillo indicó que era necesario dejarlos descansar, porque como a cada momento llegaba la gente nueva, no le habían dejado un solo momento de reposo. Les improvisaron una cama bastante grande para que pudieran acostarse, y los dejaron solos para que pudieran entregarse a sus reflexiones, y sobre todo al descanso, que la necesidad de dormir debía serles ya imperiosa. Cansados con el viaje y las emociones, y habiendo comido de una manera formidable, Domingo y José, apenas se les dijo que podían acostarse a dormir, se echaron sobre la cama enroscándose como dos perros, y se quedaron profundamente dormidos. Y como todos habían estado de velada, por curiosear y conversar con ellos, todos fueron haciendo lo mismo; adentro los que cabían y afuera, alrededor del fogón, los que estaban de más.

Con motivo de la llegada de los hermanos Ruarte, la estancia de Los Colorados fue concurrida como una feria por más de un mes. La gente venía de los pueblos más lejanos a ver los hombres con pelo, que se habían familiarizado tanto con aquella curiosidad exagerada y comprensible, que ellos mismos venían a mostrarse, sobre todo Domingo, que era el más sociable y comunicativo. José estaba siempre dominado por una especie de melancolía, que lo tenía triste y poco dispuesto a entrar en conversación y en jarana. Todo les llamaba la atención, puesto que todo era nuevo para ellos, y en su movilidad constante para no perder nada de lo que pasaba cerca de ellos, parecían dos grandes monos amansados y adiestrados.

El señor Gordillo adoptó a los dos hermanos, quienes le tomaron tal cariño, que no querían separarse de su lado un solo momento. Y cuando él les proponía ir a la cueva a buscar los alimentos que habían dejado, se reían bondadosamente y respondían que demasiado tenían allí. Ya estaban completamente domesticados y convencidos que nada tenían que temer de los demás hombres.

El señor Gordillo tuvo que venir a la ciudad y se trajo como peones a los Ruarte, porque yéndose Gordillo no había forma de que se quisieran quedar en la estancia. Como es natural, en La Rioja fueron el objeto de la curiosidad general, pero ellos no ponían ningún inconveniente en exhibir sus cuerpos peludos, y corroborar algunas relaciones que sobre ellos hacía el señor Gordillo pues toda la historia de aquellos mocetones parecía un tejido de invenciones fantásticas.

Al año de estar con Gordillo, bien cuidados y alimentados con abundancia, durmiendo en cama y gozando de una vida tranquila y agradable, los hermanos Ruarte empezaron a perder el pelo del cuerpo, y el de la cara, fuera de la barba que era espesa y gruesísima. Ellos mismos se reían al verse que iban tomando el aspecto de las demás personas y perdiendo todo lo de animal salvaje que tenían.

El señor Gordillo tuvo que hacer un viaje a San Juan, y como siempre los hermanos Ruarte lo siguieron, acompañándolo como sus peones de mayor confianza. El general Benavídez, asombrado ante la historia de aquellos dos desventurados, pidió a Gordillo le dejara uno de ellos, para darse el placer de hacerlo feliz, en toda la extensión de la palabra.

Y Gordillo, que lo que quería era la felicidad de aquellos dos pobres seres, convenció a Domingo que debía quedarse con el general, mientras él iba a hacer una excursión a la que no podía llevarlo. Y como Domingo tenía la conciencia de que su protector no podía aconsejarle nada malo, se convenció de que debía quedarse con el general, y fácilmente consintió en ello.

Gordillo se fue con José que sintió mucho aquella separación aunque momentánea, y Domingo se quedó con el general Benavídez, feliz ante un vistoso uniforme que este le hizo vestir. Domingo se dio tanto con el carácter de Benavídez, y poco tiempo después le había tomado tal cariño que, como el perro más leal, no se movía un momento de su lado. Y el general, habituado ya a aquel cariño sumiso y leal, no podía estar sin tener a Domingo cerca de sí, ocupándolo en el servicio de su mayor confianza.

Bravo sobre toda ponderación y con una musculatura que había llegado al apogeo de su desarrollo, llevaba su fidelidad perruna al extremo que no permitía que nadie se acercase al general, sin que este le hiciera una seña de que no tuviera temor. La señora era la única que no llenaba este requisito impuesto por el leal Domingo, que desconfiaba de todo y de todos, diciendo: el hombre es malo por naturaleza, no hay que darle la ocasión de ejercitar su maldad. Así Benavídez, aunque se hubiera sabido amenazado del mayor peligro, teniendo a Ruarte cerca de sí estaba tranquilo. Y este llevaba su fidelidad cariñosa al extremo de dormir como un perro, atravesado a la puerta de su aposento.

Una vez que el general Benavídez se acostaba, era inútil pretender entrar al aposento. Solo su señora podía hacerlo, porque a cualquier otro le cerraba el paso terminantemente y era inútil insistir, porque entonces creía que había un mal interés y menos permitía la entrada hasta que el general no abría la puerta y le decía: "Déjalo pasar, Domingo."

Para llegar al general Benavídez era necesario matar a Domingo que no se separaba de él ni un solo momento y este fue el gran escollo con que tropezaron los asesinos de aquel hombre extraordinariamente bravo.

La muerte de un león

La situación de San Juan era nuevamente tirante, a consecuencia de la lucha ardiente en que se habían dividido los dos grandes partidos de aquella provincia.

Cansado de la vida agitada de la política, el general Benavídez se había retirado de ella, rechazando el gobierno que sus amigos se empeñaban en hacerle aceptar.

-Quiero descansar -decía-, quiero descansar por lo menos un poco de tiempo; yo pondré mi influencia para que triunfe un hombre del partido liberal -decía-, y será lo mismo para mis amigos.

Y así se convino, convencidos los amigos que era preciso dar una tregua a aquel hombre que tanto había luchado, que tanto había batallado por la felicidad de su provincia, sin haber dejado tras sí ningún odio justificado.

Las elecciones se produjeron, y aquellos que no tenían confianza en la candidatura que sostenía Benavídez, levantaron la de Gómez, hombre también del partido liberal, valiéndose del nombre del mismo general. Requerida la influencia del general Urquiza, porque la situación se hacía tirante y amenazadora, este mandó de interventor al doctor Molina, quien dio absoluta libertad electoral para que cada cual pudiera votar por quien le diese la gana.

Buenos y risueños tiempos en que una provincia argentina podía elegir libremente su gobernador, sin que un solo voto falso viniera a manchar los registros electorales. Ya no queda de ellos sino el buen recuerdo y el mayor deseo de verlos volver.

El general Benavídez concurrió a los atrios, pero su candidato fue vencido, aunque por escasa mayoría, pues el partido Unitario tenía más confianza en Gómez que en el candidato de su gran caudillo. Si Benavídez había prestigiado a su candidato, no había hecho fuego sobre Gómez, dejando que sus amigos votaran con entera libertad. Si él les hubiera exigido que abandonaran a Gómez, este no habría triunfado, pero no viendo en él más que un hombre del partido liberal, los había dejado en libertad absoluta, al extremo que cuando a última hora fueron muchos a pedirle su palabra de orden, les contestó sonriendo:

-Los dos son buenos, los dos pertenecen al partido liberal, voten por aquel que más confianza les merezca, yo no puedo dar un consejo en este caso, porque soy susceptible de equivocarme y no quiero que se me culpe mañana de cualquier cosa que pudiera suceder.

Así se explica cómo triunfara Gómez, aunque otro era el candidato de Benavídez y cómo la conducta que este observó en aquella elección lo elevó ante la consideración de sus comprovincianos, que tuvieron una ocasión más de apreciar cuánta era la firmeza de aquel carácter. Recibido Gómez del gobierno y una vez que el comisionado del general Urquiza se retiró, Benavídez no volvió más a mezclarse en los asuntos del gobierno, entregado a sus negocios particulares y al descanso apacible del hogar. Aficionado famoso a las riñas de gallos, se entretenía en la cría y compostura de los que había de llevar al reñidero, donde pasaba sus días en la mayor distracción.

El indio Ruarte, como llamaban a Domingo, se había hecho un famoso compositor de gallos y era, como siempre, quien acompañaba al general en sus diversiones galleras y quien conocía perfectamente el árbol genealógico de sus más famosos gallos. Cuando le iban a hablar de política y de luchas, respondía chuscamente: (10)

-Yo no me ocupo de más peleas que las de mis gallos, si tienen pareja vamos a pelear y verán qué magníficos soldados de pluma tengo, ¡me río del más valeroso del ejército!

Y era verdad, sus gallos eran de primer orden, al extremo de que una pelea perdida por Benavídez era un acontecimiento.

El reñidero de gallos era la diversión favorita de la gente más distinguida de San Juan, como que no había otra manera de matar el tiempo. Todos tenían gallos, ¡y qué gallos! Los llevaban a reñir y el reñidero era pequeño para contener la numerosa concurrencia que acudía, sobre todo cuando se anunciaba alguna riña entre famosos gallos.

Como era público y sabido que el general Benavídez no se mezclaba a la política, el gobierno no se preocupaba de él, aunque sabía que era un caudillo a cuya palabra se levantaban las masas.

Pero el gobernador Gómez empezó a cometer sus desaciertos, empezó a hacer persecuciones odiosas y el partido liberal, alarmado, fue a ver a Benavídez para que los guiara en la empresa de derrocarlo. Benavídez los escuchó y les dijo que estaba firmemente resuelto a no mezclarse en ningún movimiento revolucionario.

-El gobierno es legal, ustedes lo han elegido libremente y no seré yo quien lo derroque, cargando con la tremenda responsabilidad de haber provocado una situación de sangre. Suframos hasta que concluya su período y veamos de reemplazarlo de una manera conveniente; esto es lo único a que yo puedo ayudarlos. Y desligándose así de toda participación en cualquier movimiento que pudiera sobrevenir, siguió entregado a sus gallos.

Pero el gobierno, que se había apercibido del descontento general y que temía que Benavídez pudiera encabezar una revolución, tomó sus medidas precaucionales llamando la Guardia Nacional a ejercicios doctrinales y se previno para sofocar a tiempo cualquier movimiento sedicioso. Los descontentos, con aquella medida de fuerza, se enconaron más, y empezaron a reunirse en casa de Benavídez para comprometerlo, y hacerlo entrar de esta manera en la revolución que ya seriamente proyectaban. Si el gobierno desconfiaba de Benavídez, tomaría contra él medidas enérgicas, el general se enojaría y entonces, forzado por el mismo gobierno, entraría de lleno en la revolución y el triunfo sería seguro, fuera de toda duda. Así, lo más espectable de San Juan se reunía en casa del general, haciendo gala de sus antipatías contra el gobierno.

Gómez creyó que Benavídez era el que encabezaba la revolución, y lo hizo llamar a su casa para tener con él una conferencia, llamado a que acudió bien pronto el general, convenciendo al gobierno del error en que estaba.

-Es cierto que mis amigos no están conformes con la marcha del gobierno, es cierto que son capaces de ir a la revolución si el gobierno sigue haciendo una política de fuerza, pero no es cierto que yo dirija ni apoye esas ideas. Por el contrario se las combato y hago valer sobre ellos toda mi influencia para que no provoquen una situación de sangre. El gobierno puede estar seguro que no omitiré esfuerzo por mantener la paz en lo que de mí dependa, como puede estarlo también de que bajo ningún motivo sería yo el director o cooperador de un movimiento revolucionario.

Gómez conocía perfectamente a Benavídez, hacía justicia a su carácter, y después de aquella conferencia, se persuadió de que el general no tenía parte en los enjuagues revolucionarios en que andaban sus partidarios. Y se resolvió a no incomodarlo, seguro que él sería el opositor más decidido a toda revolución. Sin embargo, tenía todas sus medidas tomadas, y una buena cantidad de fuerzas prontas a entrar en pelea en cualquier momento.

Los amigos de Benavídez siguieron en su táctica de comprometerlo con reuniones en su casa. Los enemigos del gobierno que encabezaban la oposición siguieron este propósito, y el coronel Icasate, su cuñado, Rojo, y otros hombres prestigiosos no salían de allí, donde entraban con aire misterioso, para comprometer más al general.

Este vio que todo esfuerzo sería inútil para disuadir a sus amigos que preparaban a gran prisa la revolución y no quiso contradecirles más, aunque les declaró que él no tomaba parte en el movimiento, puesto que así lo había declarado al gobierno.

Gómez no se daba cuenta de la conducta de Benavídez que permitía reunirse en su casa a enemigos declarados del gobierno, que se sabía conspiraban contra él, y empezó a desconfiar nuevamente, aunque a Benavídez no podía hacérsele otro cargo que el de tolerar aquellas reuniones. Los leales del gobierno, que no figuraban entre la gente de más valor, empezaron a intrigarle con Benavídez, asegurando que tenían pruebas palpables de que el general estaba con la revolución y que era preciso proceder contra él. Sabían que Benavídez era un enemigo poderoso, invencible al frente de una revolución, y querían deshacerse de él a toda costa.

Pero el gobierno tenía miedo de proceder contra el general, porque sabía que el menor acto del gobierno, hostil al caudillo, sublevaría la opinión pública y provocaría entonces una revolución formidable.

-Es que la revolución va a estallar de todos modos -le decían-, y sin el apoyo de Benavídez será mucho menos difícil vencerla. Si el general se pone a su frente, no tendremos elementos para contrarrestarla, y tal vez preso él, sus partidarios no se animen a lanzarse al motín.

Pero el gobierno no se atrevió a proceder abiertamente, limitándose solamente a hacer vigilar de cerca al general, de manera de poder caer sobre él en cualquier momento. Acuarteló todas las fuerzas de que disponía y se preparó a salir al encuentro de cualquier movimiento armado. Y si no se atrevió a proceder contra Benavídez, resolvió hacerlo contra los hombres que indudablemente hacían trabajos revolucionarios. Estos, que estaban al cabo de las medidas del gobierno, se pusieron a salvo, Rojo se fue para Mendoza, e Icasate se escondió, decidido a no mostrarse sino en el momento de obrar.

Con estos sucesos el pueblo sanjuanino se mostró tan hostil y amenazador contra el gobierno que Gómez comprendió que era el momento de proceder contra Benavídez, siquiera para privar a la revolución de su más importante elemento. Y Benavídez entonces estaba con la revolución, aunque la demoraba para ver las medidas que tomaba el gobierno. Con la persecución a sus amigos se había irritado y comprendido que era preciso tomar una actitud amenazadora que contuviera los avances del gobierno.

Los amigos de Benavídez escribieron al general Urquiza que salvase a San Juan del abismo a que se derrumbaba, y a la señora de Benavídez que aconsejase al general se pusiera en salvo o cuidara su persona, pero los acontecimientos se habían ya precipitado demasiado.

El gobernador Gómez, convencido por sus amigos, había resuelto prender a Benavídez y había dado ya la orden de prisión contra este y los hombres principales de la revolución. Aquellas órdenes habían sido dadas al coronel Yufre y al comandante Rodríguez, jefe que merecía toda la confianza de Gómez. Pero la prisión de Benavídez era un acontecimiento al cual no se podía aventurar sin estar perfectamente preparado a repeler todo movimiento agresivo, pues había de contar de antemano con que el pueblo podía oponerse a la prisión de su caudillo y libertarlo antes de llegar a la policía. Con la prisión de Benavídez se iba a provocar al pueblo y era necesario entonces ir preparado a todo, que una vez preso el general su vida misma serviría de garantía contra toda tentativa revolucionaria.

El día aquel en que debía efectuarse la prisión de Benavídez, era un domingo, día de riñas y en que el general, por consiguiente, debía hallarse en el reñidero de gallos. Al primer batallón de guardia nacional que hacía ejercicios en la plaza, batallón compuesto de la más distinguida sociedad sanjuanina, se le mandó colocar las armas en pabellón y no moverse de la plaza para nada. Rodríguez y Yufre, llevando dos compañías de línea, se dirigían al reñidero a cumplir la orden de prisión contra el general, y la ciudad entera, por su agitación, parecía prever los acontecimientos sangrientos que iban a tener lugar. Nadie sabía a qué iban aquellas dos compañías municionadas como para entrar en pelea, y sin embargo, no faltaba quien aseguraba que iban a prender al general.

La manzana del reñidero fue rodeada por los soldados, para evitar que la presa fuera a escapárseles, quedando Rodríguez con unos veinte hombres a la puerta del reñidero, como si le costara resolverse a entrar. Y tanto le costaba realmente, que envió a un oficial dijera al general Benavídez que saliera un momento, que tenía que hablarle en nombre del gobernador.

En aquel momento tenía lugar una riña interesantísima, en la que Benavídez peleaba su mejor gallo y jugaba una buena suma de dinero. Así es que sin distraer la atención del circo donde se despedazaban los dos gallos, respondió alegremente:

-Diga que en este momento no puedo atenderle, que en cuanto termine la riña estoy a sus órdenes. ¡Mil pesos más a mi gallo!

Como se ve, Benavídez no podía pensar que se le buscaba para nada malo, cuando ni siquiera lo preocupaba el llamado.

El oficial volvió con la respuesta, y Rodríguez volvió a mandar decir a Benavídez que era necesario saliese en el acto porque él no podía esperar.

-Es inútil -contestó el general-; hasta que no concluya esta riña no me muevo de aquí.

-Es inútil -respondió el indio Ruarte, como si hubiera sido un fonógrafo-, el general no se mueve de aquí hasta que no se termine la riña. Si no puede esperarlo, que vuelva.

Aquella insistencia del oficial, y cierta grosería del modo con que se retiró, alarmó a los amigos de Benavídez, muchos de los cuales salieron a ver qué sucedía, encontrándose con que la puerta del reñidero estaba tomada y rodeada la manzana de soldados para que nadie pudiera salir. Y entraron nuevamente al circo, en momentos en que la riña terminaba victoriosamente para el gallo del general, que había acribillado a puñaladas a su adversario.

-El reñidero está rodeado de fuerzas -dijeron-, que sin duda esperan a usted, y en la calle hay un gran tumulto de gente.

-Pero supongo que ese lujo de fuerzas no será para prenderme a mí -dijo el general-, porque ya sabe el gobierno que para que yo me presente, no tiene más que mandarme llamar. -Y se dirigió al patio acompañado de sus amigos y seguido del indio Domingo.

Allí, con un grupo de soldados, estaban Yufre y Rodríguez, que consultaban en ese momento si debían o no entrar a tomar a Benavídez en el circo de las riñas. Grande debía ser el tumulto de la calle, porque hasta allí se sentían las voces y palabras con que se comentaba la prisión del caudillo sanjuanino. La noticia había circulado por toda la ciudad con rapidez pasmosa, y de todas partes acudían al reñidero, no creyendo que la noticia fuera cierta. ¿Cómo habían de atreverse a prender al general Benavídez?

Los mismos grupos de guardia nacional que habían hecho pabellones en la plaza, acudían, aunque sin armas, a salir de la curiosidad. Otros habían acudido apresuradamente a los centros revolucionarios, buscando a sus jefes para lanzarse a la lucha, pues no podían consentir semejante prisión.

Alarmado Rodríguez, que dicen no era de los más valientes, con la actitud del pueblo, mandó despejar la cuadra con los soldados, y en nombre del gobierno, intimó al general Benavídez se entregara preso. Y el indio Ruarte, como una pantera, saltó entre el general y Rodríguez, a quien amenazó con los puños, diciendo:

-Pobre del que ponga la mano sobre el general, al mismo gobierno lo aplasto yo si pretende hacerle daño.

Benavídez, sonriente, apartó al indio con ademán cariñoso y respondió a Rodríguez:

-Amigo mío, al general Benavídez no se le puede prender como a cualquier bandido, basta que el gobierno me mande a llamar para que yo me presente. Pero este atropello no es justificable, ni aceptable por mí; eso, en primer lugar, que en segundo, yo no acepto una orden verbal de prisión.

-La traigo escrita -respondió Rodríguez, que estaba completamente dominado por la actitud y aspecto del general. Y sacando un pliego del bolsillo lo entregó al general, quien en alta voz leyó una orden de prisión contra el coronel Icasate-. No es esa -exclamó Rodríguez cada vez más turbado y mirando a Yufre para que acudiera en su auxilio-; he equivocado la orden. Aquí está la suya. -Estiró a Benavídez un nuevo pliego.

Aquella era efectivamente la orden por la cual se mandaba a Rodríguez que, acompañado de la fuerza que creyera necesaria, procediese a la prisión del general Benavídez, allanando si era preciso la casa donde se encontrara.

-Es una orden terminante -respondió Benavídez devolviéndola sonriente- y soy el primero en acatarla, pero rechazo terminantemente la manera de cumplirla, no quiero ser preso como cualquier criminal. Haga usted retirar toda esta fuerza, que no quede ni un soldado, y yo mismo iré a presentarme en la policía. -Y se cruzó de brazos, esperando que los soldados desalojaran el recinto del reñidero.

Pero Rodríguez temía que aquello no fuera más que una estratagema para escaparse y aunque temiendo el conflicto que empezaba a producirse, se negó a hacer retirar la fuerza.

-Entonces todo es inútil, pues por la fuerza no me prenderá usted, amigo mío. -Y con una altivez y una tranquilidad enorme, se dirigió a la puerta de la calle para retirarse, como si contara de antemano que nadie había de moverse para detenerlo.

¿Quién se atrevería a poner la mano sobre el general, desafiando las iras de un pueblo idólatra, que a la primer palabra de su caudillo acometería ciegamente?

El oficial, sin embargo, el mismo oficial que se había llevado los mensajes de Rodríguez, saltó de entre el grupo de soldados que mandaba, y lo detuvo, poniéndole una mano en el hombro. Pero aquel oficial cayó a los pies de Benavídez, como herido por un rayo. Es que el puño de Ruarte, cayendo sobre la cabeza como una masa de armas, le había fracturado el cráneo.

Benavídez siguió su marcha mirando cariñosamente al indio, y Rodríguez y Yufre siguieron a su lado, sin poder ver lo que pasaba con Ruarte que había quedado un poco atrás, tratando de abrirse paso por entre los grupos compactos. Ocho o diez soldados se habían lanzado contra él, acometiéndolo a bayonetazos. El indio no atendía tanto a su defensa, como a abrirse paso para seguir al general, y fue entonces cuando los soldados pudieron clavarle las bayonetas a mansalva. Ruarte peleó algunos instantes como un verdadero león, alcanzando a deshacer la cara a un soldado, de un solo puñetazo, pero acosado por las heridas que recibía constantemente, cayó por fin, para no levantarse más, sobre el mismo cuerpo del oficial que había postrado.

-¡Asesinos! -gritó entonces el general Benavídez, apercibiéndose de lo que pasaba, y ya sobre la vereda-; de ese asesinato cobarde sabré hacerles responsables. Señor Rodríguez, si usted quiere que yo vaya a la policía en cumplimiento de la orden que usted trae, haga usted retirar inmediatamente a toda la fuerza; de lo contrario, pueden mandar hacerme fuego en el acto, porque no me muevo de aquí. -Y se abrió la ropa sobre el pecho como indicando el paraje donde habían de tirarle.

Un movimiento de oleaje se produjo entonces entre aquella multitud, que rugió de una manera amenazadora.

-Pido a mis amigos y a mi pueblo la mayor calma posible -dijo-; ahora es preciso proceder sin violencia, que si el movimiento de la lucha llegara, yo seré el primero en pedir su ayuda al pueblo sanjuanino.

Estas palabras contuvieron un movimiento agresivo que empezaba a pronunciarse en los mismos soldados, cuya mayoría era afecta y leal al caudillo.

Rodríguez vio la situación sumamente difícil, tuvo miedo y conferenciando con Yufre decidieron hacer retirar la tropa a una corta distancia, para que pudiese protegerlos en un momento de apuro, y mientras Yufre se retiraba con los soldados, Rodríguez se acercó al general ofreciéndole su brazo, brazo que el general rechazó con ademán del más profundo desprecio. Y creyendo que los soldados se retiraban efectivamente y tranquilizando a los grupos con un ademán, se puso en marcha en dirección a la policía acompañado de Rodríguez que empezó a caminar a su lado.

Los grupos de pueblo se pusieron en marcha, en número bastante reducido, pues la mayoría, comprendiendo que todo no podía terminar allí, se había retirado en busca de sus armas y caudillos, porque en la conciencia de todos había la seguridad de que la revolución no podría tardar en estallar, desde que era preciso libertar a Benavídez.

No bien habían caminado un par de cuadras cuando se produjo una escena cínica que daba la medida de lo que eran los hombres del gobierno. El general Benavídez se había detenido, llevando la mano derecha al bolsillo del pecho de la levita. Rodríguez, pensando sin duda que lo que el general iba a sacar era alguna pistola, para matarlo, dio un salto prodigioso al medio de la calle, quedando lívido como un cadáver. Benavídez sonrió fríamente y retiró la mano del bolsillo, armada de una pastilla que se echó a la boca y siguió andando. Entre los grupos estalló entonces una rechifla espantosa; y Rodríguez, avergonzado del papel sumamente ridículo que acababa de hacer, volvió a colocarse al lado del general, bajando la cabeza para ocultar la expresión del semblante.

Al llegar a la policía, Benavídez estaba perfectamente tranquilo, pues pensaba que todo se reducía a hacer una averiguación para aclarar los temores de revolución que tenía el gobierno y ponerlo en libertad una vez averiguados los hechos. El gobernador no podía proceder de otro modo con una persona de su rango. Pero en la policía se había preparado todo para asegurarlo y garantirse con su persona de la revolución que había de estallar de un momento a otro.

La agitación del pueblo era inmensa, todos condenaban el proceder del gobierno, que tenía miedo de seguir adelante porque provocaba el estallido de un movimiento cuyo fin no podía preverse, pero que también tenía miedo de retroceder, porque con la prisión del general quitaba a la revolución su más precioso elemento, y tenía como arma para que la revolución se deshiciera, la amenaza contra la vida del general. Así es que se había reforzado al cuerpo de guardia con la mejor tropa, y tomado todas las medidas de seguridad posible para que en caso de un motín, el general no pudiese ser libertado. Es que Gómez no pensaba ni quería matar a Benavídez, sino desarmar en su persona una revolución poderosa.

En cuanto Benavídez entró, se cerraron las puertas, se reforzó la guardia, cuyo comandante era el mismo Rodríguez, cerrándose las pesadas puertas de madera dura. Benavídez no había perdido un átomo de su serenidad, a pesar de todo aquel aparato, y se dirigía tranquilamente al despacho del jefe de policía, quien le manifestó que tenía orden del gobierno de detenerlo hasta que se aclarasen ciertas dudas fundadas en hechos que el gobierno conocía.

Y como Benavídez manifestó que acataba los actos del gobierno, en la seguridad de que esas dudas serían pronto desvanecidas, fue conducido por el mismo Rodríguez al alojamiento que se le había preparado. Este era una pieza situada en los altos de la policía, en los mismos altos donde hemos visto afeitar a Sarmiento, y que ofrecía buenas garantías de seguridad. La entrada de la pieza era estrecha, con fuertes refuerzos de madera dura, y cerca de la escalera por donde se subía a aquel departamento, cuya galería, y vestíbulo eran también en madera dura, de esa madera que parece fierro, y que es imposible romper porque resiste al hacha mejor templada. Allí había también otro cuerpo de guardia bastante fuerte, a las órdenes del capitán Godoy, pero el comandante superior de todas aquellas fuerzas era el mismo Rodríguez que acompañaba al general.

A medida que avanzaban, el paso era cerrado por centinelas que se iban colocando al efecto, para impedir que nadie, con excepción del comandante de la guardia, llegara hasta donde estaba el general. En la misma puerta del estrecho calabozo se colocó el último centinela, cuya consigna dada por el mismo capitán Godoy, fue más rigurosa aún que la de los demás.

No se sabe si por orden del gobierno, o por simple precaución del jefe de policía, en cuanto Benavídez estuvo en el calabozo, acudieron dos herreros con una enorme barra de grillos. El general no opuso la menor resistencia, sonrió como siempre y se dejó colocar los grillos, bárbaros grillos cuyo peso era de cincuenta libras, calculando que con ellas Benavídez no podía dar un solo paso. Recién entonces se retiró el comandante Rodríguez, a quien pidió el general mandara tranquilizar a su señora, que estaría alarmada.

La señora, en cuanto supo la prisión del general, se vino a ver al gobernador impugnándole valientemente su proceder infame. Pero el gobierno la tranquilizó diciéndole que aquello no era más que una medida preventiva que cesaría pronto, en cuanto los amigos del general salieran de San Juan, renunciando a sus proyectos de revolución.

La señora manifestó deseos de hablar al general, pero le dijeron que hasta el día siguiente no era posible, pero que en cambio podía mandarle todo aquello que creyese podía necesitar. Ya aquello siquiera era un consuelo; la señora se retiró a prepararle una cama, y lo más necesario para que pasara aquella noche lo más cómodamente, no sospechándose que el general estaba con grillos de cincuenta libras. Efectivamente, antes de oscurecer, la señora le mandó un catre lleno de ricas cobijas, comida y un par de sillas, todo lo que recibieron en la policía, mandándolo al calabozo del general.

Entretanto la agitación del pueblo crecía por momentos. En el cuartel situado a dos cuadras de la plaza el gobierno tenía sus mejores tropas de infantería bien municionadas, y a unas ocho cuadras de la misma, estaban también listos para acudir al combate unos trescientos hombres de caballería. La plaza estaba llena de grupos armados que la policía no se animaba a disolver, mientras el coronel Icasate reunía apresuradamente todos sus elementos para atacar esa misma noche a la policía y libertar a su cuñado.

Los gritos de: "¡Abajo el Gobierno! ¡Viva el General Benavídez! ¡Que lo pongan en libertad!", empezaron a sonar en la plaza, la multitud a agitarse, y el jefe de policía, Rodríguez y Yufre, a temer un descalabro. Querían consultar al gobernador, pero no se atrevían a salir de la policía, temiendo que el público de la plaza fuera a avanzarlos y desquitarse con ellos la prisión del general.

Pero el gobernador Gómez, por consejo de su ministro Laspiur, envió un pliego de sus instrucciones a la policía, diciendo que era preciso decir al mismo Benavídez, que era necesario saliera al balcón a tranquilizar y hacer retirar las masas, pues de otro modo el gobierno tendría que hacerlas retirar por medio de la fuerza, lo que causaría enormes desgracias. Benavídez escuchó sonriendo aquel pedido y manifestó que mal podía tranquilizar al pueblo, pues si alguno le veía la barra de grillos, lo más probable era que aquella fuera la señal de ataque.

-Y hablando en plata -añadió- ustedes no quieren que yo haga retirar al pueblo, para evitar esas desgracias consiguientes del choque entre el ejército y el pueblo. Ustedes quieren que el pueblo desaloje la plaza porque le tienen miedo, porque saben que así nomás no lo habían de arrollar, y porque saben que el pueblo sanjuanino no se detendría hasta no haber llegado aquí y haber hecho mil escarmientos. Ustedes tienen miedo, porque sienten que la razón no está de su parte, porque han cometido una iniquidad, porque no tienen seguridad en las tropas y creen que en un momento de conflicto me han de seguir. Eso es lo único que los detiene, que si no ya hubieran despejado la plaza a balazos.

Al escuchar al general Benavídez tanto el jefe de policía como Rodríguez estaban anonadados. Sentían la verdad de aquellas palabras y tenían miedo de la situación que ellos mismos habían provocado.

-Sin embargo -siguió diciendo el general-, yo quiero ser todo lo generoso que me sea posible, no por consideración a ustedes ni al gobierno que tan villanamente se porta conmigo, sino porque no quiero que por mí se produzca una situación sangrienta que haga caer muchas cabezas más de ustedes que de ellos. Yo voy a tranquilizar al pueblo, voy a ver si lo hago retirar, pero prevengo que si mañana no se me ha colocado en condiciones naturales, si no se me ha puesto en libertad o se me ha entregado a mis jueces naturales, dejo al pueblo proceda y me haga justicia, suceda lo que suceda y caiga quien caiga. Yo no puedo moverme con esta estúpida barra de grillos que me han puesto como si se tratara de algún gran criminal, yo debía poner por condición previa que me la sacaran, pero no quiero valerme del miedo que les estoy viendo en el semblante, porque tengo conmigo la fuerza de la razón.

El jefe de policía dio orden a Rodríguez que mandara buscar al herrero para que sacara los grillos al general, pero le guiñó el ojo indicándole que aquella orden era solo para engañar al preso y hacerlo hablar al pueblo en el sentido que querían. Cuatro soldados vinieron entonces, y ayudaron a Benavídez a pasar a la sala de la calle, desde cuyo balcón podía ser visto por todos.

La plaza presentaba entonces un aspecto imponente, porque el pueblo allí aglomerado, amenazaba de muerte a la autoridad, y pedía de una manera terminante la libertad de Benavídez. Cuando este se asomó al balcón, un inmenso clamoreo se levantó en la plaza, clamoreo que cesó al momento que aquel hizo una seña indicando que iba a hablar. Fue tal entonces el silencio que reinó en la plaza, que se hubiera oído sin dificultad alguna la palabra más débil.

-Amigos míos -dijo el general sonriendo-, vengo a pedirles un servicio que espero no me han de negar. Es necesario que se retiren tranquilos a sus casas, para evitar desgracias que más tarde serían lamentadas por todos.

-No, no -gritaron de todas partes-. ¡Queremos que se ponga en libertad a nuestro general! ¡Abajo el gobierno!

-Amigos míos -siguió diciendo Benavídez, con un ligero acento de amargura-, a mí se me respeta y se me trata bien por ahora; el gobierno ha creído que debía prenderme, por un exceso de precaución, pero no tardarán en ponerme en libertad.

-¡Que lo pongan ya en libertad! -volvieron a gritar de todas partes-. Que lo pongan ya en libertad, si no quieren que vayamos nosotros a sacarlo.

El pueblo estaba indignado y desconfiaba del gobierno, temían por la vida del general y querían sacarlo de allí a toda costa.

-¡Amigos míos! -volvió a gritar el general-. En nombre del cariño que me tienen, yo les vuelvo a pedir que se retiren, y les aseguro que pueden hacerlo tranquilamente respecto a mi persona; es preciso evitar en lo posible las desgracias que traería para San Juan un estallido popular. Yo les aseguro que no tienen nada que temer respecto a mi persona, y en todo caso, si mañana a estas horas no se me ha puesto en libertad, podrán entonces proceder como quieran.

-¡Somos fuertes! -gritaron de todas partes-. Tenemos con nosotros el derecho y la fuerza, y nada tememos. ¡Que se le ponga en libertad sobre tablas!

-¡Amigos míos! -dijo por fin el general tentando el último esfuerzo-. Yo les pido que se retiren, porque esa actitud amenazadora, esta noche, me compromete ante toda la República. Así, en nombre de mi crédito y reputación comprometidos, yo les pido que se retiren, mañana será otra cosa y si no se procede con justicia, el movimiento de ustedes sería justo y legítimo. Retírense, amigos míos, y mañana podremos vernos juntos, por la razón y el derecho o por la más autorizada violencia. Estas últimas palabras produjeron en el ánimo del pueblo el mejor efecto.

Todos rompieron en estruendosos vivas al general, amenazas al gobierno, y empezaron a retirarse de la plaza, resueltos a venir al otro día, a exigir con las armas en la mano la libertad de su caudillo. Y era tal el movimiento del pueblo en las calles y tan amenazadora su actitud, que el gobierno empezó a vacilar, pensando que tal vez lo más conveniente fuera poner en libertad a Benavídez, exigiéndole palabra de honor de que no atentaría contra la paz pública, disuadiendo a sus amigos comprometidos en la revolución. Pero este pensamiento prudente encontró gran resistencia, porque la libertad de Benavídez, pensaban, era el triunfo de la revolución, y a pesar de toda promesa, ellos quedaban expuestos a ser barridos en el momento menos pensado.

El pueblo, entretanto, a pesar de lo prometido a Benavídez, seguía sumamente agitado, no tenía confianza en el gobierno y temía una iniquidad. Así es que, en cuanto Benavídez se retiró del balcón para ser llevado de nuevo a su calabozo, los grupos que se habían ido ya empezaron a volver a la plaza, siempre amenazadores. No querían separarse de la policía por temor que fueran a sacar de allí al general y estaban ya arrepentidos de haber prometido esperar hasta el día siguiente. El pueblo comprendía que se le tenía miedo, desde que la autoridad no intentaba desalojarlo, y quería aprovechar ese miedo en beneficio del general.

En aquel momento, y estando la noche completamente cerrada, llegó a la plaza un gran grupo, más entusiasta y más marcial que los otros, pidiendo a gritos la inmediata libertad del general Benavídez. Estos, eran los hombres reunidos por el coronel Icasate, que acudían mandados por este en persona, a libertar al general. Allí supo Icasate lo que en el balcón había dicho su cuñado, y desde aquel momento, en vez de tranquilizarse, fue mayor su desconfianza. Conociendo íntimamente a Benavídez, sabía que era capaz de llevar su generosidad hasta el sacrificio de su vida en bien de la tranquilidad pública. Y ese mismo empeño en convencerlos que nada tenían que temer era lo que más lo alarmaba.

-Se quiere ganar tiempo -dijo- para traer sin duda mayores elementos de fuerza y para que la revolución se debilitara en la inacción, perdiendo los más preciosos momentos de obrar.

Los hombres que él había llevado estaban bien armados, y con munición suficiente para pelear una hora. Eran en su mayor parte antiguos soldados, avezados al combate, y con los que se podía operar sobre la mejor tropa sin temor de un rechazo.

-Con ellos yo atacaré el cuartel de la infantería -dijo- hasta rendirlo, y de allí podremos sacar armas y municiones suficientes para todos, mientras ustedes luchan con la policía, tratando de tomarla, o resistiéndose tan solo, hasta que yo pueda venir a prestarles protección. No se han de atrever a salir, yo los conozco, porque tienen miedo y se creen más seguros estando adentro, pero veremos a ver si resisten un asalto bien llevado.

El coronel Icasate era un militar bravo y práctico, sumamente sereno en medio del peligro, y habituado a dominarse en las más difíciles situaciones. Tenía confianza en la gente que llevaba, y más confianza aún en aquel movimiento eminentemente popular.

El alboroto empezó entonces a crecer imponentemente, algunos tiros sonaron en las calles y el pueblo se lanzó a la revolución de una manera resuelta. Y mientras Icasate atacaba el cuartel donde estaban los infantes, con el doble propósito de tomarlo y de impedir que pudieran acudir en protección de la policía, otros grupos, seguidos del pueblo armado, atacaron allí, trabándose un reñido combate.

En la policía estaban asustados, se habían enviado dos oficiales a pedir auxilio al cuartel, pero allí combatían con Icasate, siendo pocos para resistir al brioso ataque. Los oficiales no pudieron llegar al cuartel ni regresar a la policía, poniéndose de parte del pueblo como única manera de salvarse. Los soldados de policía resistían y respondían al fuego que les hacían de la calle, pero con muy poca gana. Tenían mayores simpatías por el general Benavídez y la conciencia de que la revolución, dirigida por el coronel Icasate, tenía que triunfar antes del amanecer.

Los centinelas que se colocaban en la puerta del calabozo de Benavídez tenían la consigna recibida del capitán Godoy, comandante de la guardia, de no dejar pasar a nadie, absolutamente a nadie, consigna que tenían que cumplir bajo la pena de la vida. Yufre, Rodríguez y otros, bastante asustados porque no venía el refuerzo pedido, opinaban que la única manera de sofocar la revolución o de imponerse a ella era de matar a Benavídez, porque así ya no tenían razón de seguir el ataque. Y el peligro crecía, era preciso decidirse pronto, porque la guardia del patio, fuerte de dos compañías, había empezado a perder hombres y terreno, y si los revolucionarios entraban a la policía y libertaban a Benavídez, todo se perdía para ellos, que serían las primeras víctimas.

En el patio de la policía sucedía, además de esto, lo que nadie había previsto, y es que los soldados no queriendo pelear contra la revolución, e imposibilitados en plegarse a ella, saliendo por el zaguán, abandonaban su puesto, y dejando o llevando sus fusiles, subían a las azoteas, no sólo huyendo por allí, sino enseñando a los revolucionarios un camino más seguro y más rápido. La acción en la policía empezaba a perderse, los soldados que no caían heridos o muertos, desertaban por las azoteas, al extremo de que en aquel patio apenas quedaría una docena de hombres, que hacían fuego de muy poca gana.

Rodríguez se dirigió entonces rápido y resueltamente al calabozo de Benavídez, seguido de su asistente y armado de una pistola de dos tiros. Como medida extrema de salvación iba a asesinar al general, que no podía moverse bajo el peso de sus enormes grillos. Subió la escalerita de madera dura y quiso seguir adelante, cuando se encontró detenido por el centinela de la puerta. Este era un veterano viejo, que había servido muchos años con el general, y que bajo el pretexto de cumplir la consigna, se había propuesto defenderlo hasta donde pudiera.

-Atrás, comandante -dijo-, no se puede pasar.

-Soy el comandante de las fuerzas -gritó Rodríguez furioso, queriendo intimidar al centinela.

-Pero usted no es el capitán de guardia, y de él he recibido la consigna de no dejar pasar a nadie. ¡Atrás pues, mi comandante! -Y se puso en actitud de agresión.

Benavídez, de pie, en el centro del calabozo, sin poder dar un solo paso por el peso enorme de los grillos, contemplaba aquella escena salvadora, pues desde que vio llegar a Rodríguez comprendió que lo venía a matar. Y él no tenía para defenderse ni siquiera la posibilidad de sus movimientos. Por las detonaciones y la precipitada huida de los soldados comprendía que la revolución triunfaba y que pronto estaría en libertad. Pero al ver de pronto que podía ser asesinado a mansalva y que era indudablemente el proyecto de sus titulados guardianes, se resolvió a morir de la manera más brava que le fuera posible, puesto que no había otro remedio. Y a pesar de la situación angustiosa por que atravesaba no pudo menos de sonreír ante la actitud de aquel centinela.

-Déjame pasar o te mato -gritó Rodríguez fuera de sí, sacando su espada.

-Yo no puedo dejar pasar a nadie si el capitán no me lo manda por intermedio del cabo de cuarto. Atrás, entonces, comandante, o soy yo quien mata a usted.

Ciego Rodríguez y creyendo que el centinela retrocedería ante su enojo, lo acometió con la espada levantada.

El centinela echó entonces un pie atrás, bajó su fusil y sepultó la bayoneta en el cuerpo de Rodríguez. A las voces y estruendo de la lucha, había acudido el sargento de guardia, que unido a otros soldados, al ver al comandante de las fuerzas herido en el suelo, acometieron al centinela, trabándose una lucha tremenda y desigual. El centinela, viendo que al fin lo ultimarían y no pudiendo hacer más para defenderse, arrojó al suelo el fusil y disparando a las piezas de la calle, saltó a la plaza por aquel mismo balcón por donde se había salvado Sarmiento en aquel trance peliagudo que conocen nuestros lectores. Y antes de huir tuvo tiempo de gritar a Benavídez:

-Ya lo ve, general, he hecho lo que he podido.

El capitán Godoy, que acudía en ese momento, atraído por el estruendo de la lucha, oyó las palabras del soldado, vio a Rodríguez sobre un charco de sangre y se lanzó allí, creyendo se trataba de una conspiración.

De pie, sujeto por los grillos, con los brazos cruzados sobre el pecho y siempre sonriente, estaba el general Benavídez siguiendo con mirada tranquila aquellas escenas. En aquel momento las detonaciones eran menos, porque la revolución triunfaba decididamente.

Al ver a Benavídez en aquella actitud, Godoy lo creyó autor de una sublevación en el cuerpo de guardia, y de la muerte de Rodríguez. Sabe Dios lo que cruzó por la cabeza del capitán, el hecho es que arrebatando el fusil a un soldado, lo volcó sobre el general e hizo fuego. El general Benavídez, con una serenidad incalculable, esquivó el cuerpo y tomó el fusil por el cañón, tirándolo a sí tan fuertemente, que el capitán Godoy entró al calabozo dando traspiés, donde un segundo y más fuerte tirón le hizo soltar el fusil, que quedó en manos de Benavídez como una masa de armas.

Los demás soldados y oficiales que acudían y habían acudido rodeaban al comandante Rodríguez que gritaba espantosamente. Así nadie se sospechó el peligro que pudiera correr Godoy, puesto que Benavídez, con los grillos, no podía dar ni un paso para acometerlo. Ya se sentían las pisadas de los que habían entrado a la policía, y daban voces por los patios y pasillos llamando al general Benavídez.

Este, rápido como el pensamiento, y para evitar que el capitán Godoy se le pusiera fuera de tiro, mientras buscaba una pistola en la cintura, levantó el fusil que le había quitado y con toda la fuerza de sus brazos, le descargó en la cabeza un tremendo fusilazo. El golpe fue de muerte, las llaves del fusil se enterraron en el cráneo del capitán destrozándolo de una manera terrible, y el capitán cayó pesadamente arrastrando el fusil que Benavídez no pudo arrancar de la herida.

Entonces se produjo una escena repugnante. Los que rodeaban a Rodríguez, apercibidos de lo que había pasado, se lanzaron sobre el general, armados de fusiles, espada y hasta de cuchillos, a las voces de Yufre que gritaba:

-¡Mátenlo, mátenlo, a ese canalla!

La revolución estaba triunfante y no había tiempo que perder, porque dentro de un momento estarían allí los revolucionarios incitados por la voz del general.

Este vio aquella cantidad de asesinos que se le venía encima, pero no por esto perdió su serenidad ni apagó la sonrisa de su boca expresiva. En un esfuerzo violento arrancó el fusil del cráneo de Godoy y se dispuso a parar con él los golpes que le dirigieran, sirviéndose como una maza para repetir el golpe dado a Godoy, siempre que alguno se le pusiera a tiro. Exageradamente bravo como era, y sumamente ágil, Benavídez se hubiera defendido bien, mientras los amigos triunfantes llegaban en su socorro. Pero estaba clavado en el suelo por el peso de los grillos, sin poder hacer el menor movimiento, pudiendo apenas defenderse por su frente. Y mientras unos le hacían fuego y amenazaban su pecho con las bayonetas, otros lo cargaron por la espalda y los flancos, tratando de ultimarlo a toda costa. Benavídez logró tomar a tiro uno de los soldados y le descargó el segundo fusilazo, cuyos efectos fueron tan tremendos como el primero.

Pero en aquel momento y aprovechando la pérdida del fusil calzado en el cráneo del soldado, uno de ellos se le acercó por el costado izquierdo, sepultándole en él la bayoneta. La impresión de la herida y el brusco movimiento por evitarla, hizo que perdiera el equilibrio, cayendo enredado en los grillos, de espalda, sin poder moverse. Y aquellos miserables se le fueron encima, hiriéndole de todos modos y en todas partes. Quien un rechazo, quien un bayonetazo, quien una puñalada, todos trataban de hacer su herida y ultimar al noble general, cuyos brazos estaban ya despedazados por las heridas recibidas en ellos tratando de evitar los golpes.

Esta escena fue rápida y sangrienta. Sin pronunciar una palabra, sin dejar sentir la menor queja, acribillado a heridas de todo género, el general Benavídez rindió por fin la vida como un héroe. Y como ya los revolucionarios triunfantes se sentían en la escalera, los asesinos se alejaron precipitadamente, ya huyendo por las azoteas, ya dejándose caer por los balcones y mezclándose al general tumulto.

¡Terrible fue la impresión recibida por los primeros que entraron al calabozo, viendo el cadáver del general! Un momento después la dolorosa noticia de que el general Benavídez había sido asesinado recorría todos los grupos produciendo la pena y el espanto consiguientes. Muerto el general, la revolución quedaba sofocada. ¿Quién los guiaría en aquel caos? ¿Quién los encabezaría y tomaría todas las medidas tendientes a la salvación? Y huyeron a la plaza llevando la triste nueva, matando al paso cuanto empleado de policía hallaron.

La triste nueva se extendió por toda la plaza hasta que llegó al coronel Icasate, que desde aquel momento lo consideró todo perdido, puesto que él no se atrevía a arrostrar la responsabilidad de la situación que pudiera producirse. El gobierno, aprovechando la desmoralización de los revolucionarios, mandó sus órdenes al cuartel de la caballería, situado en la Chacarita, para que aquellas fuerzas vinieran en el acto en protección de la policía. Icasate, que comprendió la confusión y desmoralización que se apoderaría del pueblo, al conocer la triste nueva, se retiró del combate, para evitar que sus leales fueran deshechos y acuchillados por las tropas del gobierno, que pocos momentos después quedaban triunfantes en toda la línea.

Rehechas las fuerzas del gobierno, volvió a ser ocupada por ellas la policía, que era el punto donde más se había luchado. El patio estaba sembrado de cadáveres de una y otra parte, cadáveres que se veían en todo el trayecto que conducía al calabozo que había ocupado el general. El cadáver de este se hallaba allí, entre el de Godoy y el del soldado. Y mientras unos colocaban al del capitán en el catre de Benavídez, otros tomaban el cadáver de este y lo bajaban al patio, donde le sacaron los grillos para ocultar en lo posible toda la cobardía de que había sido rodeado aquel asesinato infame. Y se le dejó en una de las oficinas de la calle en el suelo, para que el público saciara bien su curiosidad.

Tan monstruoso era aquel crimen, que el mismo gobierno fue el primero en condenarlo de la manera más severa, pues el general Benavídez era un hombre benemérito, cuyo servicio nadie podrá atreverse a desconocer. Fue aquel un verdadero día de luto para toda la sociedad sanjuanina, que veía con la muerte de aquel hombre extraordinario el caos a que rodaría la provincia en manos de los hombres que se levantaban sobre su sangre generosa.

La esposa de Benavídez quedó aturdida ante aquella noticia tremenda, que en vano sus amigos habían tratado de ocultarle. En el primer momento el estupor producido por la terrible noticia que se le daba la privó de toda acción, pero recobrando bien pronto el ánimo, enjugó aquellas lágrimas desesperantes que arrancaba el dolor y salió a la calle en dirección de la policía. La señora de Benavídez era una dama enérgica y valiente, familiarizada con el peligro. ¿Qué podía temer cuando se trataba de ir en socorro del compañero de toda su vida? Y alentando una esperanza de que hubiera exageración en la fatal noticia, andaba con una rapidez vertiginosa, tratando de llegar cuanto antes a la policía.

Pero a pesar del temple de su carácter, a medida que se acercaba a la policía su ánimo iba decayendo y, mujer al fin y mujer amante, el llanto se agolpaba a sus bellos ojos, y rodaba por sus mejillas pálidas. Ella llegó a la policía ahogada por los sollozos y entró, a pesar del centinela que le cerró el paso y a quien apartó con un ademán enérgico y vigoroso. Y aquel soldado bajó la cabeza, conmovido por el dolor que acusaba aquel semblante, y le dejó libre el paso. La señora, vacilante en el andar, se dirigió al primer grupo que vio a la derecha, que era precisamente un grupo de curiosos empleados y oficiales, que rodeaban el cuerpo exánime del general. Y ellos se apartaron respetuosamente, dominados por aquella actitud de dolor supremo, dejándole libre el paso. Y ella pasó sin mirar a nadie y se detuvo delante de aquel cadáver, y sin decir una palabra, se oprimió la cabeza en un ademán desesperado, como si hubiera querido deshacerla entre sus manos bellas.

Y así permaneció un momento con la vista fija en el cadáver y el semblante bañado en lágrimas. Y sus rodillas se fueron doblando, y sus manos, desprendidas de la cabeza como por su propio peso, cayeron hasta el semblante lívido y ensangrentado del cadáver, como si hubieran querido darle la vida bajo una caricia suprema. El dolor, el dolor inmenso producido por la tremenda pérdida, estalló por fin en el corazón de la mujer, con toda la desesperación poderosa de su cariño huérfano.

Y entregándose por completo a su desesperación rompió a llorar de una manera imponente, mientras acariciaba el cadáver con la misma pasión que puede acariciarse a un vivo.

-¡Pobre de mí! -exclamó-. ¡Ya nada me queda en el mundo!

Conmovidos por dolor tan intenso, algunas personas se le acercaron tratando de apartarla del cadáver. Pero ella se puso de pie como movida por un resorte, y envolviéndolos a todos en una mirada tremenda, les gritó:

-¡Asesinos! ¡Cobardes asesinos! Uno solo de sus cabellos valía más que todos ustedes. -Y altiva y sollozante preguntó por la oficina del jefe de policía, donde se entró una vez que se la indicaron.

Allí estaba el gobernador tomando las últimas medidas de seguridad y con él se encaró la dama, diciéndole:

-Vengo a buscar el cadáver del general Benavídez, tirado en el suelo como el de un animal, ¿hay algún inconveniente para entregarlo a su viuda?

El gobernador se puso de pie en el acto como las demás personas que lo rodeaban y quiso dar a la viuda el pésame más sentido, manifestando cuánto lamentaba la desgracia sucedida.

-¡Silencio! -gritó entonces la señora con ademán solemne-. ¡Siquiera tengan la franqueza cínica que debe caracterizar a todo asesino! Señor gobernador Gómez, hágame usted entregar el cadáver de mi esposo para honrarlo como se debe, y sacarlo siquiera de entre sus asesinos, para que no lo insulten con su mirada de alegría, alegría estúpida, pues con su muerte San Juan ha perdido a su hijo más ilustre. -La indignación que hacía temblar su palabra, había secado sus lágrimas y borrado el dolor de su semblante, que solo expresaba odio y desprecio.

El gobernador, dominado por las justas palabras de la dama, mandó que se le entregara el cuerpo del general, y se le atendiera en todo cuanto necesitara. De esta manera se libraba pronto de aquella mujer, cuya presencia lo avergonzaba y empequeñecía.

Obtenida la orden, la señora de Benavídez volvió a su casa, y regresó a la policía, acompañada de cuatro hombres que traían un catre para llevar el cadáver. Al dirigir la triste operación, el dolor volvió a dominarla, y lloró amargamente, sin dejar de acariciar un momento el pálido cadáver. El general Benavídez fue llevado así hasta su casa, escoltado por lo más distinguido de la sociedad sanjuanina y colocado en el salón, donde todos podían entrar a verlo.

El pueblo, el buen pueblo, llenó la casa y la cuadra donde esta estaba situada, rindiendo así el último tributo a su noble caudillo.

Pero la señora de Benavídez pudo constatar con un dolor profundo la ausencia de aquellas personas a quienes más había servido su esposo, librándolos de las persecuciones de la autoridad y de la muerte misma. Muerto Benavídez, ellos no solo se habían considerado desligados de su viuda, sino que habían rodeado al gobierno que lo asesinara, para seguir medrando con este, aunque aquello importara un aplauso por el asesinato de su bienhechor.

Si la muerte de Benavídez había hecho fracasar la revolución, no por esto sus jefes habían renunciado a hacerla en mejores condiciones. Icasate, por cuya prisión el gobierno había hecho todo género de esfuerzos, salía de San Juan, acompañado de los caudillos más prestigiosos, para plegarse a Rojo, que estaba en Mendoza, hombre prestigioso e inteligente a quien levantaban ellos como candidato para suceder a Gómez.

Como lo había previsto Benavídez y los principales hombres de San Juan, aquella provincia rodaba de una manera positiva al abismo del caos y de la guerra civil. El partido liberal se levantaba de una manera amenazadora, mientras los liberales se dividían en revolucionarios los más, y en sostenedores del gobierno los menos, puesto que de aquel lado estaba el poder y la fuerza. El egoísmo de los que olvidaban quién había sido el general Benavídez y cuánto le debían, venía a robustecer al gobierno asesino a quien rodearon, no solo para evitar persecuciones, sino para medrar con él, que necesitaba el mayor apoyo posible.

Si el gobierno no intervenía, San Juan iba a caer bajo una situación sangrienta, cuyas consecuencias nadie podría prever. Y el gobierno del general Urquiza intervino entonces, para tomar estrecha cuenta a los asesinos del general Benavídez, su aliado, a quien tanto debía y que tanto le había ayudado en la organización de su gobierno. Es que Urquiza, hombre de una previsión extraordinaria, había comprendido que, siendo indiferente al asesinato de Gómez, se desprestigiaba ante el Chacho y demás caudillos prestigiosos con cuya poderosa alianza contaba. Mientras que enjuiciando a sus asesinos, aquellos verían que Urquiza no abandonaba a sus amigos ni aun después de muertos, tratando de vengarlos por lo menos. E intervino de una manera decisiva en la situación de San Juan, salvándola de la guerra civil y salvando para la viuda de Benavídez gran parte de la fortuna de este, sobre el cual se habían echado sus asesinos.

El general Peñaloza, el leal caudillo riojano, indignado con el asesinato de su amigo, el general Benavídez, había preparado un ejército para lanzarse sobre San Juan, y reponer en el gobierno a los amigos de aquel; pero el general Urquiza lo disuadió de esta empresa, asegurándole que él vengaría al general asesinado, y sabría castigar a sus verdugos, de tal manera, que el asesinato político cometido en San Juan no tendría imitadores en el resto de la confederación. Y como este era el resultado que buscaba el Chacho, desarmó su ejército y esperó el resultado de aquella intervención poderosa, puesto que nadie en la República se atrevería a levantarse contra el gran caudillo entrerriano.

Como esta es solo la historia del noble Chacho, no seguiremos en la narración de los sucesos producidos por aquel asesinato. Solo quisimos referir la muerte del caudillo sanjuanino que tanto figuró en nuestro primer libro, mezclado a la historia de Peñaloza. Sigamos entonces al caudillo de La Rioja, cuya vida entra ahora a su época más interesante, empujado por los sucesos a una situación brillante y espectable. Aquí puede decirse que empieza recién la parte interesante de aquella vida tan rica de episodios.

Un cura de avería

Volvemos a encontrar sobre el campo de batalla al cura Campos y al general Peñaloza, quien, perdido su amigo Benavídez, se había entregado en cuerpo y alma al general Urquiza. Producidos los sucesos que debían terminar en Pavón, Buenos Aires se encontraba solo para luchar con las trece provincias restantes, que guiadas por sus respectivos caudillos permanecían fieles al gobierno del Paraná.

Para el Chacho no había ni que vacilar en la cuestión. Él creía de buena fe que del lado de los hombres del Paraná estaba la buena causa, que estos luchaban por la causa liberal, y aunque sentía en el alma ir contra Buenos Aires, no vaciló un momento y se puso al servicio de Derqui. Si hubiera vivido Benavídez, el Chacho no habría formado en esas filas, pero como ningún otro caudillo liberal tenía influencia en su ánimo, se encontró aislado y escuchó a los ambiciosos que lo rodeaban queriendo medrar a su lado.

Y como La Rioja pertenecía al Chacho, siguió como siempre su voz, sin discutir y sin averiguar si era buena o mala la causa a que él se afiliaba. Lo mandaba el Chacho, y esta era la más poderosa de todas las razones.

Fue la Victoria quien le ayudó, como el mejor de los coroneles, a la organización de un ejército, ejército numeroso y bien armado, pues el gobierno de la Confederación le había pedido la ayuda de todo su esfuerzo y todos sus hombres.

Tucumán era la única provincia que hacía causa común con Buenos Aires, pero bajo el gobierno de Zavalía, el pueblo, liberal en su inmensa mayoría, estaba dominado por el gobernador, que pertenecía en cuerpo y alma al gobierno del Paraná. Y como Zavalía aglomeraba todo género de elementos bélicos para ayudar a Derqui, del Campo comprendió que la inacción era la muerte y se lanzó con sus amigos, abiertamente, a luchar contra la influencia del gobierno y contra la política del Paraná.

Aprovechando el viaje que hizo Zavalía a conferenciar con Navarro, trabajó con tal constancia y energía, que cuando aquel regresó encontró una reunión de dos mil personas de lo más espectable de Tucumán, que en la plaza principal le pedían su inmediata renuncia si no estaba dispuesto a sostener las aspiraciones del partido liberal que le había llevado al poder. Ante la actitud del pueblo tucumano, y convencido de que era imposible luchar contra la influencia del cura del Campo, el gobernador Zavalía renunció en el acto, siendo elegido para reemplazarle el doctor García, cuyo ministro general fue el cura del Campo.

Derqui no solo perdía una provincia guerrera e importante, sino que Buenos Aires ganaba un aliado en el Interior, cosa en que aquel no podía consentir aun a costa del mayor sacrificio. Y ordenó al caudillo Navarro que, combinando las fuerzas de Catamarca con las de Salta, al mando del coronel Latorre, pasase sobre Tucumán hasta derrocar aquel gobierno liberal. Como reserva le quedaba aún el Chacho, con quien sabía contaba plenamente. El cura del Campo, con su habitual constancia y carácter, se entregó a organizar los elementos con que había de resistir la invasión de Navarro. Comodidades, placeres, negocios, todo fue abandonado por aquel hombre extraordinario que parecía alentarse más a medida que eran mayores las dificultades con que tropezaba.

Quince días después, el cura del Campo había reunido mil ochocientos hombres de las tres armas, que se ocupaba en organizar a gran prisa. Pero por más valiente y decidido que fuera, por más que se entregase a aquella organización con toda la fuerza de su carácter, del Campo no era militar, y aquella organización tenía que ser defectuosa, porque además carecía de buenos jefes que lo ayudaran.

Navarro se venía sobre Tucumán con las fuertes divisiones de Catamarca y Salta, y era preciso salir a su encuentro con los elementos que se tuvieran.

Estos eran pocos y mal preparados, del Campo no era un militar, pero tenía una fe profunda en el triunfo y una confianza ciega en sus tropas y esto, para él, importaba el éxito de la campaña. No era gente lo que le faltaba, pues podía haber levantado un ejército de cuatro mil hombres, pero carecía de armas y conceptuaba más bien un estorbo toda aglomeración de hombres desarmados. Con aquellos mil ochocientos hombres salió de la ciudad y se situó en el manantial a esperar el enemigo que no tardó en presentarse con su ejército numeroso y bien armado.

Navarro, que era amigo personal de del Campo, lo mandó llamar a una conferencia antes de la batalla, y este, que no tenía motivo de desconfianza, acudió a su llamado acompañado de dos ayudantes. Tal vez pudieran arribar a algún arreglo que evitara la batalla salvando la posición de Tucumán.

Pero al pasar el Arroyo del Manantial, que separaba ambos ejércitos, el cura del Campo fue recibido a balazos por una fuerza emboscada para asesinarlo. Del Campo se detiene y observa que sobre ellos se lanza una partida de caballería, con la clara intención de tomarlos. Entonces da vuelta herido y, llamando a sus ayudantes, se retira hacia su ejército con toda la velocidad que le permitía el buen caballo que montaba. Menos afortunado, su ayudante Melchor Moreno cae herido de muerte, siendo ultimado por la partida que venía a muy corta distancia.

Indignado profundamente con aquella traición cobarde que nunca esperó de Navarro, apenas llegó entre los suyos, el cura del Campo mandó romper el fuego, empezándose un combate sangriento y reñido, pues ambos ejércitos, con igual ardor, se disputaban el triunfo de la batalla. El cura del Campo se multiplicaba en todas partes, él se metía en lo más recio del combate, y peleaba personalmente a la par del más bravo. Pero no era militar, perdía todas las oportunidades ventajosas que aprovechaba útilmente el enemigo y el suyo no era un ejército, sino una masa de hombres que se batía con un denuedo asombroso, pero fuera de toda regla en el arte de la guerra. Campos cargaba personalmente con su caballería que hacía prodigios verdaderos, arrollando cuanto le cerraba el paso. Pero bien pronto perdía las ventajas que había conseguido con las brillantes cargas, porque no sabía tomar las medidas de táctica que se las habrían hecho conservar. Navarro y Latorre estaban asombrados de aquella manera de combatir, y recurrían a todos los ardides de la táctica, única manera de poder aventajar a un enemigo tan tenaz y bravo.

Más de tres horas hacía que se peleaba con encarnizamiento creciente, sin que ninguno de los ejércitos hubiera conseguido una ventaja positiva. A los tucumanos se les habían agotado las municiones, pero combatían al arma blanca, cada vez desplegando mayor valor y brío. Y era indudablemente el cura del Campo quien les comunicaba aquel valor brillante y atrevido. Saltando por sobre los cadáveres y atendiendo todos los puntos del combate, en todas partes estaba y en todas ellas se batía, llevando a sus tropas el ánimo que podía faltarles. La mortandad era mucha, y aunque sus tropas no decaían en ardor y entereza, estaban muy fatigadas y luchando con un enemigo que no le daba un momento de tregua.

Notado aquel cansancio por el general Navarro, comprendió que había llegado el momento de apurarlos en toda regla si quería triunfar, y lanzó sobre el tenaz enemigo todas sus reservas, reservas que no tenía del Campo, porque había entrado a pelear con todo su ejército, creyendo que iba a concluir más pronto.

Inútiles fueron entonces los esfuerzos desesperados del cura del Campo: extenuadas sus tropas aunque sin dar la espalda, empezaron a perder terreno sensiblemente, hasta que convencidos los soldados, deshechos los cuerpos y quintadas las filas empezaron a dispersarse, buscando abrigo en la ciudad; habían combatido cuatro horas sin un solo momento de descanso. El cura del Campo, desesperado con aquella derrota inesperada para él, no cesó de luchar un solo momento, allí donde el peligro era más serio, y recién cuando toda esperanza se hubo perdido, fue el último en retirarse del campo de batalla, acompañado de unos doscientos hombres, resto que le quedaba en pie, de quinientos que marcaba la división de caballería que mandó personalmente durante toda la batalla. Y era tal el respeto que había infundido a aquel enemigo que le vio luchar sin descanso, que a pesar de estar triunfante sobre el campo de batalla y sin un enemigo al frente, no se atrevió a perseguirlo.

En vano el mismo Navarro mandó en su persecución el regimiento de su mayor confianza; este regresó con el parte de que no lo había alcanzado, aunque aquella retirada heroica se había hecho al trote, dando así del Campo una prueba de su valor temerario y denodado. No se habían atrevido a alcanzarlo y provocarlo a un último combate.

El cura del Campo se dirigió a Tucumán y de allí pasó a la provincia de Santiago donde contaba con numerosos amigos y con cuyo gobierno tenía el tratado de alianza que se conoce ya. Del Campo no se consideraba vencido, y pasaba a Santiago para reclutar gente y volver sobre Tucumán a arrebatarles de nuevo la situación de la provincia madre.

El gobierno de Santiago, mediante ciertas condiciones e indemnización, puso a disposición del cura del Campo todos sus elementos bélicos y gente, con la que este empezó a organizar un nuevo ejército haciéndolo saber a sus amigos y caudillos, por medio de chasques de su mayor confianza, para que el gobierno impuesto a Tucumán no supiera de lo que se trataba. Y el gobierno, no solo estaba ignorante de los planes del cura, sino que suponía a este llorando en la emigración sus errores y su impertinencia.

Con sus desvelos y una constancia verdaderamente asombrosa, el cura del Campo organiza su ejército en la frontera de Santiago y marcha sobre Tucumán con más esperanzas y más bríos que nunca.

Los federales, apoderados del gobierno y de la renta pública, habían tratado de armarse a toda costa, para asegurar su dominación, y aunque nada temían ni de del Campo ni de nadie, habían formado un regular ejército para afrontar la situación más difícil. Porque el partido liberal era allí bastante poderoso, estaba contra el gobierno y una revolución era de temerse a cada momento, sugerida por el mismo cura emigrado.

Este, entretanto marcha sobre Tucumán, de acuerdo con sus amigos de la capital. Comprendiendo que para dar una batalla se necesitaba algo más que valor, se había rodeado de buenos jefes, expertos y prácticos en el arte de la guerra. En el último combate había aprendido mucho, observando cuál había sido la hábil conducta del enemigo, pero sin amor propio y sin la menor vanidad recibía los consejos de sus jefes, ejecutando aquellas medidas que le parecían buenas.

Los federales supieron que del Campo se les venía encima y en son de guerra, cuando no tenían tiempo más que el necesario para salir a batirlo e impedir los sorprendiera en la ciudad, y los atacara en combinación con sus partidarios de adentro. Y en los campos del Ceibal le presentaron una regular línea de batalla, bien dispuesta y bastante fuerte.

Del Campo tiende la suya, manda nuevos chasques a la ciudad, y sobre el mismo campo de batalla llama a consejo a sus jefes, para acordar con ellos el orden de la batalla.

Esta principia por fuertes guerrillas de ambas partes, hasta que el fuego se hace general en las líneas y la batalla se empeña con igual ardor. Un batallón de los federales levanta la culata de sus fusiles y se pasa a las fuerzas de del Campo dando entusiastas vivas al valiente caudillo.

-¡Cuidado con los pasados! -grita este que recuerda la muerte trágica del coronel Espinosa-. ¡Cuidado con los pasados!

Pero el batallón ha tomado ya posiciones y ha roto el fuego sobre el enemigo, con una bizarría incalculable.

El cura del Campo, como siempre, está al frente de una fuerte división de caballería, con la que opera eficazmente sobre los puntos débiles del enemigo, sembrando en sus filas la confusión y el espanto. Al volver de una de estas cargas, del Campo recibe sobre el mismo campo de batalla una noticia que lo hace estremecer de alegría.

"La revolución está triunfante en la capital y le manda decir que se sostenga o se retire si está mal, hasta recibir los refuerzos que organice a gran prisa para mandarle."

Del Campo comunica a sus jefes aquellas importantes noticias y todos resuelven apurar al enemigo que empieza a flaquear visiblemente. Y lo cargan con unos bríos y una tenacidad tal, que este empieza a iniciar su retirada, previendo un contraste decisivo.

Las tropas se desmoralizan, entonces; muchas compañías que no se han atrevido a hacerlo antes se pasan también y los jefes del gobierno, viéndose perdidos, huyen a la ciudad, abandonando los restos del ejército. Pero allí caen en poder de los revolucionarios triunfantes que los desarman y los aseguran en la policía hasta que venga del Campo a disponer de ellos.

En la ciudad se ha sabido el triunfo de los liberales, por los derrotados de la batalla, y todo allí son salvas y festejos, para recibir de una manera brillante al heroico caudillo que, obligado a dar descanso a sus tropas, solo llega a la ciudad dos días después, encontrándose entre la más entusiasta fiesta popular. Las damas tucumanas embellecen con su presencia galana las fiestas de recepción, y en cada casa de familia se improvisa un baile, que viene a acusar más vigorosamente la espontaneidad de aquellas fiestas únicas, improvisadas por el pueblo. Porque lo que sucede en las casas de familia sucede en los negocios, en las pulperías, en los ranchos y en las plazas públicas. La ciudad está de fiesta, fiesta decretada por el mismo pueblo. Hasta debajo de las carretas agrupadas en el mercado se baila, se baila y se viva furiosamente al cura del Campo, al sepulturero de la Federación, como le llaman muchos. Y aquellas tropas entusiastas, que se han batido con tanto denuedo, toman también parte en las fiestas, pues en todos los grupos, en todas las reuniones, y en todas partes, son recibidas con las mismas demostraciones de cariño y simpatía. La fiesta popular no desmayó un momento durante todo aquel día y toda aquella noche, sin que en ninguna parte se diera lugar a que la policía interviniera, porque la policía, en previsión de algún conflicto, patrullaba la ciudad para restablecer el orden allí donde fuese alterado.

Tucumán estaba sin gobierno, aunque se reconocía por tal al cura del Campo, pero este no podía estar conforme con aquella situación anormal. Inmediatamente convocó a elecciones al pueblo de toda la provincia, y la votación, como tenía que suceder, fue unánime. Quince días después, el cura del Campo era nombrado gobernador de Tucumán, que volvía a entrar bajo su garantía a un nuevo período de paz y de engrandecimiento.

Santiago cobraba una fuerte indemnización en armas, por la ayuda que había prestado a Tucumán; y del Campo, fiel a su palabra y para conservar intacto el crédito con aquella provincia, de cuya ayuda podría tal vez necesitar en adelante, pagó la contribución exigida, aunque este pago le llevó las mejores armas y gran cantidad de municiones. Tucumán quedaba desarmado, pero fuerte en su derecho y en el esfuerzo de sus hijos, que hacían todo lo posible por la conservación de aquella situación de paz y de engrandecimiento.

El activo del Campo volvió a consagrarse por completo a la reorganización de la provincia sin descansar ni desmayar un momento. Entregado por completo a la política, renunció para siempre al manteo y a la carrera sacerdotal, porque ella no se armonizaba con su vida azarosa y su consagración a la política, hasta en el mismo campo de batalla. El mundo le abría entonces su puerta sin la menor reserva, con todas sus poderosas tentaciones y todos sus placeres supremos, para quien, como él, no conocía de la vida más que las penurias y el trabajo incesante en medio del mayor peligro. Y se entregó también entonces a cultivar la vida bajo su faz más encantadora, con todo el ardor y entusiasmo de su juventud ardiente y vigorosa.

Aún lo hemos de encontrar en el transcurso de este romance.

Los montoneros

Aquí volvemos a encontrar al Chacho, ya en la parte más interesante de su vida.

Vencido Urquiza en Pavón, y junto con él el partido federal en toda la República, el gobierno del general Mitre se entregó a la difícil tarea de la reorganización del país, completamente desquiciado y anarquizado. El caudillaje, imperando en todas partes, había alzado el poncho, y la gran obra se hacía tan difícil, que parecía imposible. Y era el Chacho, el poderoso caudillo de La Rioja, el gran escollo que se levantaba contra aquel gobierno de orden y de organización. Así como con el Chacho La Rioja era la última provincia que se había defendido contra el poder de Rosas, era hoy también la única que resistía terminantemente a la política triunfante en Pavón.

El Chacho no levantaba pendón de guerra contra el gobierno nacional, pero sí resistía en pie de guerra la intervención armada que el gobierno mandara al interior, no queriendo someterse a los jefes que habían ido a pacificarlo, y declarando que estaba dispuesto a luchar hasta el último sacrificio, para defender a su provincia de lo que él llamaba una invasión nacional. La Rioja se puso de pie como un solo hombre para sostener la actitud de su caudillo y este se puso en campaña inmediatamente para evitar que lo sitiaran en La Rioja y lo vencieran.

El Chacho comprendió desde el primer momento que, entre el ejército que él podía levantar y el que acababa de triunfar en Pavón, no había lucha posible, por el número y por las armas. Sería cuestión de una sola batalla y nada más.

Sus amigos y los hombres de influencia en La Rioja lo aconsejaron que se sometiera, tratando de sacar todas las ventajas posibles, porque era una locura pelear contra aquel ejército poderoso mandado por jefes experimentados.

-Ya ve cómo todas las provincias se han sometido -le decían-, porque no han podido hacer otra cosa.

-Y ya ven ustedes lo que en ellas ha hecho la invasión nacional -respondía el temerario caudillo-. El poder de los gobernadores ha sido usurpado por los jefes del ejército que las tratan como a tierra conquistada. La libertad de los hombres se reduce solo al derecho de elegir el batallón en que han de ser destinados como veteranos. Las mujeres, las niñas y las damas son propiedad de los jefes y de los oficiales mismos, que se las reparten como botín de guerra. Y los negocios y las haciendas y todo lo que tiene valor en los pueblos por donde cruzan, es repartido entre los soldados que no quieren ser menos que sus jefes y sus oficiales. Yo no puedo consentir, mientras viva, que hagan lo mismo entre nosotros, ni podrá consentirlo todo buen riojano. Si son poderosos en número y en armas, si no se puede luchar con ellos en batalla franca, lucharemos oponiéndoles la constancia y la astucia que caracteriza a mis tropas. Y una sorpresa hoy, un golpe de mano mañana, no dejándoles tiempo de comer ni de dormir, montonereando siempre y cayendo sobre ellos cuando menos lo piensen, los cansaremos también y los haremos salir del territorio riojano, arrepentidos de haber venido a él. ¿Cuál es el fin que se proponen esos jefes y ese gobierno? Bien claro lo han dejado ver en cada provincia que han ocupado: remontar los cuerpos de línea con nuestros hombres y tratar como a esclavas a nuestras mujeres. ¿Y podemos consentir esto nosotros nada más que porque ellos son muchos y muy bien armados? No, por Dios vivo, hemos de luchar, y a la larga nosotros seremos los vencedores. -Y al decir esto, la voz del Chacho temblaba de indignación y de coraje, profundamente convencido de lo que decía.

Sus ideas las había comunicado a sus hombres, al extremo de que se miraba aquella invasión nacional como la calamidad más horrible y la conquista más vergonzosa.

Y todos, sin la menor excepción, estaban dispuestos a sacrificarlo todo por acompañarlo al Chacho en su noble campaña de resistencia.

-La Rioja no tiene recursos -le observan algunos-, no tendrá cómo pagar ni cómo alimentar a sus tropas y al fin tendrán que someterse, cuando el enemigo esté enconado y no quiera tal vez dar cuartel.

-¿Y quién es aquel que querrá cobrar a La Rioja un sueldo por defenderla? -preguntaba el Chacho indignado-. Cada uno, defendiendo su provincia, defiende su rancho, su familia y su tierra, el hogar de sus hijos y la tumba de sus padres, ¿y quién es el que por esto va a cobrar un sueldo? El que tal pensara, no merecería el honor de formar en las filas de mis valientes. Esta será la gran diferencia que haya entre ellos y nosotros; que ellos serán verdugos pagos y nosotros soldados libres. Cuando haya que comer se comerá y cuando no haya iremos a arrebatarles a ellos sus haciendas. ¡Oh! ¡La guerra de recursos, las montoneras, ustedes no la conocen todavía! ¡Ya verán cómo con mis riojanos, pobres y desarmados, puedo yo luchar contra ese ejército poderoso, sin darle el placer de contar un solo triunfo! Un ejército habituado a triunfar fácilmente después de combates más o menos violentos, más o menos largos, no podrá luchar mucho tiempo con la serie de la miseria, penurias y fatigas que yo les preparo. Tendrán que salir de La Rioja asombrados de lo que puede el valor y el patriotismo. ¿Nos tratan como a tierra conquistada? Pues lucharemos como hombres que rechazan la conquista de su tierra. A los que vacilen, a los que duden y se acobarden, mi mujer les dará ejemplo, pues ella será el segundo jefe de mi ejército como garantía del poco temor que tengo a los conquistadores. -Y el Chacho llamó a las armas a toda la provincia de La Rioja, pidiendo que los que acudieran se presentaran con sus armas, sus caballos y el dinero que pudieran reunir, porque la campaña iba a ser larga y llena de miserias.

Peñaloza redujo a dinero cuanto tenía, y con lo poco que pudo ayudarlo el gobierno, salió a campaña, buscando los terrenos más difíciles y accidentados. El Chacho había reunido más de tres mil hombres, en muy pocos días, pero apenas tenía armas para la mitad. Pero esto, para hombres de su temple no era un inconveniente serio. El que no tuvo sable, agarró una vara de algarrobo fuerte y nudosa, y el que no tuvo lanza ató en un palo un cuchillo, una hoja de tijera, un clavo, cualquier cosa, y se consideró tan fuerte como el soldado mejor armado.

Aquel ejército iba aumentando a medida que pasaba por las poblaciones, al extremo de que el Chacho se vio obligado a licenciarlos, diciéndoles que por el momento no necesitaba más gente que aquella para andar más liviano y poder obrar con más rapidez.

-Un ejército más numeroso me perjudicaría -les decía alegremente-, pues necesito andar ágil. Cuando necesite más gente yo les mandaré avisar o vendré a visitarles yo mismo, no se aflijan, pues, mis hijos, que ya les llegará su tiempo. Así, cuando el ejército que hoy me sigue se fatigue mucho porque la campaña es larga y difícil, podré mandarlo a descansar un poco de tiempo, mientras otros ocupan su lugar, así no faltaremos un solo día a la defensa de La Rioja.

Y sus soldados lo vivaban entusiasmados y vivaban a la heroica Victoria, que no se separaba un momento de su marido, compartiendo con él la vida militar con todas sus penurias y todas sus miserias.

El Chacho campó entre las sierras, y esperó tranquilamente la aparición del poderoso ejército de las tres armas que marchaba a someterlo.

-Y lo sorprenderé cuando menos puedan imaginárselo -dijo-, dándoles una idea de lo que es la guerra que voy a hacerles, sin descanso, sin tregua, sin que puedan lograr un solo momento de reposo mientras estén en territorio de la heroica y valiente Rioja. Ellos traen cañones, infanterías lucidas y grande acopio de municiones; yo no tengo más que caballerías, caballerías mal armadas y peor montadas pero que han de darles más trabajo que un ejército con cañones e infanterías que solo sirven para estorbo.

Peñaloza no tenía infanterías no porque no las hubiese en La Rioja, sino porque en el nuevo plan de guerra que había adoptado las consideraba un serio estorbo, dada la pesadez de sus movimientos.

-Yo tengo que dormir a veinte leguas de donde despierte -decía- y amanecer a otras veinte de donde anochezca, y esto no se puede hacer con infanterías, aunque las tropas marchen a caballo. Dejemos entonces la infantería al enemigo y tomemos para nosotros la caballería liviana y ágil.

Y era maravillosa la organización que había dado a su ejército. Ciertos puntos estratégicos y de aguada, estaban marcados por toques de corneta que solo ellos podían atender. Lo que para el ejército nacional significaba carneada, derecha, alto o pie a tierra, para ellos quería decir tal o cual punto conocido. Por ejemplo, a la carga y derecha, quería decir dispersarse para reunirse inmediatamente en Huaja. De este modo el Chacho estaba seguro de que en el punto indicado encontraría su ejército sin faltarle un solo hombre, y el enemigo lo creería totalmente deshecho. Y él estaría más entero que nunca, y aprovechando esa misma creencia para dar su golpe con mayor seguridad.

De entre la gente llanista había entresacado los mejores rastreadores, aquellos que por una sola pisada deducen un millón de hechos exactísimos, y con ellos había formado un cuerpo especial que marchaba a su lado. Entre aquellos hombres asombrosos había rastreador que, por la pisada del caballo, deducía la intención del jinete sin equivocarse jamás, lo que daba al Chacho una seguridad pasmosa en sus sorpresas. Un rastreador de estos miraba la rastrillada del ejército enemigo, y decía en el acto: "Este ejército va o no va cansado, lo que se deduce por la presión del casco de los caballos, y se dirige a tal punto, donde va a descansar o a campar definitivamente."

El Chacho se dirigía a aquel punto con una partida ligera, y sorprendía al enemigo en medio del sueño y cuando más lejos se consideraba de las fuerzas del Chacho. Hacía su sorpresa, tomaba cuanto prisionero y armas podía, y se retiraba en el acto, de modo que cuando el ejército se daba cuenta de lo que había pasado y se preparaba al combate en medio de la mayor confusión, las fuerzas del Chacho habían desaparecido, ignorándose hasta la dirección que llevaba. Y mientras creían perseguirlo con la mayor tenacidad, convencidos que lo alcanzaban de un momento a otro, el Chacho estaba muy tranquilo, festejando el golpe de mano que había dado, y colocando a los prisioneros hechos de una manera conveniente, entre las más lejanas poblaciones. Porque un prisionero de guerra era para el Chacho una persona sagrada; por nada de este mundo hubiera consentido que se le faltara al respeto y las consideraciones debidas, consideraciones que llevaba al extremo de dejar un asistente a las órdenes del prisionero herido o enfermo que necesitaba una asistencia cuidadosa y prolija. Sus tropas, al principio, como las poblaciones donde dejaba prisioneros, protestaban contra aquella manera de tratarlos.

-Son pillos -decían- que degüellan a los nuestros cuando pueden echarles el guante.- Pero habían concluido por familiarizarse con aquella conducta y socorrer por cuenta propia a los desgraciados prisioneros.

Grande era el asombro de estos al verse objeto de tantas atenciones y obsequios. Ellos, habituados a ver que los jefes nacionales no daban cuartel al prisionero que lograban tomar, y que esperaban recibir el mismo trato, creían soñar al ver las mil consideraciones de que eran objeto.

Así empezó la guerra que debía durar tanto tiempo, realzando cada vez más la figura verdaderamente notable del caudillo riojano. Todos pensaron que aquella guerra se resolvería en los primeros combates, pero todos se engañaron de una manera lamentable, porque en los primeros combates recién se diseñó aquella campaña asombrosa, en que un hombre al frente de tropas mal armadas y peor organizadas, tenía en jaque a toda la nación, obligándola a mantener un ejército poderoso que, a pesar de todos los esfuerzos de sus jefes, quedaba siempre burlado por un puñado de audaces valientes. Es que era un ejército habituado a luchar con tropas regulares y que se lanzaba a una guerra de que no tenía idea, mil veces más ingrata y más peligrosa que la misma guerra de los indios a que tan acostumbradas estaban nuestras tropas.

El coronel Sandes fue el primero que mandó el ejército nacional en su primera campaña contra el Chacho, y el primero que pereció en aquella guerra asombrosa. Sandes era un hombre bravo sobre toda exageración, de una constancia asombrosa y de una actividad infatigable. Rígido hasta la mayor crueldad era el jefe más aparente para imponer a los montoneros, y a él lo enviaron como la mayor garantía de éxito. Para el coronel Sandes todo era cuestión de dar con el Chacho, alcanzarlo y obligarlo al combate.

Un enemigo armado con picanas de tijera y clavos por toda lanza y con garrotes de algarrobo en vez de sables, era algo cómico y risueño que no podía explicarse. Y pensaba que con una carga buena del regimiento primero, orgullo entonces de nuestra caballería, todo aquello quedaría concluido.

-Es que no han sentido el rigor -decía- y no se dan cuenta de lo que es un ejército regular; en cuanto vean los estragos de un combate serio, se les acabarán todos los bríos. -Y en esa creencia se lanzó en persecución del Chacho, ávido de alcanzarlo para llevar su demostración al terreno de la práctica.

Pero aquí estaba precisamente la primera y mayor dificultad, puesto que ni sus mismos partidarios sabían dónde se hallaba el Chacho. Preguntó su paradero en las primeras poblaciones adonde llegó, pero nadie supo darle razón.

-El Chacho ha pasado por aquí hace tantos o cuantos días -respondían los paisanos-; pero no sabemos en dónde andará, y cómo hemos de saberlo si a nadie dice para dónde va.

Sandes desconfió de aquellos informes, pensó que le ocultaban la verdad y trató de arrancarla por medio de dádivas y gratificaciones exageradas. Pero por más grande que fuera la suma ofrecida, por más tentadoras que fueran las propuestas del bizarro coronel, no hallaba un solo hombre que le dijera siquiera a tal punto se ha dirigido el Chacho.

-Yo sé que el Chacho ha pasado por aquí -decía al llegar a un punto, creyendo sorprender la inocencia de los paisanos-; y quiero saber para dónde ha seguido su marcha.

-Es verdad -respondían con la mayor naturalidad-, ha estado aquí, pero no ha dicho para dónde iba, porque como va huyendo, no lo dice a nadie-. Por la naturalidad con que era dada la respuesta, parecía que era verdadera, pero el coronel Sandes se quedaba en sus dudas.

-Estos pillos son muy astutos, con ese aire de inocencia que adoptan creen salvarlo todo, pero a mí no me engañan, ellos saben dónde está el Chacho.

Viendo que ni con dádivas, ni con promesas, ni con ruegos podía conseguir que le dieran los informes pedidos, decidió emplear el rigor como medio más eficaz para lograr su objeto. Y los ofrecimientos de dinero como los ruegos fueron cambiados por las más terribles amenazas.

Aquellos que le negaban las noticias que pedía, alegando la más crasa ignorancia, fueron destinados a los cuerpos de línea, o recibieron de cien azotes arriba, según las sospechas que abrigaba el coronel Sandes. El interrogatorio se hacía rápido y conciso, y la pena se aplicaba en el acto, en presencia de aquellos que habían de ser interrogados en seguida.

-¿Dónde está el Chacho?

-Señor, no lo sé, ¿cómo quiere que sepa si nadie me lo ha dicho?

-Tienes que decirme dónde está o por dónde anda, si no te voy a hacer dar cien azotes.

-Pero señor, ¿para qué lo voy a engañar? El Chacho no ha pasado por aquí, y no podemos saber por dónde anda.

-A ver, ¡cien azotes a este!

En vano eran las protestas, las súplicas y aun los llantos. El bárbaro castigo era aplicado sobre tablas, y un nuevo candidato al tormento era traído a presencia de Sandes. Pero el segundo interrogatorio era tan ineficaz como el primero. Los azotes se doblaban, se triplicaban, se daban hasta dejar por muerto al que los recibía pero el resultado era exactamente el mismo; nadie sabía dónde andaba el

Chacho. O aquellos hombres no sabían realmente dónde andaba el Chacho, o llevaban su lealtad a una exageración asombrosa.

El coronel Sandes quedó asombrado un día ante un rasgo de valor estupendo dado por uno de aquellos mocetones que le traían para que interrogara. Era un joven hermoso, de inteligente fisonomía y de una musculatura soberbia.

-Tú sabes dónde está el Chacho -le dijo después de haber azotado dos hombres en su presencia-; tú sabes dónde está y vas a decírmelo.

-Yo no sé dónde estará el general Peñaloza -respondió el joven sonriendo-; usted puede hacer lo que quiera, menos hacer que yo sepa lo que no sé.

-Tú sabes dónde está el Chacho -respondió Sandes brevemente-, y vas a decírmelo, o te hago pegar quinientos azotes.

-Yo no sé dónde está el General Peñaloza -volvió a responder el joven, sin borrar la sonrisa de sus labios-; pero aunque lo supiera no lo había de decir, así es que siempre estaríamos en la misma. Acabemos, pues, de una vez, y como de todos modos han de azotarme por no saberlo o por no quererlo decir, venga el castigo de una vez, y bienvenido sea.

¡Aquello era asombroso! Era el cariño y la lealtad llevados a su última exageración.

Sandes comprendió que los azotes eran ineficaces para hacer entregar al Chacho, se irritó y mandó fusilar a aquel joven.

-Es lo mismo -gritó este cuando le hicieron arrodillar para hacerle fuego-; no sabrás donde está el Chacho hasta que él mismo no te lo diga con el cabo de su rebenque. -Y aquel joven fue fusilado en presencia de los demás prisioneros que deberían llevar sin duda el mismo fin.

Aterrados con esta manera de preguntar, y viendo que negando solo se conseguía la muerte, los paisanos de La Rioja pusieron en juego una nueva tentativa: daban inmediatamente una falsa dirección, para verse libres de castigos y mortificaciones.

Sandes se engañó con aquel procedimiento, engaño que lo irritó de una manera terrible, haciéndole adoptar una nueva táctica. Al que le indicaba el punto donde estaba el Chacho, se hacía acompañar con   él mismo, y si resultaba que allí no estaba, lo hacía no ya fusilar sino lancear, para inspirarles más horror.

-Pero, señor -decían como último recurso-, yo no lo he engañado, si el Chacho no está aquí es porque ya ha marchado para otra parte, aquí están sus rastros.

-No sé nada -contestaba Sandes usando de toda su crueldad-; que lo fusilen o que lo lanceen. -Y el pobre paisano era lanceado sobre tablas.

Un ejemplo más terrible se ofreció entonces a Sandes, de todo el amor y toda la lealtad que tenían los riojanos para el Chacho, dándole una idea de lo difícil que sería aquella guerra que había emprendido.

Al llegar a una población, salió disparando un grupo de jinetes, a todo lo que daban los caballos.

-¡Aquella debe ser gente del Chacho! -gritó Sandes, y lanzó en su persecución a toda su escolta, a la que siguió él enseguida.

Los jinetes se perdieron entre las sierras, pero uno, uno solo cuyo caballo estaba cansado, cayó en poder de aquella escolta elegida por Sandes mismo entre lo más desalmado y ágil de su ejército.

-Ese basta -gritó Sandes-; porque ese tiene que saber dónde está Peñaloza.

El hombre fue traído inmediatamente a presencia del coronel Sandes, y tal había sido el apuro, que ni siquiera se le despojó de la lanza que llevaba, lanza que no era otra cosa que un gran clavo atado a la punta de un palo largo. Aquel hombre era un oficial del Chacho, que se había entretenido en la población con su partida, en desempeño de una comisión que le habían dado.

Todo el ejército del Chacho sabía lo que hacía el coronel Sandes con los prisioneros que tomaba y con los vecinos a quienes preguntaba dónde andaba el Chacho; así es que, desde que cayó en poder de la escolta, no dudó de que sería lanceado, puesto que no había ni qué pensar con que él confesara dónde estaba el ejército riojano.

-El Chacho no debe estar lejos -exclamó Sandes viendo que aquel era un oficial del enemigo-, pronto vamos a saberlo.

Y en cuanto se le aproximó el joven, le preguntó rápidamente:

-¿Quién es usted y adónde iba?

-Soy un oficial del general Peñaloza, en comisión, iba a reunirme al gran caudillo.

Sandes sonrió alegremente, pues por el principio del interrogatorio creía haber dado con uno que al fin le revelaría donde estaba el Chacho.

-Entonces, y puesto que debes de saberlo desde que ibas a reunirte a él, vas a decirme donde está el Chacho.

El joven miró rápidamente todo cuanto lo rodeaba, y en un movimiento de relámpago, sacó un puñal de la cintura y clavándoselo en el pecho, exclamó:

-Aquí va el Chacho, maula[1], corran a buscarlo -y se desplomó a los pies de Sandes.

Asombrado este con aquella prueba salvaje de lealtad y de valor soberbio, mandó levantar al oficial, pero ya este había muerto. Resuelto a no revelar el secreto que se le quería arrancar, y sabiendo que el jefe enemigo, para arrancárselo, lo haría lancear, había preferido darse la muerte para librarse de penurias y vejámenes.

Sandes se convenció al fin que por ninguno de los medios empleados lograría saber el paradero del Chacho, y se resolvió a buscarlo por sí mismo hasta dar con él, pensando que con una persecución activa y sin descanso lo obligaría o a combatir o a tratar con él.

Poco prácticos por aquellos parajes, ignoraban el lugar de las aguadas, y necesitaban baqueanos que se las enseñaran. Para esto se valió de los prisioneros que llevaba vivos con aquel objeto, pues sin agua su ejército estaba perdido. El primero que interrogó, diciéndole que los guiara a la aguada más próxima, respondió que no sabía dónde había agua porque no era baqueano del punto. Si

---

[1] Maula: (pop) Individuo cobarde/pusilánime/despreciable/tramposo

aceptaba esta respuesta, él y su ejército estaban perdidos, pues todos dirían lo mismo.

-Si no me guías a la aguada más próxima te haré fusilar -dijo Sandes, irritado con aquella tenacidad.

-Pues, hágame fusilar cuanto antes, porque no sé dónde hay agua -contestó resueltamente el prisionero.

Solo el terror que infundiera podía salvarlo, y ya para Sandes no era cuestión de saber dónde iba el Chacho sino de salvar su ejército que empezaba a sentir la sed. Hizo formar a todos los prisioneros que llevaba y delante de ellos volvió a intimar al interrogado que los guiara a la primera aguada.

-Es inútil -respondió este- porque no me da la gana. ¡Que revienten de sed todos ustedes es lo único que deseo!

Sandes hizo aproximar su escolta y lo mandó lancear, pero lentamente, para que sufriera mucho, y para que aquel espectáculo decidiera a alguno de ellos a guiarlo a la aguada más próxima. El infeliz fue atado con un maneador que le ciñó los brazos y las espaldas, y un espectáculo tremendo tuvo lugar entonces. Los soldados de la escolta, alegres porque estaban en su elemento, desplegaron una crueldad refinada y salvaje, acribillando a pequeñas lanzadas el cuerpo de aquel infeliz que recibía las dolorosas heridas sin proferir una sola queja.

-Esto mismo haré yo con todos los que se nieguen a guiarme hasta la aguada más próxima; yo les voy a preguntar si por un capricho estúpido de ustedes, va a perecer de sed un ejército. ¡Firme a ese canalla!

Acribillado de heridas, al extremo de no presentar cinco centímetros que no tuviera un par de lanzadas, aquel infeliz cayó al suelo por fin, debilitado por la pérdida de sangre, pero sin haber lanzado el menor quejido.

-¿Vas a guiarnos a donde hay agua? -preguntó Sandes, suspendiendo la ejecución con un ademán.

-Donde hay veneno te enseñaría yo, bandido -gritó el joven-; siga nomás la diversión. -Y cerró los ojos tranquilamente para esperar la muerte, que no tardó en arrancarlo de aquel martirio bárbaro.

Y tantas fueron las heridas que se le infirieron que al fin expiró, dejando aterrados a los compañeros que habían presenciado su martirio.

-Vamos a ver quién quiere seguirlo -preguntó Sandes a los otros-; les prevengo que voy a seguir la farra hasta que encuentre quien nos guíe al agua, o hasta haber concluido con todos. Amarremos otro.

Los prisioneros reflexionaron que hacerse matar así inútilmente era una tontería; al fin y al cabo guiarlos al agua no era guiarlos donde estaba el Chacho, y ellos mismos, aunque Sandes no les hiciera matar, estaban expuestos a perecer de sed. Entretanto podrían entretenerlos y aprovechar alguna oportunidad de desertar de aquellas filas de salvajes.

Un muchachón, más resuelto que todos los demás y afrontando la responsabilidad de lo que hacía, por salvar a sus compañeros, salió de entre ellos y dijo:

-No haga matar más gentes sin provecho, que yo voy a guiar al agua. Yo conozco estos parajes.

-Una cosa te prevengo -respondió Sandes resueltamente- y es que si pretendes engañarme, si esta noche no hemos llegado a la aguada más próxima, te hago cortar en pedazos. Mira que no ha nacido aún el hombre que me va a burlar.

-Yo lo voy a llevar al agua -respondió el joven con entereza-, no porque le tenga miedo a que me corten como quiera, sino para que no mate inútilmente más compañeros. Es inútil que me amenace, que si yo los llevo es además porque con eso no hago el menor daño al Chacho.

-Bueno, cuatro hombres detrás de este -gritó Sandes-, y al primer movimiento que haga con indicación de dispararse, me lo ensartan en las lanzas.

-He dicho que los voy a llevar al agua -replicó sonriendo el joven-, y no hay que tener desconfianza, que el día que yo me quiera disparar, yo le garanto que ni la tierra me va a sentir.

Y echaron a andar al trote sostenido, pues no solo era necesario dar de beber a la tropa que venía sedienta, sino a las caballadas que empezaban a aplastarse, pues hacía dos días que no bebían. A la cabeza de la columna marchaba el joven baqueano, seguido de cuatro hombres de la escolta de Sandes; este venía en seguida, y detrás de él el resto de la escolta, rodeando a los demás prisioneros.

Cuando empezó a oscurecer, Sandes previno al guía que si a la noche no había encontrado agua, haría con él lo que había prometido.

-Peor para ustedes, porque entonces no beberán esta noche -respondió el joven tranquilamente. Si hubiéramos marchado más ligero, ya estaríamos en la aguada, pero a este paso tendremos que tardar más. Sin embargo, yo garanto que antes del amanecer estamos en el agua.

Como una noche perdida sería un trastorno tremendo para el ejército, que cada vez sentía más las consecuencias de la sed, Sandes, desconfiando del baqueano a pesar de todo, lo mandó acompañado de un oficial y diez hombres, para que se adelantara con toda la rapidez permitida por el terreno quebrado.

En caso de hallar agua, el oficial mandará un chasque con la noticia, que servirá siquiera para dar más ánimo a la tropa, en la seguridad de que bien pronto iban a beber.

La comisión partió al gran galope, perdiéndose muy pronto de vista detrás de una quebrada. Unas dos leguas de allí estaba el agua a donde llegaron cuando la noche había cerrado completamente. A la vista del agua, el oficial y los soldados, que ya iban locos de sed, se lanzaron a beber con una ansiedad tremenda, al extremo que no notaron que, aprovechando el primer momento de entusiasmo que produjo la vista del agua, el baqueano había desaparecido. El agua tenía un gusto asqueroso, al extremo que los soldados se sintieron descompuestos. Pero la sed era espantosa y siguieron bebiendo, hasta que la hubieron agotado por completo.

Recién entonces se dieron cuenta de que el joven baqueano había huido, fuga que dejó aterrado al oficial, porque sabía que aquello iba a costarle algún castigo bárbaro. Para mitigar en algo las iras del coronel, por aquel descuido, le mandó el chasque con la noticia de haber hallado agua, quedándose él con el resto de la tropa para rastrear los alrededores, por si acaso el baqueano se había ocultado allí cerca. Pero ni esto mismo pudieron hacer, porque fue tal la descompostura que les había ocasionado el agua, que no podían dar ni un paso, llegando a creer el oficial que aquella agua estuviese envenenada.

-Es preciso ante todo avisarlo al coronel -pensó-, tal vez nuestro estado nos sirva de disculpa en la fuga del prisionero, puesto que no nos podemos mover. -Y pudiendo apenas tenerse a caballo, empezó a contramarchar en la dirección que debía traer el ejército.

Sandes había recibido ya el chasque, atribuyendo el estado en que venía a la cantidad enorme de agua que había tomado. Así es que no paró en él la atención, siguiendo la marcha de su ejército que con la noticia del agua había recobrado los bríos y el ánimo perdido. La sed era ya inaguantable y el mismo Sandes no atinaba ya sino en llegar a la aguada.

Cuando el coronel se encontró con el oficial, no dejó de alarmarse al ver el estado de postración en que venía.

-Todos los que hemos bebido, nos hallamos lo mismo -dijo el oficial antes que el coronel le dirigiera la palabra-; yo creo que esta agua está envenenada.

-¿Dónde está el baqueano? Tráiganmelo a ese pillo.

-El no había bebido -dijo entonces el oficial, exagerando su estado-, y cuando fuimos todos acometidos por el primer ataque no lo vimos más, había desaparecido.

Sandes no tuvo duda ya de que el agua estuviera envenenada, y esperando por momento la muerte del oficial y los soldados, siguió marchando hacia la aguada donde hizo alto, prohibiendo bajo pena de la vida que ninguno se separase de las filas.

Pero los efectos de aquella descomposición terrible fueron pasando, hasta que todos se sintieron buenos.

-Ha sido la manera brutal con que han bebido -dijo entonces Sandes-; en estas cosas es preciso andar muy poco a poco.

-No, señor -respondió el oficial-, el agua tenía un gusto espantoso, lo que hay no lo notamos hasta que no hubimos bebido de una manera enorme.

El día empezaba a disipar las tinieblas de la noche, ya podía verse lo que allí había. La aguada era buena y abundante, cristalina, fresca, pero el olor que despedía era formidable. Se registró prolijamente y bien pronto dieron con la causa de todo. Entre el agua había diez o doce caballos y mulas muertas, en tal estado de descomposición, que la carne se había ya desprendido de los huesos. Aquellos animales habían sido echados allí, indudablemente, con el objeto de inutilizar la aguada, pues en muchos de ellos se veía que habían sido degollados sin duda alguna con aquel objeto.

Si aquella táctica del Chacho, usada para inutilizar las aguadas, continuaba, estaban perdidos y expuestos a morir de sed en aquellos parajes, o envenenados por aquellas aguas putrefactas y envenenadas por la descomposición de los cadáveres. Aunque acosados por la sed los soldados no se animaron a beber, porque el solo olor del agua les producía náuseas horribles. Pero cuando la sed llega a cierto límite, el líquido atrae con una fuerza imponderable, toda consideración individual desaparece y se beben aguas podridas, como se chupa el barro de los pantanos. El hombre no siente entonces más que la necesidad imperiosa de aplacar la sed, aun sabiendo que el agua que bebe va a producirle la muerte.

Muchos soldados buscaron los charquitos de los alrededores, donde el agua era purísima y cristalina pero muy poca, y la mayoría bebió de aquella agua podrida, teniendo los oficiales que andar a palos para que lo hicieran con moderación, pues ya no escuchaban ninguna reflexión. Aquello era uno de tantos recursos, de que se valía el Chacho para hostilizar al enemigo y obligarlo a salir del territorio riojano. Probablemente todas las aguadas se hallarían en el mismo estado, salvo aquellas cuya situación solo ellos conocerían. El peligro era inminente, y no había otro remedio de conjurarlo que marchar para la provincia de Catamarca o de Santiago, donde el agua estaría en buen estado, puesto que el Chacho no había pasado a aquellas provincias.

Todos los que habían bebido en la aguada se sintieron horriblemente descompuestos. Solo estaban bien los que habían aplacado su sed en los charquitos. Pero mal que mal, los soldados habían mitigado la sed, pudiendo emprender una nueva marcha.

El coronel Sandes resolvió campar allí hasta el día siguiente, con el objeto de dejar descansar la tropa, y que esta buscara como buscó y encontró, nuevos charquitos de agua pura, donde beber hasta quedar satisfechos. Calmada la sed, y después de haber churrasqueado la carne de caballo, porque no había otra, a consecuencia de haber quedado las tropas de hacienda muy atrás, los soldados, postrados por la fatiga pasada y los efectos nauseabundos del agua en los que la habían bebido, hicieron rosca alrededor de los fogones y se entregaron al descanso.

Aunque no tenía noticia de que el Chacho anduviera por allí, el coronel Sandes dispuso se estableciera un servicio de guardia como frente al enemigo y se metió entre sus ponchos también, a gozar algunas horas de descanso. Nada se veía por los alrededores que indicara presencia de enemigo alguno. A la luz de los fogones podía tal vez venir algún grupo de montoneros, pero estos caerían en poder de las guardias, si es que se atrevían a acercarse. No había pues nada que temer, y esta misma confianza unida al gran cansancio, hizo que las guardias se descuidaran también, y se durmieran al amor de los fogones.

De sorpresa en sorpresa

El joven que los había guiado a la aguada y que fugó aprovechando la desesperación con que se pusieron a beber, había apresurado su marcha en busca del Chacho que estaba muy cerca de allí, para prevenirle lo que pasaba. Pero el Chacho no necesitaba de este aviso, por sus rastreadores conocía la situación del ejército nacional y sus necesidades.

Sandes creía ir persiguiendo al Chacho para obligarlo a combatir o dispersarse, y era el Chacho quien marchaba a su retaguardia, a una distancia prudente, pero bastante para poder aprovecharse del menor descuido. Así lo había seguido hasta la inútil aguada, haciéndolo bombear de cerca hasta ver qué resolución tomaban.

Cuando los bomberos[1] vieron que se trataba de campar y pasar allí la noche, regresaron con el parte al Chacho, quien empezó a preparar una sorpresa, dando a sus tropas como punto de reunión inmediata un paraje situado a cuatro leguas a retaguardia de aquel en que se hallaban. Ellos huirían hacia adelante para que el enemigo siguiera aquella dirección; pero dando un rodeo, regresarían al punto indicado para ponérsela a la espalda y seguirlo mientras él creería que hacía una persecución. Y volver a sorprenderlo en el momento menos pensado, para tenerlos siempre en continua alarma.

El Chacho eligió su gente mejor montada y armada que al fin para un golpe de mano rápido no era necesario todo un ejército, y el resto quedó en el paraje donde debían reunirse. El Chacho marchó cautelosamente, aproximándose a las fuerzas de Sandes todo lo que pudo. Estas no podían sentirlo, pues todos dormían profundamente, incluso los guardias mismos, como lo hemos dicho ya. El Chacho se aproximó personalmente seguido de cuatro hombres, hasta el primer cuerpo de guardia, que era compuesto de un sargento y cuatro soldados y les sacó las armas del lado, sin dejar sentir el menor rumor, armas que repartió inmediatamente entre los soldados que lo acompañaban.

Por un empeño especial y para no embarazar sus movimientos, la Victoria se había quedado con el ejército que debía esperar en el punto de reunión acordado, de modo que podía obrar en completa libertad.

Tomadas las armas de aquel cuerpo de guardia, siguió entre los suyos y les comunicó en voz baja sus últimas y más prolijas instrucciones. Así, mientras unos ataban a los desarmados y se lo echaban en ancas, el Chacho se metió con toda su gente al centro de aquel ejército dormido. Por más que lo sorprendiera, el Chacho comprendía que no podía vencer a aquel ejército que pasado el primer momento de confusión reaccionaría, y entonces solo imperaría la ventaja de las armas. Así es que todo su plan se reducía a arrebatar el mayor número de armas

---

1 Bombero: amer. Espía

que pudiera, tomar algunos prisioneros y, sobre todo, dar al enemigo una falsa dirección. Consecuente con esta idea, lo hizo sorprender bien con sus soldados, y se entró como una tormenta por entre las dormidas filas del ejército de Sandes.

La sorpresa fue completa; en el primer momento los soldados sorprendidos no pudieron darse cuenta de lo que les pasaba, ni poder calcular el número de enemigos que les había caído encima, poderosamente aumentados por el terror. Y los del Chacho no solo pudieron arrebatar armas y cartucheras, sino que tomaron un buen número de prisioneros.

Sandes despertó dado al infierno, sin darse cuenta, de cómo habían podido los montoneros burlar los centinelas y sorprender al ejército de aquella manera. Bravo y sereno sobre toda ponderación, saltó en el caballo que había hecho atar cerca de sí, y empezó a tomar las más rápidas y enérgicas medidas. Pero su situación era formidable, pues no se atrevía a mandar hacer fuego, pues con la oscuridad de la noche era muy expuesto a hacerlo sobre sus mismas tropas.

El combate al arma blanca, cada vez más recio y enconado, se prolongó una media hora próximamente, con las mayores ventajas para las fuerzas del Chacho, que habían hecho un buen acopio de armas. Cuando este sintió que las fuerzas de Sandes reaccionaban obedeciendo la voz de aquel tremendo jefe, inició su rápida retirada con dos toques de corneta que para Sandes fueron los de a degüello y derecha, así es que solo trató de proteger su derecha, amenazada por el enemigo. Y acudió allí con los cuerpos que se habían repuesto de la sorpresa y formado tranquilamente.

Pero entonces, recién entonces, pudo convencerse que el enemigo se retiraba, huyendo el combate. Perseguirlo, en la oscuridad que reinaba, era un disparate, y temiendo que los montoneros se retiraran para organizarse y volver a la carga, formó algunos cuadros y se preparó para recibirlo lo más reciamente que le fuera posible.

Convencido el Chacho que nadie lo perseguía y dándose cuenta de la razón en que el enemigo fundaba su inacción, hizo alto como una legua a vanguardia, y esperó que amaneciese para que el enemigo lo viera y tomase la falsa dirección que quería darle. Entretanto podía arreglar convenientemente los prisioneros que había hecho y repartirse las armas y municiones tomadas en tan buena cantidad.

En cuanto amaneció, Sandes, que pudo entonces darse cuenta de lo que había pasado y vio al enemigo reunido a tan corta distancia, se preparó a emprender una persecución que no debía terminar hasta alcanzarlo o dispersarlo por completo. El campo donde había tenido lugar la sorpresa estaba sembrado de cadáveres, entre los que figuraban muy pocos de los montoneros, perteneciendo la mayor parte a la infantería de Sandes, que había sufrido lo más recio del ataque.

Al ver que se le perseguía, el Chacho se puso en marcha rápida, haciéndose seguir unas seis leguas, al fin de las cuales su marcha empezó a ser más lenta, como si llevara cansados los caballos. De esa manera sería pronto alcanzado y la dispersión sería perfectamente comprensible y el enemigo nunca podría sospechar su plan.

Engañado este por completo, desprendió algunas fuerzas de caballería liviana, las que pronto alcanzaron al enemigo, trabándose algunas escaramuzas. Sandes apuró entonces la marcha cuanto le fue posible, halagado con la idea de deshacer por completo la montonera. Pero cuando ya creía alcanzarla, aquella empezó a huir en desorden y a dispersarse, siempre marchando hacia vanguardia. Sandes apuró entonces la persecución tenazmente y con un empeño entusiasta, pero al poco tiempo no tenía ya enemigo sobre quien continuarla. Las fuerzas de Peñaloza, divididas en pequeños grupos, se habían disuelto por completo, abandonando al Chacho, que con un pequeño grupo huyó hacia la derecha. Para Sandes, la montonera quedaba concluida, pero era preciso perseguir al Chacho hasta la misma capital para que no pudiera rehacerse y tomarlo prisionero u obligarlo a pasar a Chile.

Como la tropa estaba fatigadísima por el combate y la persecución, Sandes campó para darle un buen descanso y seguir la marcha enseguida hasta La Rioja, donde se había dirigido el Chacho según la dirección que tomó. No había objeto en apurarse, puesto que la montonera quedaba deshecha y concluida la guerra de una manera definitiva. Así lo pensó comunicar al gobierno en cuanto llegase a la ciudad y cambiase sus autoridades, declarándose gobernador provisorio, hasta que el presidente le mandara instrucciones.

Como ya no tenía objeto en apurar demasiado las marchas y podía aprovechar para hacerlas toda la noche, Sandes dejó descansar al ejército todo el resto del día, poniéndose en marcha al caer la noche, con todo descanso. A vanguardia había puesto un escuadrón de caballería ligera, para que le avisara cualquier novedad que se sintiera, descuidando su retaguardia por completo, puesto que por allí no esperaba nada. Quién podía pisársela, desde que el único ejército con quien combatían había sido deshecho.

Entretanto el Chacho por un lado y los diferentes grupos de los suyos por otro, así que se hubieron perdido de vista, dieron una gran vuelta para buscar la incorporación de la otra parte del ejército que mandado por Victoria los esperaba. Habían marchado mucho, así es que la incorporación no pudo efectuarse hasta la caída de la tarde. Inmenso fue el entusiasmo de los que esperaban al conocer en todos sus detalles el resultado de la sorpresa. Las armas tomadas se repartieron entre los que no tenían, y lleváronse los prisioneros a la población más próxima, donde fueron confiados a los vecinos, con mil recomendaciones.

-Que no se les trate como a enemigos -dijo el Chacho- sino como a hermanos; es preciso que se convenzan que nosotros no somos bandidos armados y comprendemos y observamos las leyes de la guerra.

-Ellos nos despedazan, nos azotan y nos fusilan -respondían los riojanos-; es preciso desquitarse ya que podemos hacerlo, y habremos tenido toda la razón.

-Por eso mismo debemos ser más generosos, y mostrarles que son ellos los salvajes y no nosotros. Aquí los prisioneros quedan en la más completa libertad, pueden irse si quieren, o quedarse aquí, que yo pido a todos los ayuden y protejan, de manera que nunca tengan que quejarse de la hospitalidad fraternal de los riojanos, que pagan así todo el daño cruel que reciben.

Los prisioneros, que esperaban que con ellos harían lo que el coronel Sandes había hecho con los montoneros, no cabían en su pellejo de asombro, creyendo muchos de ellos que trataban de engañarlos, para degollarlos en seguida con todo el refinamiento de la crueldad. Pero el asombro llegó al colmo cuando se convencieron que aquello era verdad y que no tenían nada que temer.

Colocados los prisioneros bajo el amparo de la población, el Chacho solo pensó en ganar tiempo para alcanzar el ejército nacional aquella misma noche y repetir su sorpresa con más éxito, puesto que lo creían disperso y completamente deshecho. Así es que se puso en marcha al momento, pensando que Sandes, después de haber andado todo el día, camparía de noche, con más descuido de la anterior, ofreciéndole una mejor oportunidad de sorprenderlo. Todo su afán fue aprovechar el tiempo para ganar la distancia perdida y caer sobre el ejército antes de amanecer.

Con el éxito de la jornada anterior y la esperanza de otra mejor aquella noche, los soldados iban contentos, comentando con cariñoso asombro la astucia y tino del gran caudillo.

Al cerrar de la noche, el Chacho hizo el primer alto, después de una jornada de cinco leguas, descansó una media hora y siguió marchando lo más rápidamente que le fue posible, mandando adelante dos de sus mejores rastreadores, para que avisasen la menor novedad que notaran en el rastro que seguían.

A la segunda jornada de otras cuatro o cinco leguas hizo un alto un poco más largo, pues ya iba a empezar la marcha con toda la rapidez posible, calculando que el enemigo iba lejos y no queriendo dejar pasar la noche sin alcanzarlo. Apenas se había puesto en movimiento el Chacho, cuando regresó uno de los rastreadores, trayendo noticias importantes. Acababan de llegar al campamento donde habían estado las fuerzas nacionales, campamento que hacía muy poco habían abandonado a juzgar por los fogones aún prendidos. Era indudable entonces que el enemigo había descansado todo el día, poniéndose en marcha al caer la noche, con el intento, fuera de toda duda, de marchar hasta el siguiente día.

"Mejor -pensó el Chacho-, mucho mejor, en la marcha no tomará ningún género de precauciones a retaguardia y podemos caerle sobre la marcha." Y empezó a marchar a trote y galope, habiendo dado orden a los rastreadores que llevasen una delantera de una legua y vinieran a avisarle en cuanto sintiesen al enemigo.

El Chacho pensaba sorprenderlo con una vigorosa carga de caballería, sin darle tiempo a adoptar una formación salvadera, y sablearlo y acuchillarlo todo el tiempo que le fuera posible, tomándole el mayor número de armas, que tanta falta le hacían y dejándolo postrado para seguir su marcha ofensiva.

-¡Creen que La Rioja no puede defenderse de un ejército poderoso! -exclamaba sonriendo picarescamente-. Ya se arrepentirán de haber invadido su territorio.

No habían andado mucho, cuando regresó uno de los rastreadores, avisando que habían alcanzado al ejército.

-El ejército marcha sin la menor precaución -dijo-; todo su cuidado es a vanguardia y todo su afán es alcanzarnos. Sin embargo, la marcha es lenta y hacen alto con frecuencia, sin duda para no fatigar los caballos. La sed debe acosarlos nuevamente, porque las partidas que van adelante buscan agua con desesperación.

El Chacho reunió a todos sus jefes y les recomendó el mayor silencio en la marcha, pues si eran sentidos, malograrían todo el éxito del golpe de mano y se expondrían a ser batidos en toda regla. Y desde aquel momento les señaló ya el punto de reunión, puesto que tendrían que dispersarse en cuanto el enemigo reaccionara.

-Mi objeto -decía- es hacer el mayor mal posible, sin recibir el menor daño, sin perder un hombre, arrebatándoles cuanta arma y prisioneros se pueda. Así es que en cuanto empiecen a tomar la ofensiva, vueltos de la sorpresa, daré la señal y huiremos como derrotados, por distintas direcciones, para evitar una persecución dura que ellos no querrán hacer si para hacerla tienen que fraccionarse. Como es fácil que después de este golpe se retiren hacia Catamarca vamos a emboscarnos en la frontera, para darles un nuevo golpe cuando menos lo esperen.

Desde aquel momento la marcha empezó a hacerse con tal silencio y precauciones, que parecía imposible fuera aquel un ejército de dos mil hombres.

El Chacho llevaba un trompa[2] al lado, con un objeto diabólico. Una vez que ellos se acercaran al ejército, aquel trompa debía correrse por un flanco hacia la cabeza y tocar alto y pie a tierra. Este toque, que fuera de toda duda sería obedecido por todo el ejército de Sandes, era para los suyos orden de carga, que debían llevar reciamente para no darles tiempo de pensar siquiera en lo que podía significar aquel alto.

Calculando las distancias matemáticamente, el trompa se corrió describiendo un semicírculo por el flanco derecho, y al llegar a la cabeza de la columna, tocó atención, alto y pie a tierra. Al momento se sintió el pesado ruido de los sables, causado por los jinetes que se dejaban caer del caballo perezosamente, en la seguridad de un nuevo descanso.

-¿Qué es eso? -preguntó Sandes, sorprendido-. ¿Quién ha mandado tocar alto y pie a tierra? ¿Qué novedad se ha sentido a vanguardia?

Corrían los ayudantes en todas direcciones para averiguar lo que había sucedido, y Sandes daba órdenes para que se tocara a caballo, cuando se sintió un estruendo infernal a retaguardia, seguido de voces formidables que gritaban: "¡Nos han sorprendido de nuevo! ¡El Chacho nos carga por retaguardia!"

Ya se podrá imaginar la confusión tremenda de aquel ejército, que se sentía cargado de un modo formidable sin que sus soldados hubieran tenido el tiempo material de sacar el sable, y a pie, porque ni atinaron ni tuvieron tiempo de montar y empezaron a huir hacia la cabeza de la larga columna, acuchillados de una manera tremenda. Y los grupos del Chacho, aprovechando el tiempo, cargan por todas partes, deshaciendo las compañías e impidiendo toda formación. Otros arriaban los caballos que iban quedando, poniéndose en marcha ya, para no exponerse a perderlos.

El coronel Sandes, en el colmo del despecho al verse sorprendido por segunda vez de una manera tan hábil, trataba desesperadamente de rehacer su ejército en la cabeza, organizando a los que venían de retaguardia, despavoridos y sin armas en su mayor parte, y de formar cuadros de infantería alrededor de las piezas,

---

[2]Trompa: soldado que toca el clarín dar las órdenes

para impedir, cuando menos, que se las arrebataran. En cuanto hubo organizado algunos batallones, esperó que llegara allí el enemigo, marcado por el éxito, para recibirlo con un fuego bien nutrido.

Los suyos que venían huyendo delante de los montoneros, tendrían que sufrir también las consecuencias de este fuego, pero era necesario a toda costa ante aquel fuego inesperado dando la espalda. Felizmente el día no podría tardar, y entonces el coronel Sandes, viendo el terreno, podría operar con el éxito y bravura de siempre. Envueltos en las sombras de la noche, no podían hacer más que defenderse, sin atreverse a tomar la ofensiva, por el gran peligro de destruirse entre sí los cuerpos del ejército, en beneficio de aquel enemigo feroz y triunfante.

Los grupos del Chacho, maestros en el terreno donde operaban, andaban con una rapidez vertiginosa. Y mientras el grueso del ejército cargaba siempre de una manera tenaz y firme, los demás se ocupaban en arriar los caballos ensillados y recoger las armas abandonadas, huyendo con ellas, para asegurarlas y ponerlas fuera de toda persecución y peligro, hacia el punto de reunión dado por el Chacho. Si las armas de aquel ejército de montoneros hubieran sido buenas, la matanza habría sido espantosa. Pero malas lanzas y peores sables, todas las bajas eran solo de heridas, no queriendo usar las armas de fuego por no hacerse mal entre ellos mismos.

A Sandes le fue forzoso aguantarse hasta la venida del día, resignado a no hacer otra cosa que defender sus cañones.

Pero antes de amanecer, el Chacho, que comprendía muy bien se podían trocar los papeles, emprendió su retirada, siempre en dirección a la capital para hacer creer que su intención era fortificarse en la ciudad. La montonera era escasa entonces, pues la mayor parte de los escuadrones se habían ya retirado llevando los caballos, armas y prisioneros.

Aunque Sandes tenía muy pocos soldados de caballería disponibles por haber perdido sus caballos los otros, organizó una persecución que llevó él mismo, mientras la infantería y artillería seguía su marcha a pie. El golpe había sido duro y doloroso para un militar de la reputación del coronel Sandes y que operaba no sobre un ejército, puede decirse, sino sobre grupos de hombres mal armados y sin organización militar.

En cuanto la persecución empezó a hacerse con tenacidad y con un buen fuego de guerrillas, el enemigo empezó a dispersarse en pequeños grupos tomando mil direcciones diversas. Sandes no tenía esperanza del menor desquite por el momento puesto que el enemigo desaparecía de su frente y toda persecución se hacía perfectamente inútil, regresando al sitio de la sorpresa, a remediar en lo posible los destrozos causados. Sus heridos eran numerosos, aunque pocos los muertos, por razón de las malas armas.

El Chacho, en cambio, no había dejado en el campo más que quince o veinte cadáveres y unos cincuenta prisioneros, heridos todos de gravedad. Estos fueron pasados a cuchillo en el acto, como justa represalia, calculando que el Chacho habría hecho lo mismo con los que había llevado. Era preciso seguir a La Rioja para rehacerse, reemplazar las caballadas perdidas y regresar a Córdoba a tomar nuevos elementos de armas.

Sandes reunió a sus jefes en consejo, y estos opinaron que se debía regresar sobre la marcha a Córdoba a tomar los elementos que les faltaban, para emprender de nuevo la campaña de una manera más eficaz. Y esta misma retirada debía verificarse con las mayores precauciones posibles, porque el Chacho no estaba disperso, sus tropas quedaban enteras, mejor armadas y montadas con lo que habían tomado y mucho más audaces, fuera de duda, con los dos triunfos conseguidos. En La Rioja se exponían a que les cortaran la comunicación con las demás provincias y les tomaran todo auxilio de víveres y pertrechos que les remitieran.

Aceptado este modo de pensar, se emprendió una pesada y penosa marcha hacia Córdoba, quedando en La Rioja el Chacho triunfante, ensoberbecido y con más prestigio que nunca, sin contar los elementos de armas, caballos y municiones que había tomado. Recién entonces fue cuando comprendió el coronel Sandes la clase de enemigo con que tenía que luchar, y las dificultades inmensas con que tendría que tropezar a cada momento.

La guerra de recursos

La contramarcha hacia Córdoba fue horriblemente penosa. La mayor parte de las aguadas habían sido destruidas por el Chacho, que había hecho arrojar a ellas caballos muertos y todo género de basuras. Recién cuando salieron de La Rioja encontraron agua limpia que beber.

Durante aquella marcha penosa bajo todos aspectos, tuvieron que ir carneando caballos para comer, porque la nueva tropa de hacienda que debían haber recibido no había llegado, cayendo sin duda en poder de la gente del Chacho. Y para colmo de penas y fatigas, el servicio tenían que hacerlo con una rigidez imponderable, y como si estuvieran al frente de un enemigo temible. Las dos lecciones recibidas le habían enseñado a no descuidarse y a marchar con guardias a los dos extremos de la columna. Cuando acampaban, ya para dormir o carnear, lo hacían con todas las precauciones aconsejadas por la mayor prudencia; se dormía con el caballo de la rienda y las infanterías campadas en formación del cuadro, dormían con el fusil cargado y atentas al primer rumor sospechoso.

El Chacho debía haber quedado en La Rioja reuniendo su ejército disperso en todas direcciones, pero con lo que les sucedió en la última sorpresa el coronel Sandes no se fiaba de nada, prefiriendo proceder como si tuviese encima al ejército de los montoneros. Así los soldados se habituaban a estar siempre alerta y él estaba tranquilo con respecto a la vergüenza de una nueva sorpresa que hubiera desmoralizado su ejército, ya vacilante por aquella campaña de que volvían corridos en todo sentido.

Los prisioneros que se habían tomado al Chacho habían sido muertos, con excepción de dos que Sandes había conservado como baqueanos de las aguadas y del camino. Unos porque no querían decir donde estaba el campamento favorito del Chacho; otros porque no querían confesar cuáles eran las aguadas que no estaban inutilizadas, todos habían sido lanceados o pasados a cuchillo.

Los paisanos que se tomaban en las poblaciones del tránsito y que decían ignorar hasta el hecho de que La Rioja estaba en guerra, habían sido destinados a los cuerpos de línea, sin consideración alguna. Y no tenían más que soportar pacientemente esta condena, puesto que la menor protesta les valía cien o doscientos azotes, aplicados por mano maestra. Todo era rigor y todo eran castigos de los más crueles.

Creyendo intimidar y dominar por el terror en los pueblos de La Rioja, para que abandonaran al Chacho, se hacía alarde de una maldad terrible de la que no escapaban ni las mujeres mismas. Y el efecto había sido completamente negativo: se tenía al ejército nacional como a un ejército de asesinos, al que se profesaba un odio a muerte, al extremo que si no hubiese sido por el gran respeto y cariño que tenían al Chacho, los prisioneros de Sandes habrían sido despedazados como justa represalia. ¿Por qué habían ellos de respetar los prisioneros del campo enemigo, cuando los que este tomaba eran tratados como animales feroces?

-Así -decían- de miedo siquiera, nos tratarán con igual consideración.

-Es que dicen que somos un ejército de salvajes y bárbaros -decía el Chacho- y es preciso mostrarles que se han equivocado, y que ellos, que vienen en nombre de la civilización y del derecho, son los verdaderos salvajes, que no han respetado ni siquiera a nuestras mujeres. De este modo la república entera estará con nosotros y aplaudirá nuestra actitud de resistencia hasta el fin, porque yo he de resistirles mientras haya un riojano capaz de llevar una lanza. Y quién sabe, quién sabe si con el sistema de no comprometer jamás un combate y darles cada vez que se pueda, así, a la ligera, no concluimos por intimidarlos y hacerlos abandonar, por imposible, su empresa de dominación. Es preciso entonces que nadie tenga nada que reprocharnos, que sobre nuestras conciencias no pese una gota de sangre derramada estérilmente o de una manera cobarde, y que los prisioneros enemigos sean los primeros en desmentirlos, demostrando con ellos mismos, que si en esta guerra ha habido salvajes y asesinos, no hemos sido nosotros seguramente. Con estas palabras y estas teorías sanas, el Chacho había logrado infundir entre sus tropas la mayor piedad por el prisionero, que al fin y al cabo no era culpable de los actos de su jefe.

-Si yo tomara a Sandes mismo -exclamaba el Chacho, cuando venían a referirle un nuevo acto de crueldad cometido por el enemigo-, lo sometería en el acto a un consejo de guerra, y si este lo mandaba así, no tendría inconveniente en hacerlo fusilar, porque él es el autor de todas las iniquidades que se cometen con los nuestros. Pero nosotros no podemos hacer lo mismo con los oficiales y soldados que les tomamos, porque ellos no tienen más remedio que obedecer lo que se les manda, o caer otras tantas víctimas junto con las que han querido salvar. Guardemos, pues, nuestra venganza para los que han mandado el asesinato, pero no contra los que lo ejecutaron, que son otras tantas víctimas.

Y tan penetradas estaban las poblaciones de la verdad de estas teorías justas y generosas, que trataban los prisioneros que les confiaba el Chacho como a verdaderos hermanos, privándose de sus propias y más necesarias comodidades para dárselas a ellos.

Cada vez que el Chacho entraba a una población donde había dejado prisioneros, lo primero que hacía era llamar a estos y preguntarles cómo los habían tratado y si estaban contentos. Y su satisfacción era inmensa al escucharlos agradecer, con lágrimas muchas veces, la hospitalidad recibida, y asegurar que su reconocimiento sería eterno. Y tan bien lo pasaban, que muchos de ellos no querían hacer uso de la libertad absoluta en que estaban para incorporarse al ejército nacional.

-Estamos bien aquí -decían- y no nos iremos hasta que no termine la guerra, porque no queremos vernos forzados a volver aquí como enemigos.

Entretanto, los pobres prisioneros que tomaban los del gobierno no tenían ni siquiera el derecho de elegir entre el azote, el cuchillo o la lanza, a que se les condenaba con el pretexto más fútil, o simplemente por desahogar la rabia de la derrota. Las mujeres eran tomadas muchas veces como pretexto para hacer confesar a los hombres lo que no querían decir, o lo que no sabían. Y para obligarlas a hablar las maltrataban, destinándolas muchas veces a la tropa de los regimientos, para que sus maridos confesasen lo que se les preguntaba. Y era tal el odio y el deseo de venganza que había con aquellos procederes inicuos, que habían santificado la causa del Chacho y habían hecho que hasta las criaturas y los ancianos mismos fueran a formar en las filas del gran caudillo para defenderse de la invasión nacional.

Y los oficiales de Sandes, tomados y dejados por el Chacho en las poblaciones riojanas, comparaban silenciosamente la conducta de uno y otro, y se sentían avergonzados, humillados ante el proceder noble y generoso de los montoneros. Los papeles se habían trocado por completo, y eran las fuerzas chachistas las que les daban lecciones de generosidad y civilización.

-El día que yo sepa que alguno ha maltratado a un prisionero o le ha hecho sufrir la menor humillación -decía el Chacho-, no vuelvo a mirarlo más a la cara, ni le permitiré formar entre las filas de mi ejército, donde gracias a Dios no hay un solo cobarde.

Y ninguno se atrevía a provocar contra sí aquella manera de proceder. El que tenía odios personales por el sacrificio de algún pariente o por vejámenes personales recibidos, huía más bien del contacto de los prisioneros, para que la ira no fuera a dominarlo y hacerlo faltar a lo prometido por todos al caudillo.

Cuando el Chacho supo que el ejército de Sandes contramarchaba para Córdoba, a buscar nuevos elementos y mayores fuerzas, decidió en el acto darle un nuevo golpe para demostrarle su gran superioridad como enemigo en el género de guerra que había adoptado. Y calculando bien la dirección que llevaba, dio un gran rodeo para ir a salir delante del ejército y emboscarse en algún paso forzoso.

Ya lo había sorprendido en el campamento y en la misma persecución; ahora, como marchaba observando la mayor vigilancia a vanguardia y retaguardia, era preciso franquearlo y deshacerlo, aun fuera de territorio riojano. Así sabrían de todo lo que él era capaz, y a lo que se exponían si persistían en la pretensión de dominar a La Rioja por la fuerza.

Así, mientras el ejército de Sandes marchaba pesadamente, luchando con la postración de sus soldados y toda clase de miserias, con los caballos cansados, y temiendo que las fuerzas del Chacho, rehechas, fueran a alcanzarlo, estas, livianas y descansadas, ágiles y operando en terreno que conocían palmo a palmo, describieron un gran rodeo a trote y galope, yendo a salir a más de diez leguas a vanguardia de Sandes, donde se emboscaron alegremente.

Para un caso necesario, la Victoria seguía la rastrillada de Sandes con todas las reservas del Chacho, con el doble objeto de hacerse sentir a la retaguardia, si era necesario llamar por ahí la atención del enemigo y el de proteger al Chacho en caso de apuro. Así el lazo que se le tendía al ejército nacional era sumamente hábil y tenía que dar resultados famosos.

La división que el Chacho llevaba era una división ligera, aparente para la operación que proyectaba, pues él opinaba siempre que las sorpresas debían hacerse con el menor número de fuerzas posible.

Una vez que salió delante del ejército de Sandes, siguió marchando, siempre en semicírculo, hasta que llegó a un naranjal donde se emboscó perfectamente. Allí había una gran aguada, y allí forzosamente debía caer Sandes para dar de beber a la tropa y a las caballadas. Una vez emboscado allí, despachó cinco de sus rastreadores, para que avanzaran de distancia en distancia y le hicieran saber en el acto que el enemigo cambiase de dirección.

Dos días estuvo allí perfectamente oculto, sin recibir la menor noticia, lo que quería decir que Sandes venía derecho a aquel paraje, pues de otro modo ya sus rastreadores se lo habrían hecho saber. Estos regresaron el tercer día juntos, con noticias exactas, pues uno de ellos se había metido entre las mismas fuerzas de Sandes. El ejército traía un baqueano de Catamarca, que lo llevaba precisamente a aquella aguada.

-Siento mucho porque van a creer que es un espía mío que los ha traído derecho a la emboscada, y lo van a matar si tienen tiempo.

-Ellos creen -siguió diciendo el rastreador- que nos hemos quedado en La Rioja, y por si acaso los seguimos traen mucha vigilancia a retaguardia. Cómo van a soñarse los pobres que los estamos esperando aquí.

Es que realmente la maniobra del Chacho era insospechable; no podía suponerse que hubiera hecho aquella gran marcha de flanco para ir a emboscarse a la vanguardia de ellos.

Mucho antes de caer la tarde, sintieron ya el ruido y el bullicio del ejército que se aproximaba alegremente con la certeza que iban a tener agua en abundancia. El paraje no podía ser más aparente para campar, viéndose bien pronto, por las disposiciones tomadas, que esta era la situación del ejército.

Rodeando la parte de la aguada que estaba fuera del monte, el ejército acampó alegremente y empezó a tomar todas aquellas disposiciones que indicaban ir a pasar allí la noche. Mientras unos iban a la leña, otros elegían de las caballadas los burros o caballos menos servibles para carnear y comer, pues no había que pensar en hacienda vacuna, hasta que no la hallaran al paso casualmente, o llegaran a la provincia de Córdoba. Los soldados no tenían más armas consigo que la bayoneta los infantes y el sable los soldados de caballería, que aún no se lo habían desprendido, no por precaución sino por costumbre. Los fusiles habían quedado en pabellón, junto con las monturas y pilchas, cuidados por pocos milicos.

Los que no estaban en comisión a la leña o a la carneada, se ocupaban en preparar las estacas donde habían de atar su caballo a la noche, o improvisaban un toldito como Dios los ayudaba, o acomodaban las pilchas[1] andrajosas y miserables. Los asistentes se ocupaban en calentar agua para dar mate a su oficial, mate de cualquier hoja seca, pues lo que es yerba nadie tenía más que una narigada, y eso como quien tenía una cosa de otro mundo.

En menos de un cuarto de hora el campamento estaba perfectamente arreglado. Ya brillaban cien fogones diseminados por todas partes, y se veían llegar disparando los milicos que venían de la carneada, quien con una picana, quien con un riñón, quien con un pedacito de carne revolcada para hacer un churrasco, mientras se repartía a las compañías la carne que les había tocado.

---

[1] Pilcha: prenda de vestir

Algunos oficiales se habían agrupado y escondido para carnear un burro gordo sin que nadie los viera, mientras otros sentados sobre las caronas de su recado descansaban las fatigas de la marcha, contando con que los compañeros los habían de convidar con lo que tuvieran. El coronel Sandes estaba con todos los patos, según la expresión de sus milicos. No podía conformarse con haber sido sorprendido dos veces y haber tenido que retroceder, con su ejército medio desmoralizado. Y reflexionaba sobre la manera de seguir aquella campaña penosa, de un modo eficaz y que prometiera mejores resultados.

La tropa, una vez repartida la carne, se entregó a churrasquear alegremente, olvidando su situación angustiosa, mientras jugaban las mandíbulas en medio de mil dicharachos graciosísimos y de ocurrencias sabrosas. El soldado en el campamento, y mientras come, se olvida de todo; vive de aquel único momento, sin recordar el ayer ni pensar en el mañana, porque no hay nada capaz de turbar su digestión más o menos plácida. Las bayonetas como los sables habían sido desprendidos de la cintura, para andar más libremente, puesto que nadie pensaba ni remotamente en la presencia de enemigo alguno.

El Chacho al principio había resuelto esperar la noche para dar su sorpresa, aprovechando el sueño a que todos se entregarían, pero bien pronto cambió de modo de pensar. El servicio de noche se establecía con todo rigor adaptándose mil precauciones de seguridad que harían incompleta la sorpresa. Concluida la comida, los soldados se diseminarían por el campamento con mil diferentes objetos, y si algunos entraban, como que entrarían, al monte, su emboscada quedaba descubierta, la alarma cundiría por todas partes y el gran golpe no solo se habría perdido sino que ellos quedaban en condiciones muy desventajosas. Así es que modificando todo su plan, resolvió dar el golpe en el acto, aprovechando el momento de la comida, como el de mayor distracción. Hizo montar a caballo silenciosamente y cuando menos se acordó Sandes, se lanzó sobre el alegre campamento de una manera impetuosa y brava. La mitad de su tropa fue lanzada del lado de las caballadas con el objeto de hacerlas disparar para evitar toda su persecución, mientras la otra mitad, guiada por el Chacho mismo, caía sobre los pabellones y los grupos de soldados que alrededor de los fogones churrasqueaban perezosamente.

La confusión fue tremenda, porque los soldados habían visto avanzar el grupo como fuerza de ellos mismos y solo se dieron cuenta de lo que pasaba cuando sintieron encima el sable y la lanza de los montoneros.

-¡A formar! ¡A formar! -gritaban los oficiales, animando a los soldados para que no se dejaran dominar por el pavor; pero ¿quién formaba en aquella confusión espantosa, y cuando los pabellones eran lo primero que habían rodeado los montoneros para apoderarse de las armas? Y las voces de a formar se perdían entre el estruendo general del combate.

Una vez que habían hecho disparar las caballadas, los soldados encargados de ello habían vuelto a rodear al Chacho, que no daba descanso al enemigo.

El coronel Sandes, verdaderamente enfurecido al verse víctima de una tercera sorpresa, no se había detenido a averiguar qué enemigo era aquél, no imaginándose nunca que pudiera ser el Chacho. Y se había lanzado entre la artillería, con el doble objeto de salvar las piezas y animar a aquellos soldados, entre los cuales no habían llegado aún los enemigos.

Los momentos no podían ser de mayor apuro, porque los soldados huían aterrados, al ver que no podían llegar donde estaban sus armas. Era preciso proceder con la mayor rapidez y energía, si no querían caer todos, miserablemente, prisioneros de aquel enemigo audaz y bravo. Sandes, rodeado por algunas compañías de infantería que estaban campadas al lado de la artillería, hizo cargar apresuradamente las piezas, y disparar hacia donde estaba la mayor agrupación de enemigos, sin detenerse en que sus soldados iban también a caer bajo la metralla; era el único medio de salvar al ejército, puesto que no había otras armas de que poder valerse. Los primeros disparos hicieron un estrago bárbaro, puesto que los cañonazos se sucedían unos a otros, a boca de jarro, sembrando la muerte y el terror entre amigos y enemigos.

El Chacho podía haber cargado sobre los cañones y apagado sus fuegos, como lo había hecho otras veces. Pero él no quería sacrificar gente en hechos de armas que, de todos modos, no podrían ser decisivos. Su objeto había sido dispersar y aterrar al ejército, arrebatar las caballadas y tomar todo el número de armas que le fuera posible, sin que el enemigo, a pie, pudiera hacerle daño, ni perseguirlo, ni hostilizarlo en la retirada. Y su objeto había sido rápidamente logrado: había hecho dispersar las caballadas del enemigo y había tomado gran número de lanzas, sables y fusiles, sin que el enemigo, que no podía llegar a sus armas, le hubiera hecho el menor daño. Así es que cuando la artillería empezó a causarle verdadero estrago, decidió retirarse en el acto, seguro ya de que en mucho tiempo no sería molestado por el ejército nacional, sin contar con que él, con buenas y abundantes armas, tenía tiempo de sobra para prepararse a una nueva y eficaz campaña.

El Chacho había llegado al colmo del orgullo y la satisfacción: acababa de vencer definitivamente al ejército nacional, fuerte y aguerrido, imposibilitándole para proseguir la guerra. Así, para evitar el daño que podía seguir haciéndole la artillería, tocó reunión y empezó a retirarse al trote; pero dividido en numerosos grupos para que el fuego de cañón no pudiera causarle grandes bajas.

Viendo que el enemigo se retiraba, y a la voz de sus jefes y oficiales, los soldados empezaron a reaccionar y a reunirse sobre la artillería, recogiendo las armas diseminadas por todas partes. El campo estaba sembrado de muertos y heridos siendo muy escasos los que había dejado el enemigo. Este se había situado a una legua de distancia, sobre una loma desde donde contemplaba risueño los esfuerzos que por reunirse hacían, y la impresión que aún reinaba entre ellos.

La desesperación de Sandes al verse a pie y privado de todo recurso para perseguir a aquel enemigo que a tan corta distancia los burlaba, había llegado a su colmo. No había en el campamento más caballos que los de la artillería, que estaban cerca de las piezas, y algunos de jefes y oficiales que no habían sido soltados entre la caballada general, que disparó en grandes trozos; siendo arriados muchos de ellos por los montoneros, que se alejaban con ellos para ponerlos a salvo de cualquier casualidad o contratiempo.

Cuando por los pocos prisioneros que se tomaron supo Sandes que quien lo había sorprendido era el Chacho, su asombro y su ira no conocieron límites. Y se puso a paso de trote, con su infantería, sobre aquel enemigo que los burlaba desde la loma, creyendo que lo esperaría envalentonado con el éxito de la empresa.

El Chacho los dejó avanzar, pero cuando hubieron salvado la mitad de la distancia que lo separaba, volvió a ponerse en marcha al trote, golpeándose la boca y dando gritos de burla que hacían perder los estribos a Sandes.

No había más remedio que aceptar la situación dolorosa en que se hallaban, resignándose a abandonar el campo, corridos, mientras llegaba el día indudable del desquite. Y convencido que otra cosa sería aumentar la vergüenza desesperante de aquella situación, el coronel Sandes regresó al campamento, dispuesto a seguir su retirada.

La noche empezaba a cerrar, y el peligro aumentaba cada vez más, porque si el enemigo volvía a la noche y los cargaba, podía ponerlos en muy serios apuros. El coronel Sandes hizo formar cuadros a la infantería, dentro de los cuales guardó los cañones, agrupó a la caballería desmontada cerca de las piezas y se dispuso a pasar así la noche, único modo de repeler ventajosamente cualquier ataque. Y como mayor precaución, soltó uno de los prisioneros para que fuera a decir al Chacho que, a la menor hostilidad que les hiciera aquella noche, pasaría a degüello a los demás prisioneros, sin distinción de oficiales o tropa. Siempre estos eran unos ochenta hombres, cuya vida alguna consideración había de imponerles.

El Chacho, al recibir el mensaje, soltó otro de los prisioneros que de Sandes tenía, para que dijera a este a su vez, que si tocaba el cabello de uno solo de los prisioneros que tenía en su poder, él lancearía en el acto a los que había llevado consigo. El Chacho despachó gran parte de su ejército, para que llevara las armas, caballadas y prisioneros tomados, quedándose él con una fuerza ligera, para hostilizar en su retirada a Sandes todo lo que pudiera; no era el objeto de matarle gente, sino de tomarle los rezagados y las armas que abandonaran en la marcha.

El coronel Sandes pasó toda la noche de la manera que lo hemos dicho, sintiendo las carcajadas de las tropas del Chacho, que les hacían un millón de burlas. Y siempre en cuadro y siempre atento, al otro día, apenas amaneció, emprendió la retirada más penosa de que haya memoria.

El Chacho no quería hacerle todo el daño que hubiera podido, porque no quería agravar la situación de los prisioneros que le llevaba Sandes y que no había podido arrebatar porque iban entre los cuadros de la infantería, donde no era posible acercarse mucho sin recibir un fuego tremendo.

Los soldados no podían separarse de las filas un momento, sin peligro de ser hechos prisioneros, y ya el cansancio empezaba a ser insoportable. Sandes quería apresurar la marcha y hacer largas jornadas, pero a pie y cansada la tropa se veía obligado a hacer altos cada una o dos leguas.

El Chacho, sin hostilizarlo, venía tomando todos los rezagados del camino y recogiendo las pilchas que el cansancio les hacía arrojar.

A pie y mortificados por el hambre y la sed, hasta pensaban muchos que era preferible rendir las armas a seguir mucho tiempo así, pues si aquella situación se prolongaba no iban a poder resistir. Dos días de horrible angustia duró aquella retirada tremenda. Ya los soldados se iban durmiendo en la marcha pues la noche la pasaban más atentos que el día, temiendo que el Chacho se les echara encima y les diera el golpe de gracia.

A la segunda noche, el Chacho emprendió su marcha de regreso hacia La Rioja, satisfecho y orgulloso de su campaña y de la conducta de sus tropas.

Los soldados prisioneros, una vez que se les despojó de las armas y correajes, fueron dejados en el camino, libres de irse adonde mejor les pareciera. Y era tal el cansancio y la postración, que el primer uso que hacían de la libertad concedida, era echarse a dormir en medio del campo. Y al despertarse, seguían una marcha al acaso, buscando la incorporación de Sandes o del diablo, que al fin les era indiferente.

Solo tres oficiales llevaba el Chacho consigo hacia La Rioja, y eso, como garantía de la vida de sus prisioneros, que ya sabía él el fin que les esperaba en poder de las tropas regulares. Esta conducta del Chacho le había captado grandes simpatías entre las fuerzas del gobierno que conocían su conducta por los mismos prisioneros que regresaban libremente y que referían la manera como eran tratados por el caudillo riojano, mientras ellos hacían una verdadera guerra de exterminio o vandalaje, saqueando a las poblaciones, destinando a sus hombres a las tropas de línea y lanceando los pocos prisioneros de guerra que llegaban a tomar.

-Tanto va a hacer el coronel -exclamaban mortificados, que al fin el hombre se va a cansar y nos va a tratar de la misma manera.

Sandes llegó a Córdoba, donde empezó a organizar a gran prisa el nuevo ejército con que había de volver sobre el Chacho. Los contrastes sufridos le habían irritado de una manera poderosa, solo pensaba en tomar cuanto antes un desquite ruidoso, pues con aquel fracaso su crédito militar quedaba muy mal parado. Bravo hasta la exageración y tan tenaz como bravo, no se preocupaba de las penurias que tendría que pasar dado el modo de hacer la guerra que tenía el Chacho. Y estaba resuelto a marchar hasta La Rioja misma, de cuya capital se apoderaría obligando al Chacho a dar una batalla, o a entregarse por fin a las fuerzas del gobierno.

"Sin elementos de guerra ni de vida, sin dinero y convencidos de que no había lucha posible, al fin se entregarán, pensaba, o combatirán y concluiremos con ellos."

¡Oh! ¡Sandes no tenía idea de toda la constancia y abnegación de que era susceptible aquel gran caudillo, y la adoración ciega que por él tenía el pueblo riojano! Es que él a su vez les había manifestado que aquello no eran más que los preliminares de la guerra terrible y sin cuartel que les traería el gobierno.

-Han de venir con mayor número y con mayores pretensiones de someternos -les decía-, y la guerra va a ser larga y cruda. Necesito el apoyo de todos y el esfuerzo de cada uno, para que salgamos airosos de la nueva campaña rechazando otra vez al cruel enemigo.

Y no era ya solo el pueblo riojano el que lo rodeaba, dispuesto a hacer todo género de sacrificios por seguir al Chacho. Eran también las poblaciones de Santiago y Catamarca, que se plegaban a su causa, aterradas por los horrores que entre ellos habían cometido las fuerzas del gobierno. De todas ellas se habían sacado hombres para remontar los cuerpos de línea; en todas ellas se habían cometido abusos de todo género, en sus familias o en sus negocios, y las poblaciones se habían aterrado viendo el triunfo de semejantes tropas como la peor de las calamidades. Por esto es que de todas partes se presentaban al Chacho infinidad de voluntarios, que este se veía obligado a aplazar por falta de armas.

-No importa -gritaban ellos entusiasmados-, un garrote nos basta, pues dondequiera que vaya nuestro Chacho, con él irá la victoria.

Es que lo creían invencible, y no se preocupaban mucho de las armas, pues ya le irían quitando al enemigo las suficientes para armarse todos. Mientras no salieran de La Rioja no carecerían de alimento necesario. Ahora, el día que los obligaran a salir, ya se encargaría el enemigo de proveerlos de todo aquello que pudieran necesitar.

-Y desde que Córdoba les da cuanto necesitan para hacernos la guerra -dijo el Chacho-, Córdoba será también quien provea a nuestras necesidades.

El caudillo invencible

La guerra puede decirse que empezaba recién, con todos los horrores que debía levantar. Alarmado el gobierno con la actitud amenazadora de las provincias que obedecían al Chacho, envió a Sandes todo género de elementos para que imprimiera a la campaña toda la actividad eficaz que debía tener.

El gobierno se engañaba como se engañaba el coronel Sandes. Sin armas, sin dinero y sin soldados para contrarrestar el poder del gobierno nacional, este pensaba que el Chacho no podría resistir mucho tiempo y se vería obligado a entregarse o a combatir, obteniéndose de cualquiera de los dos modos el resultado de pacificación necesario para la reorganización de la República.

Un ejército sin recursos y al que no se dejaba un solo momento de reposo, no podría resistir mucho tiempo, era indudable, pues lo que no hicieran las armas lo haría la miseria. El Chacho iba a tener que luchar, no solo con el ejército nacional, sino contra todas las provincias, y era imposible que pudiera hacerlo mucho tiempo. Y engañado con este modo de pensar, y con estos falsos cálculos, remitieron a Sandes cuanto este pidió para el mejor éxito de la nueva campaña que emprendía.

Sandes, sumamente enérgico, empezó por ir ocupando todas las provincias del tránsito, hasta dejar bien cimentada en ellas la autoridad del gobierno nacional y la suya propia, que era su comisionado y representante. Así dejaba su espalda bien guardada para un caso de contraste, pudiendo acudir a cualquiera de ellas por los elementos que pudiera necesitar. Pero él se imponía con tanta crueldad y de una manera tan tiránica, que eran más los odios que las simpatías que levantaba.

Él tomaba en el comercio de las provincias todo cuanto necesitaba, dando vales contra el gobierno nacional. Pero todos recibían aquellos vales con el mayor desagrado, porque sabían el trabajo inmenso y los grandes gastos que tendrían para poderlos hacer efectivos. Y no tenían más remedio que aceptarlos reconocidos, pues al que no quería vender en esa forma, el coronel le mandaba quitar a la fuerza lo que necesitaba, y esto venía a ser peor todavía.

Una vez que el Chacho tuvo noticias de la nueva campaña que se abría contra La Rioja, adoptó un sistema bien diferente al del gobierno y al de su comisionado militar.

-Ellos aseguran que somos unos salvajes, que no nos detenemos en nada -dijo a sus jefes reunidos en consejo-, y esto lo creerán todos los pueblos de la República, puesto que no oyen más palabras que la de ellos. Es necesario que se sepa que esto no es cierto, que son ellos los que cometen todo género de horrores, y que si nosotros combatimos es por librar a La Rioja del puñal y del saqueo, que ellos han levantado como victoria de dominación.

-¿Pero cómo se puede hacer conocer esta verdad, aislados como estamos del resto de la República? -preguntaban sus jefes, conformes en todo con la manera de pensar de Peñaloza.

-¡Oh! muy fácilmente -respondió el Chacho-; son ellos mismos los que nos van a hacer conocer.

Al día siguiente reunió en la plaza de La Rioja a todos los prisioneros que tenía, y les echó una proclama llena de nobleza en la que estaba revelada la elevación de sus sentimientos hidalgos.

-El coronel Sandes abre contra nosotros una nueva y cruda campaña -les dijo-, porque somos unos bárbaros a quienes es preciso someter. Es preciso que se sepa que no somos unos bárbaros, que hacemos la guerra solo porque a ella nos provocan, y que los prisioneros de guerra son tratados entre nosotros como hombres, como hermanos y no como fieras. Es necesario que se sepa también que estamos dispuestos a combatir hasta el último aliento, por conservar la integridad de La Rioja, e impedir que vengan a tratarnos como a tribus de indios. Ustedes son los encargados de hacer saber todo esto, en la simple narración de lo que han visto y de lo que nos ha sucedido. Yo no les pido sino que digan la verdad, la estricta verdad y puedan desmentir todas las calumnias que se han hecho correr. Desde este momento están ustedes en absoluta libertad para regresar entre los suyos, y hacer presente al coronel Sandes que lo esperamos dispuestos a vender la vida lo más caro que nos sea posible.

Los prisioneros quedaron asombrados ante las sencillas y tocantes palabras del Chacho, no comprendiendo cómo un hombre de aquellos sentimientos y de aquel modo de proceder podía estar titulado de bandido feroz y sanguinario.

Media hora después cada prisionero tenía una mula a su disposición para emprender la marcha cuando le pareciera más conveniente. El Chacho no les daba dinero para el camino, según les había dicho, porque no lo tenía y porque no lo necesitaban. Basta que dijeran que eran prisioneros a quienes el Chacho había vuelto la libertad, para que fuesen socorridos en todas partes.

No hubo uno solo de aquellos hombres, que aprovechara inmediatamente la libertad que se les había dado. Ellos habían hecho ya sus relaciones y amistades, habían contraído afectos tan íntimos, que no podían romper violentamente sin haber dado el derecho que se les tratara de desagradecidos. Todos ellos estaban alojados en casas de familia, donde se les trataba fraternalmente y donde pasaban la vida de una manera agradable y feliz. Algunos habían llegado hasta contraer amoríos, amoríos de aquellos que ligan el corazón de una manera poderosa y que se sobreponen a todo otro pensamiento y aún el deber mismo. La hermosura de aquellas mujeres puras e inocentes los atraía con fuerza irresistible, y les pesaba salir de La Rioja, bajo cuyo clima poderoso habían sentido una nueva vida llena de encantos y de promesas.

La mayor parte de los prisioneros empezaron a hacer sus preparativos de viaje, pero muchos de ellos se decidieron a quedarse en La Rioja, de tal manera que un oficial Méndez, de la misma escolta de Sandes, devolvió al Chacho la mula que le había dado para el viaje, diciéndole:

-Yo no me voy de La Rioja aunque me echen, yo me quedo aquí hasta el día del juicio final.

El Chacho sonrió, y por toda respuesta estrechó la mano de aquel joven.

-He ahí -dijo a los suyos-, la mejor manifestación de que no somos los bandidos que se dice cuando los prisioneros no quieren salir de aquí.

Los partidarios más influyentes se oponían a que el Chacho dejara ir ningún prisionero.

-Es preciso conservarlos aunque más no sea como rehenes -le decían-, como garantía de la vida de los que ellos nos han tomado.

-Nada conseguiremos con esto -respondía el Chacho tristemente-, porque estoy convencido que de aquellos prisioneros no vive uno solo. Demasiado sabemos que lo primero que hace esa gente es matarlos de una manera infame.

-¿Y por qué no hemos de hacer nosotros lo mismo? ¿Por qué no le hemos de pagar en la misma moneda? Tal vez de este modo nos tratarían con mayor consideración.

-Primero porque con ser crueles y feroces no vamos a remediar nada ni a resucitar los muertos, y segundo porque ni los soldados ni los oficiales tienen la culpa de lo que mandan hacer los jefes. ¿Sería noble que paguen delitos aquellos que no los cometieron? Entonces sí les daríamos el derecho de tratarnos de bandidos feroces, perdiendo nosotros el que tenemos de llamarlos asesinos cobardes. Nuestro proceder es precisamente lo que justificará nuestra causa santa, haciéndola simpática a todos los que la conozcan, y son precisamente estos prisioneros a quienes ponemos en libertad, los que han de levantar aquellos infames cargos, con la narración de lo que a ellos ha sucedido. No manchemos nuestra causa con sangre inocente -concluía siempre-, que demasiado tendremos que derramar en lucha leal y noble.

Así los partidarios de las represalias tenían que renunciar a sus teorías convencidos de la razón que asistía al Chacho, y de que indudablemente aquel era el proceder más noble y conveniente.

La mujer del Chacho, por su parte, sostenía con elocuencia las teorías de su marido siendo la más decidida protectora de los prisioneros hechos a Sandes. Ella era quien cuidaba personalmente que no les faltara nada y que no tuvieran la menor queja de la manera como se les había tratado.

Los prisioneros que decidieron regresar, no lo hicieron sin presentarse al Chacho y a Victoria, para expresarles su agradecimiento.

-No vamos al ejército para volver como combatientes -decían-, pero si a ello se nos obliga, y no podemos resistir, pueden ustedes estar seguros que no tendrán en nosotros enemigos implacables sino hermanos agradecidos que solo desean ocasión de devolver el bien recibido.

-Aquí no se obliga a servir a nadie -decía el Chacho orgulloso de sus propias palabras-; en La Rioja el hombre es tan libre como el aire. El que quiere servir sirve, y el que no quiere se queda en su casa sin que nadie lo moleste en manera alguna. Yo creí que lo mismo sucedería entre ustedes, que son hombres civilizados, pero veo que me equivoco.

Los prisioneros se retiraron avergonzados, apreciando entonces en toda su fuerza lo que valía aquel corazón hidalgo y comprendiendo el porqué del cariño fanático que el valiente caudillo inspiraba a los suyos.

El respeto de la libertad individual llegaba al extremo de que el Chacho había hecho ya muchas veces las siguientes manifestaciones.

-Yo peleo porque defiendo el derecho y la libertad de La Rioja, amenazada de la esclavitud más vergonzosa. Todo hijo de La Rioja tiene el deber de acompañarme y luchar hasta el último extremo. Pero el día que se cansen, el día que quieran tomar otra resolución, no tienen más que decírmelo, y ese día licenciaré el ejército y me retiraré a morir tranquilamente en Chile. En las filas del ejército no hay más que voluntarios, voluntarios que pueden abandonarlas el día que quieran, sin pedir permiso a nadie; ya saben que el Chacho no es quien había de obligarlos a hacer lo que no quisieran.

Y con la conciencia de que aquello era una verdad absoluta, nadie se separaba del ejército, sino por la causa más grave, sin solicitar del Chacho una licencia, regresando en el acto que esta vencía.

En el ejército del Chacho no se conocían estos castigos severos tan usados en los ejércitos regulares. Los azotes y la muerte no se habían aplicado jamás, porque Peñaloza tenía castigos más terribles sin ser bárbaros ni dignos de reprobación. Dos eran los delitos con los que el general Peñaloza no transigía por nada de este mundo, ni aun por los ruegos de la Victoria a quien amaba con idolatría. Estos delitos eran el robo y el asesinato.

-Nadie tiene derecho de tocar lo ajeno ni de atentar contra la vida ajena.

Y el ladrón y el asesino eran arrojados de sus filas adonde no podrían volver jamás, porque los ladrones o los asesinos no tenían el derecho de mezclarse a los soldados de la libertad.

Un ejemplo triste estaba siempre presente en el corazón de aquellos leales soldados. Un oficial del Chacho, por ejercer una venganza, dio muerte alevosa, apuñalándolo por la espalda, a un hombre que jamás había merecido el menor reproche de nadie. Pero este oficial, no habiendo tenido el coraje de provocarlo a una lucha leal, lo había asesinado con toda cobardía. La hija de la víctima, testigo ocular del hecho, vino a quejarse al Chacho, narrando con la mayor desesperación lo que había sucedido y añadiendo que quedaba en la más cruel miseria, puesto que su padre era la única protección que tenía en el mundo.

El Chacho llamó al oficial, quien en presencia de la joven no pudo negar el crimen de que se le acusaba dando como disculpa los motivos de venganza que lo habían inducido al crimen. El Chacho no era gobernador, pero sus sentencias se cumplían al pie de la letra, primero porque no había quien las resistiera, y segundo, porque tenía en sus manos la fuerza y el poder de hacerlas cumplir.

En el acto reunió a los principales jefes de su ejército, en presencia de la desolada joven y del asesino, narrándoles lo que sucedía.

-Esto es monstruoso -concluyó con voz que la indignación hacía temblar-; yo condeno a este hombre a que durante su vida entregue a esta joven la mitad de todo dinero o cosa que lo valga, que caiga a sus manos, y pido se le quite el uniforme que deshonró prohibiéndole de que jamás y en ningún caso pueda formar parte del ejército de La Rioja.

Allí mismo se le quitaron las prendas de uniforme que vestía y se le despojó de sus armas, y aquella resolución tremenda, con su causa, fue hecha conocer a todo el ejército por medio de los jefes y oficiales de cada cuerpo. Y el joven salió del campamento aquel mismo día, bajo el desprecio de todos sus compañeros de armas. Aquel crimen había producido en el Chacho la indignación mayor que había sentido en su vida.

Un mes más tarde y cuando el ejército se movió para operar sobre Sandes, el joven, en cuyo físico el remordimiento había hecho serios estragos, se empeñó con la Victoria para que esta le consiguiera el perdón del Chacho, en la parte que se refería a la expulsión del ejército, porque quería hacer la campaña. Compadecida Victoria fue a ver al Chacho, pero a sus primeras palabras este la detuvo diciéndole:

-No te empeñes jamás por un cobarde asesino, cuya sola presencia mancha nuestras armas; con el perdón de uno solo, romperías la moral de todo el ejército.

Victoria no insistió y convencido el joven de que el Chacho no cedería ante nada, cuando marchó el ejército se confundió entre la tropa de uno de los regimientos, resuelto a borrar su falta con algún hecho heroico.

El Chacho tuvo conocimiento de lo que pasaba, y al acto mandó venir a su presencia al joven criminal.

-Usted no puede formar en las filas del ejército -le dijo-, porque usted es un asesino; es inútil que se presente, porque será arrojado en el acto.

-Yo tengo el derecho de ir a pelear por la libertad -respondió el joven-, y usted no puede arrancarme ese derecho, mi general; déjeme siquiera ir a morir por ella en el primer combate.

-Ese es un derecho que no lo tienen sino los hombres honrados -respondió el Chacho severamente-, y usted es un asesino que solo merece que se le escupa en la cara.

El joven no pudo resistir aquellas severas palabras, y sacando de su cintura un largo puñal, miró fijamente al Chacho y le dijo:

-Mi general, yo estoy arrepentido de lo que hice y demasiado me ha castigado usted ya, quiero volver al ejército, permítamelo usted, o me abro el corazón de una puñalada.

-Usted sabrá lo que hace -respondió Peñaloza-; lo que es en mi ejército he dicho ya que no pueden formar ni los asesinos ni los ladrones.

El joven levantó lentamente el puñal, y miró con fijeza al Chacho, que no hizo el menor movimiento para turbar su acción, como no lo hicieron tampoco los numerosos testigos de aquella tocante escena.

El joven entonces bajó el brazo en un movimiento rápido y enérgico y hundió en su pecho aquel largo puñal que fue a atravesarle el corazón. Y cayó como herido por un rayo a los pies de Peñaloza.

-¡Es lo que debía haber hecho desde el primer momento! -exclamó el Chacho-. Los asesinos cobardes están de más en el mundo. -Y se alejó de allí apartando, para pasar, el cadáver con el pie.

Aquel suceso hizo una impresión inmensa, no solo en el ejército sino en toda La Rioja. Y fue tal la influencia que tuvo en las masas que ni en el ejército, ni fuera de él volvió a cometerse un asesinato. Aquella manera de castigar del Chacho, los había aterrado.

En las épocas más miserables, cuando el ejército de Peñaloza perecía de miseria, cuando no tenían ni un puñado de yerba con que tomar mate, el gran caudillo mandaba a los pueblos diferentes comisiones, para que pidieran a los negociantes una suscripción de yerba y azúcar con que engañar el estómago de sus soldados. No hubo ejemplo de que un soldado entrara a robar a una pulpería, por más apremiante que fuera su necesidad. Empeñaban sus prendas, hasta la ropa muchas veces, para conseguir un poco de yerba o azúcar pero ni siquiera intentaban hacer una estafa, porque sabían lo que aquello les habría costado.

Mientras el Chacho tenía, era a él a quien acudían para que les prestara dinero, porque teniendo el Chacho tenían todos. Y cuando este no tenía ni prendas que empeñar, se apretaban la barriga y esperaban pacientemente mejores tiempos. Así se veía que la entrada del Chacho a un pueblo amigo o enemigo, no era motivo para que se cerraran ni las casas de negocio ni las de familia, por el contrario, estaban más garantidos que nunca.

En cambio, cuando el ejército nacional campaba, aun fuera del pueblo, los negocios y las casas se cerraban temerosamente, porque en unos y en otras se cometía todo género de abusos y desmanes. Los mismos jefes que compraban por cuenta del gobierno y a su nombre, dejaban en pago vales, cuyo cobro casi imposible ya conocemos. Esto, cuando no vaciaban una casa de negocio sin vale de ningún género, porque su dueño era chachista y enemigo del gobierno.

El Chacho sabía recompensar la ayuda eficaz que recibía de los negociantes. Cuando hacía al enemigo una buena presa, de cualquier género que fuese, daba a sus tropas aquello que podían llevar cómodamente y el resto lo repartía entre los negociantes del pueblo más cercano. Las grandes partidas de cueros que iban de una a otra provincia, o de otros artículos que sus soldados no podían aprovechar, los cambiaba por yerba y azúcar para la tropa. Por esto era que nadie se alteraba en presencia de fuerzas del Chacho: al contrario, en todas partes eran recibidas cordialmente y como buenos amigos.

Hemos visto que los prisioneros mismos, tomados por el Chacho, muchos se habían quedado en La Rioja, donde encontraban más garantías que entre los suyos, puesto que allí a nada se les obligaba, pudiendo hacer un uso absoluto de su libertad, mientras que entre los suyos, por lo menos serían obligados a prestar servicio militar.

La campaña fue abierta así, con una fe profunda en el resultado por parte del Chacho, y con un encono formidable por parte del ejército nacional, que con sus abusos inicuos y sus injusticias irritantes, había levantado en su contra el odio de todas aquellas buenas poblaciones.

El enemigo invencible

Sandes marchó en demanda del Chacho, en la esperanza de poder hallarlo, obligarlo a dar una batalla y deshacerlo, porque con sus tropas mal armadas y peor disciplinadas no podría resistir a sus batallones y regimientos de veteranos.

El Chacho trató de esquivar ese encuentro, marchando por distinto camino, con intención de salir a retaguardia del ejército y darle un buen golpe si así le convenía, o darlo en Córdoba, Tucumán o cualquiera de las provincias que lo ayudaban contra La Rioja. Y así, mientras Sandes marchaba en su busca, él podría hacerse de elementos y de recursos en las provincias mencionadas, sobre todo en Córdoba que era la que más ayudaba al enemigo, en hombres y en elementos. Allí solían estar los recursos de Sandes, y allí debían tener los proveedores almacenados los víveres destinados al ejército nacional.

Una vez que el Chacho se colocó a retaguardia de Sandes, empezó a marchar en sentido inverso, sobre la misma rastrillada que aquel había dejado. ¿Quién había de suponerse que por el mismo camino por donde iba Sandes había de aparecer el Chacho con todo su ejército?

Los proveedores, seguro el camino, habían quedado muy atrás, puesto que ningún peligro podían temer en su marcha.

Aquella hábil maniobra del Chacho no tardó mucho en darle el resultado que buscaba. Campado una noche en uno de los campamentos que poco antes había ocupado Sandes, tuvo aviso por sus rastreadores de una gran arria de mulas seguida de muchas carretas, que marchaban hacia donde ellos estaban.

-Ese tiene que ser por fuerza un convoy de víveres para el enemigo -dijo el Chacho-, y como van sobre el rastro del ejército, la escolta deberá ser escasa.

-Unos doscientos hombres -respondieron los rastreadores-, que parecen provincianos, por su traje y por sus armas.

-Cordobeses sin duda; ya llevarán su merecido -y se emboscó en el acto a los lados del camino, para dejar pasar el gran convoy y darle caza a la altura más conveniente.

Era aquel efectivamente el convoy de la proveeduría, que buscaba estar siempre a corta distancia de Sandes, para poder atender sus pedidos con mayor rapidez. Este convoy se componía de cargueros y carretas, donde iban los víveres secos del ejército, en gran cantidad, y una magnífica tropa de novillos, de los que podían comer un mes abundantemente. Como iban detrás del ejército, y a muy corta distancia, según lo suponían, llevaban aquella escolta de doscientos guardias nacionales, más por fórmula que porque creyeran necesitarla, puesto que suponían al Chacho en La Rioja.

Ante perspectiva tan famosa, los soldados del Chacho se trasformaron por completo. Al fin iban a comer a discreción, a tener cómo tomar mate y cómo fumar en abundancia. Fue tal la alegría de aquellos buenos y leales soldados, que tuvo que intervenir el Chacho para hacerles guardar silencio y que su algazara no fuese a ser sentida por los arrieros que venían a la cabeza.

-Dejaremos pasar todo lo que traen -dijo el Chacho-, para que no puedan salvar nada, y una vez que haya pasado la última carreta y el último animal, saldremos nosotros a cerrar la marcha, y a arriarlos a nuestra vez por el camino que más nos convenga. -Y todo salió así, a medida del deseo manifestado por el gran caudillo.

Entonando sus más alegres cantos, pasó el arria primero, las carretas después, y en seguida la novillada que cerraba la marcha. Cuando no hubo quedado a retaguardia ni un solo animal, el Chacho formó en columna su ejército, y siguió marchando lentamente como una legua detrás de aquella magnífica proveeduría.

Era la caída de la tarde, y el convoy marchaba con la placidez del que nada tiene que temer, sin haber sentido ni aún sospechado la columna que venía atrás. Y aunque la hubiera sentido, habrían creído que era algún contingente que iba a incorporarse al coronel Sandes.

Llegada la noche, establecieron su campamento, rodeándolo de centinelas para evitar cualquier robo de gente matrera, porque lo que es en enemigo nadie pensaba. No bien se bajaban del caballo los encargados de la proveeduría y el jefe de la fuerza, cuando vieron llegar, guiado por uno de los peones de la hacienda, un oficial que a ellos se dirigía.

-Ordena el general que no campen ustedes y que sigan la marcha, porque quiere caminar toda la noche -dijo aquel joven.

-¿Pero qué general es ese? -preguntó el jefe de la tropa, sin alarmarse, pues supuso siempre que sería algún general que se incorporaba a Sandes.

-¿Y quién quiere que sea? -respondió sonriendo el joven-, sino el general Peñaloza.

Jefe, proveedores y cuantos se habían acercado, soltaron una franca carcajada, festejando la ocurrencia.

Peñaloza a aquella altura y marchando detrás de ellos y queriendo darles sus órdenes, eran cosas que no podían entender ni tomar a lo serio.

-Bromas a un lado -dijo el jefe, interrumpiendo la general algazara-, diga usted quién lo manda y si viene alguna fuerza detrás de nosotros.

-Yo no embromo -volvió a decir el joven sin dejar de reír-; la orden que he trasmitido me ha sido dada por el general Peñaloza, que viene a retaguardia con su ejército; levanten pues campamento y sigan la marcha, porque él no está acostumbrado a que le desobedezcan.

Tan convencidos estaban todos de que aquello era una broma del oficial, que el jefe de la tropa dio orden de que no se alteraran en nada sus disposiciones de campar, diciendo:

-Yo voy a ver qué general es ese, y a prevenirle de paso que cuando quiera que sus órdenes se obedezcan, no las mande dar con oficiales locos. -Y proveedores, jefe y ayudante, salieron al encuentro del ejército del Chacho, cuya marcha y movimientos se percibía ya claramente.

El Chacho, que venía a la cabeza, hizo un alto para recibir a los que venían a su encuentro.

-No quieren creer que he llevado una orden del general Peñaloza -dijo el ayudante-, y vienen a cerciorarse por sus propios ojos.

-Señor -dijo el proveedor-, este joven ha ido allí con bromas increíbles, no ha querido darnos el nombre del jefe que lo mandaba y nos hemos visto obligados a venir a averiguarlo nosotros mismos.

-Pero es que mi ayudante no ha hecho broma alguna -respondió el Chacho-, pues yo mismo he dado la orden por él transmitida.

En el aspecto de aquel hombre a quien ellos no conocían, sobre todo en el acento de su palabra, en el aspecto de la tropa misma, aquellos hombres quedaron aterrados al cerciorarse que, efectivamente, estaban en presencia del Chacho.

¿Cómo pudo venir marchando el Chacho detrás de ellos? ¿Habría derrotado a Sandes al extremo de haberlo destruido por completo? En el primer momento no atinaron a nada, quedando allí parados y mirando absortos al Chacho.

-Ustedes seguramente no contaban con mi visita -les dijo este-, así soy yo, me aparezco de repente donde menos se me espera. Les he mandado decir que sigan la marcha nomás, porque supongo que no pretenderán hacer la menor resistencia, resistencia que sería inútil, pues ya ven que están en mi poder. Quiero marchar toda esta noche para avanzar todo el camino que pueda sobre ese loco de Sandes que se ha propuesto darme trabajo.

Mientras hablaban así, el ejército del Chacho había hecho una especie de semicírculo rodeando el convoy para que no pudiera escapar ni uno solo de los cargueros que lo componían. La presa era demasiado importante para dejarla disminuir en lo más mínimo, más, suponiendo que alguno de los cargueros debía llevar dinero.

Cuando arrieros, empleados y tropa supieron que habían caído en poder del Chacho quedaron aterrados, calculando que no había defensa posible y que estaban a la merced de un enemigo que consideraban feroz. Y empezaron a huir en todas direcciones, tratando de salvar el pellejo, puesto que no podían salvar otra cosa. Pero estaban encerrados entre un círculo de jinetes que los tomaban en cuanto querían salir de aquel campamento. Y la desesperación crecía, figurándose que por lo menos los iban a degollar, porque esta era la idea que se tenía del Chacho y los suyos.

A los primeros prisioneros que se presentaron a Peñaloza, este dio una orden que concluyó de asombrarlos por lo inesperada de ella.

-Todo el que quiera salir de aquí -dijo-, ya sea para buscar la incorporación de Sandes, ya sea para regresar a Córdoba o a otra parte, que se le deje la completa libertad, sin tocar una hilacha de lo que le pertenezca, con excepción de las armas, que deben quedar aquí con los cargueros, hacienda y demás. La propiedad particular, siempre exceptuando las armas, será sagrada, como la vida de todas las personas.

La ejecución de aquella orden era incomprensible para ellos, y recién cuando vieron salir a los más apurados y medrosos, creyeron en su eficacia salvadera. Pocos momentos después, no quedaba allí ni uno solo de los prisioneros.

En cambio el Chacho y su ejército quedaban ricos y bien provistos porque allí iba dinero para pago del ejército, víveres secos para racionar a cinco mil hombres más de dos meses, y una respetable cantidad de reses, además de las mulas, caballos, alguna munición y vicios de entretenimiento. Los que eran baqueanos de aquellos parajes siguieron adelante buscando la incorporación de Sandes, para llevarle la desesperante noticia de lo que había pasado, mientras los demás huían a refugiarse en las poblaciones más próximas.

El Chacho campó en el acto para distribuir el personal que había de servir para encargarse de ambulancias y cargueros, y para carnear y churrasquear, pues su gente venía hambrienta. Fue aquella una noche de fiesta estupenda para aquellos pobres y leales soldados, que dejaban de comer por registrar los cargueros y las carretas, donde hallaban infinidad de cosas de la mayor utilidad, pues junto con los artículos de proveeduría, iban gran cantidad de objetos encargados por los oficiales y jefes del ejército, que sospechaban que aquella campaña iba a ser larga y penosa, por la clase de enemigo fantásticamente activo con que iban a tener que luchar.

Bien comidos y mejor descansados por la alegría del espíritu, el ejército del Chacho se puso en marcha a la madrugada del siguiente día, recostándose muy a la derecha, para no encontrarse con el ejército de Sandes, si este avisado por los dispersos contramarchaba en la esperanza de alcanzarlo y batirlo. Era necesario volver a salir adelante del ejército en caso que este contramarchara, a internarse a los Llanos de La Rioja para poner en paraje seguro el espléndido botín de guerra, y armar nuevos soldados con todos los elementos que llevaba.

Afecto solamente a la caballería, porque no sabía servirse de la infantería ni le tenía confianza, estaba resuelto a almacenar o vender todo lo que fueran fusiles y bayonetas, aprovechando estas últimas para hacer lanzas en caso de necesidad. Rico con todo el dinero tomado, su primer pensamiento fue repartirlo como indemnización entre los negociantes que habían servido siempre a su ejército reservando una parte para repartirlo entre sus soldados, según sus necesidades de familia. Las reses era lo que más los entusiasmaba porque además de tener asegurado con ellas el alimento de mucho tiempo, sus respectivas familias tendrían carne y leche y no pasarían miserias.

Entretanto, y mientras se hacían aquellas alegres cuentas marchando hacia La Rioja, el coronel Sandes, con una desesperación suprema, tenía conocimiento de lo que había sucedido, por los que se le habían ido incorporando.

-¡Pero será otro ejército el que los ha asaltado! -decía lleno de cólera-. El Chacho no puede andar treinta o cuarenta leguas a mi retaguardia cuando se encuentra en La Rioja y soy yo quien va en su busca.

Pero eran tales los datos y las seguridades que le daban, que ya no podía dudar. Y efectivamente, solo el Chacho era capaz de aquel golpe de audacia, de aquella contramarcha fabulosa y hábil y de aquella libertad dada a los prisioneros. Bastaba este último rasgo de generosidad para hacerlo conocer de sus enemigos, si aún dudasen estos que fuera él. Porque a pesar de todo y de ellos mismos cada cual en su conciencia reconocía la generosidad caballeresca del caudillo riojano y su bondad proverbial con los prisioneros. Era preciso contramarchar a gran prisa para alcanzarlo y batirlo en el mismo terreno, o emprender una fácil persecución.

Como el Chacho seguía su marcha por retaguardia, en la esperanza de sorprenderlo, Sandes estaba seguro de encontrarlo a mitad del camino, siendo esta vez Peñaloza el sorprendido. Es que había la preocupación de creer al Chacho un hombre bruto y sin ideas militares, cuando por el contrario era un hombre de una sagacidad infinita y de una astucia suprema en aquella guerra de recursos, que él había descubierto y que practicaba, como se ve, de una manera pasmosa.

Sandes empezó a desandar todo el camino ganado, mandando una división de vanguardia sumamente liviana, de manera que si tropezaba con los montoneros no los dejara escapar, obligándolos al combate.

Y entretanto el Chacho contramarchaba paralelamente, pero a unas ocho leguas de distancia, de manera que no podía ser sentido ni sospechado. Así, según sus cálculos, cuando Sandes llegara al paraje donde él sorprendió el convoy, y se lanzara en seguimiento de su rastrillada, él tenía tiempo de estar en La Rioja y jugarle alguna otra pasada una vez que hubiera asegurado su famoso botín. Porque por el momento el propósito del Chacho era huir el bulto a todo lo que fueran batallas definitivas, limitándose a desesperar al enemigo con pequeños combates y falsas dispersiones, para volver a presentársela al otro día más fuerte y en nueva actitud de combate. Esto por una parte, y por otra tomándole siempre que pudiese las proveedurías y recursos que le fuesen de otras partes, echándole a perder las aguas y obligándolo a estar en continua alarma, se proponía desesperarlo y hacerlo abandonar la empresa en que se había metido, convencido de su imposibilidad en llegar al fin que se había propuesto.

Hombres habituados a la guerra regular y al combate franco, no podrían luchar con todos estos inconvenientes, y concluirían por desengañarse prontamente. ¿Qué iban a hacer con un enemigo que no los dejaba dormir, que no les daba tiempo para comer ni para descansar de las bárbaras jornadas a que los obligaría, poco práctico en el terreno que operaba, con todo en su contra y sin el agua suficiente para su tropa y sus caballadas?

Este era el gran plan del Chacho, plan a que se prestaba admirablemente el terreno donde había de operar y los hábitos de su tropa, acostumbrada a aquella vida de eterna agitación y las privaciones de todo género. Ellos estaban en su elemento, mientras que para el enemigo todo sería un escollo, incluso el hecho mismo de saber dónde se hallaba.

En la esperanza de dar alcance a los montoneros y quitarles el convoy que habían arrebatado, Sandes marchó día y noche sin descanso. El enemigo iba pesadísimo, a consecuencia de aquel mismo convoy, sus marchas debían ser sumamente lentas y por consiguiente no podía haber andado mucho. El coronel Sandes no tenía duda que lo alcanzaría y que lo batiría u obligaría a abandonar todas sus carretas y arreos.

La vanguardia, donde iba el mismo jefe del convoy, tenía orden de mandarle avisar por un chasque en cuanto avistase al enemigo, o en cuanto llegase al paraje donde había tenido lugar el apresamiento.

"El Chacho no puede tener ni idea de mi contramarcha, pensaba Sandes, y estará campado allí mismo para gozar tranquilamente del robo."

Pero llegaron al paraje indicado, sin haber hallado al Chacho que estaba ya a muchas leguas de distancia, y que trataba de ganar tiempo siempre, haciendo marchas vertiginosas y como si estuviera perseguido por el enemigo más tenaz. Era la manera de no ser alcanzado nunca y de estar siempre en disposición de sorprender por retaguardia al ejército de Sandes, mientras más persuadido estuviera que iba en persecución de la montonera.

Sandes quedó asombrado al no hallar al Chacho, y no haber tropezado con él en el camino. ¿Adónde podía haberse dirigido con tan enorme botín de guerra? ¿Habría seguido a Córdoba, tomado para el lado de Tucumán, o habría mudado campamento por allí cerca, buscando un campo de más agua? Era preciso a toda costa saber esto, por lo menos la dirección que habían seguido, y al efecto, Sandes reunió sus baqueanos para que se pusieran sobre la pista.

Se interrogó el terreno, con esa habilidad pasmosa del criollo, y el terreno habló con su lenguaje mudo pero elocuentísimo para ellos. Allí estaban indudablemente las huellas de las fuerzas del Chacho, con el surco dejado por las carretas y la señal de las pezuñas dejada por el ganado. Aquella ancha huella se recostaba a la derecha, daba un gran rodeo hacia la izquierda, y seguía por allí en una dirección fija y decidida.

Estando cerca del Chacho, era preciso marchar ya con mil precauciones para no ser por él sorprendido. Así el coronel Sandes, decidido a perseguirlo hasta alcanzarlo, calculando que no iba lejos, no solo organizó una vanguardia con la gente más gaucha de aquellos pagos, sino dos compañías de flanqueadores, que impidieran una sorpresa por los lados de la columna.

Los proveedores, una vez impuestos del camino que debía seguir el ejército, regresaron a Córdoba a organizar un nuevo convoy a gran prisa, pues el ejército no tenía qué comer.

Siempre sobre la rastrillada dejada por el ejército y el convoy, Sandes marchó detrás del Chacho, describiendo un gran semicírculo, hasta que se encontró sobre el mismo camino que él había andado y desandado. Allí las huellas se confundían al extremo de no poder saber cuáles eran las del Chacho y cuáles las dejadas por él mismo. Solo un rastreador podía haberlos sacado de dudas pero ni en el ejército había uno solo, ni Sandes conocía la importancia que en los ejércitos podían tener los rastreadores. Sandes tomó una resolución a cálculo, y siguió marchando hacia adelante. Lo más natural era que el Chacho hubiera seguido hacia la ciudad, a llevar la buena presa hecha.

Esta fue una marcha tan penosa, que Sandes se vio obligado a campar para esperar recursos del proveedor y mandar comisiones exploradoras a derecha e izquierda, buscando aguadas, pues todos los caminos estaban inutilizados por los montoneros, lo que venía a ser una prueba evidente de que el Chacho había pasado por allí. Y Sandes no podría marchar detrás del Chacho, porque estaba expuesto a perecer de sed. No tenía más remedio que marchar buscando las aguadas, lo que importaba alejarse de los montoneros, en vez de perseguirlos.

Entretanto el Chacho, después de haber repartido en La Rioja un espléndido botín, y haber dado a sus tropas un buen descanso para que se repusieran de todas las pasadas fatigas, organizó nuevamente un ejército con las armas tomadas, y se puso nuevamente en marcha con el propósito de hostilizar al enemigo y sorprenderlo siempre que pudiese. El Chacho tenía tan buena gente y tan regularmente armada que hasta se atrevía a pelearlo si a ello lo obligaban, aprovechando las ventajas que del combate pudiera alcanzar, o retirándose si no podía alcanzar alguna. En esta disposición salió de La Rioja y se lanzó en demanda del enemigo.

El puesto de Valdés

Sandes, no pudiendo dar con Peñaloza y pasando todo género de miserias, no sabía ya qué partido tomar. Con la táctica seguida hasta entonces comprendió que no arribaría a ningún resultado práctico, destruyendo su ejército en marchas y contramarchas. No solo tenía que luchar contra un enemigo sagaz y de infinita audacia, sino con el poco conocimiento que tenía del terreno en que operaba, la falta de agua y la mala voluntad decidida de todos los habitantes de aquellos parajes, que lejos de darle las noticias que él le pedía, le daban falsos informes respecto a todo, haciéndole hacer mil jornadas inútiles.

El coronel Sandes, profundamente irritado, volvió a poner en práctica el rigor más bárbaro, para obtener lo que no le querían decir voluntariamente. Las consideraciones tenidas por el Chacho con sus prisioneros de guerra fueron olvidadas, y provocando las más justas represalias, volvió a su viejo sistema de martirizar hombres y mujeres para arrancarles las noticias que quería saber.

-¿Dónde está el Chacho? -preguntaba en las indefensas poblaciones donde llegaba-; ¿dónde anda el Chacho?

-No lo sé, señor -contestaba el interrogado-, hace mucho tiempo que no pasa por aquí.

-Ustedes deben saber dónde anda, porque todos ustedes son su tapadera; yo quiero saber dónde anda ahora el Chacho.

-No lo sé, señor -respondía el interrogado-, no lo sé, hace mucho tiempo que no anda por aquí.

-¿No quieres decirlo, no? Está bien, yo te haré hablar ahora por cincuenta -Sandes llamaba a un ayudante y le entregaba al interrogado diciéndole-: A éste, que lo pongan en cuatro estacas hasta que diga dónde está el Chacho.

-¡Pero señor, si no lo sé -contestaba el infeliz-; cómo quiere que lo engañe para que me castigue después. No me haga estaquear, señor, que yo no doy motivo para ello.

Sandes repetía la orden, persuadido que el hombre hablaría al fin, y este era conducido a la infantería, para cumplir la orden del coronel. Muchos le aconsejaban que hablase, que no fuera tonto, porque lo iba a deshacer en las estacas, pero el desventurado aseguraba siempre que ignoraba lo que se le preguntaba, suplicando que le dejaran en paz. Algunos, próximos al tormento, y viendo que para evitarlo era preciso hablar, decían que el Chacho estaba en tal o cual paraje.

-Tú mientes -respondía Sandes-, no está allí.

Entonces el hombre se confundía y volvía a su eterna respuesta de: "Pero, señor, ¿qué quiere que le diga si nada sé?"

El infeliz era conducido a las estacas y amarrado allí de una manera brutal, tirando las ligaduras para que fuera sintiendo el dolor muy poco a poco. El cuerpo quedaba tirante, el dolor se hacía horrible y la eterna pregunta de dónde está el Chacho, se repetía a cada nuevo tirón que se imprimía a las ataduras.

El paciente ya no contestaba, gemía, y la palidez cadavérica del semblante anunciaba que se había llegado al límite de toda resistencia humana sin habérsele podido arrancar lo que se deseaba. Y el parte iba a Sandes en esta sencilla y tremenda forma:"El prisionero se ha desmayado."

-Sángrenlo -contestaba aquel-, y en cuanto vuelva en sí, que lo estaqueen de nuevo hasta que confiese dónde se halla aquel pillo.

Generalmente el segundo parte venía en esta forma breve y aterradora: "Señor, el preso ha muerto en las estacas, sin querer responder a lo que se le ha preguntado."

-Pues que estaqueen otro, que con el ejemplo de este ya hablará.

Y el otro infeliz iba a las estacas para quedar muerto o completamente inutilizado. O aquellos hombres no sabían nada realmente, o llevaban su lealtad por el Chacho hasta arrostrar los más bárbaros martirios.

Así, el paso del ejército nacional por las poblaciones riojanas quedaba siempre señalado por algunos cadáveres y otros tantos hombres inutilizados en las estacas. De la misma manera se procedía para conocer los puntos donde había agua. Se tomaba a uno de los prisioneros que llevaban con ellos, o a cualquier vecino de los alrededores, y se le decía sencillamente: "Llévanos donde hay agua."

El guía los llevaba a la aguada más próxima, pero aquella estaba inutilizada por los montoneros.

-Tú has de saber donde hay agua limpia -se le decía-; llévanos allí.

El hombre no lo sabía o no quería decirlo, y entonces las estacas se encargaban de hacerlo hablar, o de hacerlo callar para siempre. Así el ejército nacional era mirado en el interior como una gavilla de bandidos contra la que no había defensa posible. Las mujeres de las pobres poblaciones pertenecían de hecho al ejército, que las ocupaba, todo el tiempo que permanecía campado cerca de una población, en hacerse lavar la ropa, o coser la que estaba despedazada. Las haciendas eran tomadas sin preocuparse de lo que podía pensar el dueño, a quien se daba uno de aquellos famosos vales contra el gobierno, que eran lo mismo que nada, por la imposibilidad que tendrían en cobrarlos. Todo individuo tomado, sin averiguar edad, condiciones, ni la provincia a que pertenecía, era destinado a engrosar las filas del ejército, y marchar con él adonde lo ordenara su jefe.

Este proceder empezó a levantar un odio tremendo contra los invasores, y a hacer más simpática la causa del Chacho en todas las provincias del Norte. Ya el prestigio del gran caudillo no se limitaba solamente a La Rioja y Catamarca, sino que se extendía también por Santiago, San Luis, San Juan, Salta, etc. De todas partes acudían contingentes de hombres armados o desarmados que venían buscando su incorporación, sin más anhelo que combatir contra aquel ejército que los trataba como a países conquistados por un enemigo extranjero.

Las quejas de todos los gobernadores empezaron a llover al jefe del ejército, pero este contestaba que para qué protegían al Chacho y hacían con él causa común, ocultándolo y no queriendo darle los datos que pedía para el pronto exterminio de la montonera. Y Peñaloza recorría todos los parajes y todas las provincias, encontrando en todas partes igual acogida simpática, e igual protección en hombres y elementos. Porque los gobiernos de provincia veían en él el único amparo que les quedaba contra aquel enemigo bárbaro que se les había echado encima sin saber ellos por qué.

-Pero, señor -habían dicho a Sandes algunos-, usted nos trata como a enemigos, y nosotros acatamos al Exmo. Gobierno Nacional, y prestamos a usted toda la ayuda que se sirve pedirnos.

-Sí -respondía Sandes-, pero ustedes apoyan también al Chacho ocultamente y me hacen una oposición sorda y disimulada. Tengan entendido que por más gobernadores que ustedes sean, a la primer mala partida que me jueguen y yo conozca, los meto a un cuerpo de línea como a cualquier hijo de vecino.

Con esta amenaza, los gobernadores, que sabían que Sandes era capaz de esto y de algo peor todavía, aparentaban apoyar al coronel Sandes en cuanto les era posible. Pero apenas asomaba el Chacho y se alejaba aquel, daban al jefe riojano cuanto tenían incitándolo a que presentara batalla al enemigo porque el triunfo había de ser fácil.

-Primero quiero desesperarlo -decía el Chacho-, cansarle la gente y hacerle pasar todo género de penurias, después le daremos un golpe serio si podemos, y si no, nos retiraremos en desbande para mayor desesperación suya. Es preciso que se convenzan al fin de que con nosotros no se puede, por más elementos que aglomeren, y que a la larga tienen que ser vencidos por estos montoneros tan desorganizados que tanto desprecian. Yo los haré atravesar todas las Sierras, yo los haré internar en los parajes más solos y faltos hasta de leña, y después que los desespere bien, y cuando crean que me tienen mal, entonces les daré un buen golpe de sentido que los deje tan descompaginados que vayan a encuadernarse a Córdoba, siempre bajo el azote de mis montoneros.

Sandes creía seguir marchando detrás del Chacho y sin embargo era el Chacho quien marchaba siempre a retaguardia del ejército, tomándole los rezagados, los pobres prisioneros que iban quedando un poco atrás y que lograban desertarse, y buscando siempre de apresarle las tropas de la proveeduría.

Sandes andaba loco; el Chacho se le hacía sentir por todas partes, emprendía su persecución inmediata creyendo alcanzarlo, pero siempre se presentaba por retaguardia, y siempre causándole algún daño, siendo inexplicable para él cómo podían hacerse tales jornadas en tiempo tan contado. ¿A qué horas dormía, comía o descansaba aquel ejército que parecía no estar parado un solo momento?

Luego, siempre la falta de agua en abundancia era un inconveniente que desesperaba al coronel Sandes, hasta el punto de que manifestara al gobierno que aquella guerra iba siendo imposible sostenerla con un solo ejército, porque el Chacho, huyendo siempre, tenía que evadir su acción eficaz. Y aconsejaba la formación de otro, con el objeto de encerrar al Chacho y su ejército entre los dos, obligándolo a dar una batalla.

Él hubiera fraccionado su ejército desde un principio, para rodear al Chacho, persiguiéndolo de todas partes; pero entonces se exponía a que el Chacho, sin elementos para batirse con él, lo batiera en detalle fácilmente, sorprendiéndole las diversas divisiones, que no podían ser muy temibles, mucho menos operando en campo enemigo, donde todo era simpático al caudillo riojano. Era preciso no solo no fraccionarse, sino marchar siempre bien unidos y con todas aquellas precauciones aconsejadas por la más exagerada ponderación.

El Chacho llevaba sobre su enemigo una ventaja suprema, y es que él, por medio de sus rastreadores, baqueanos y partidarios de todas partes, sabía siempre con exactitud la situación del ejército de Sandes y hasta los puntos donde se dirigía, mientras que este ignoraba siempre los parajes por donde andaba el Chacho y las direcciones que llevaba, teniendo que obrar siempre por cálculo o por algún mal informe de prisioneros, que como se sabe, llegaban a sufrir toda la clase de martirios, antes que decir una sola palabra que ellos creyesen podía perjudicar a Peñaloza o hacer fracasar una de sus famosas sorpresas.

En vano Sandes había recorrido toda la escala de los martirios, desde los palos hasta el novenario de azotes, todo había sido infructuoso, no había hallado un solo Judas que vendería al Chacho. Los riojanos preferían morir antes que decir una sola palabra que pudiera perjudicar a su caudillo. Los regimientos de línea estaban llenos de chachistas, por el solo delito de serlo, y para que les sirvieran de baqueanos en las aguadas y direcciones. Pero esto de poco podía servirles porque las aguadas del camino estaban perdidas, y si indicaban alguna oculta entre las sierras, se creía que era un lazo que se les tendía de acuerdo con el Chacho, y dando por real la sospecha, muchas veces castigaban con ferocidad al que había hecho la proposición.

El Chacho seguía en su sistema de favorecer los prisioneros que tomaba y dejarlos recomendados en las poblaciones del tránsito donde a su paso los recobraba el ejército nacional. Pero no por esto cambiaban ellos de táctica con los chachistas. Al contrario, mientras mayores eran sus atenciones con los prisioneros, era más feroz la compensación que recibían.

-Nos van a obligar que en lo sucesivo los dejemos morir de hambre -exclamaban indignados-, puesto que de todos modos nos tratan como a fieras.

-Peor para ustedes -les hacía responder Sandes-, porque entonces los haré descuartizar vivos.

-¡Pero siquiera habrían tenido razón, y esto ya es un consuelo, yo no sé qué hace el Chacho que no prueba el rigor a ver si da mejor resultado!

Peñaloza campó un día en el Puesto de Valdés, decidido a combatir, si Sandes acudía, en la esperanza de alcanzar una victoria.

-De todos modos -dijo- si nos vemos mal nos dispersamos, y así nos habremos medido y siempre le habremos hecho daño de consideración, mostrándole que si huimos no es porque no seamos capaces de pelearlo sino porque así nos conviene más. Veamos qué resultado nos da el primer combate, y si el enemigo es tan feroz en la pelea como en el martirio de prisioneros.

Esta noticia fue recibida con verdadero júbilo por todo el ejército del Chacho. Al fin iban a pelear con el terrible Sandes y poder vengarse de todas las iniquidades por él cometidas, ya que el Chacho no les permitía tomar ni la más insignificante represalia con los prisioneros que se le agarraban. Sabían que el ejército de Sandes era muy numeroso y superior a ellos en todo; pero no por esto se mostraban temerosos, diciendo:

"El que es cruel con los prisioneros y con las mujeres, es cobarde en el combate, no hay que dudar un momento del triunfo."

-Lo único que puede vencerme es la superioridad de las armas -decía el Chacho-; pero asimismo no seremos derrotados. Nos retiraremos prudentemente si vemos mal el negocio, no dando lugar a un contraste serio.

El Chacho tenía sobre Sandes la ventaja de estar mejor montado y tener frescas sus cabalgaduras, mientras que las de este no sólo eran malas, sino que venían postradas por la incesante marcha. Por esto es que el Chacho estaba seguro de concluir el combate cuando le diera la gana, sin más que retirarse por la imposibilidad en que estaría Sandes de perseguirlo. Este, por su parte, tenía una seguridad ciega en el éxito de una batalla, por la superioridad de sus armas y la de sus tropas.

Dos días haría que el Chacho se hallaba campado, cuando lo supo Sandes, dirigiéndose en el acto en su busca, con toda prudencia para no ser sentido y que no se le fuese a escapar. Como un exceso de precaución marchaba con su línea bien tendida y rodeada de flanqueadores para evitar toda tentativa de sorpresa, marchando con el mismo fin día y noche.

Estando a una buena jornada uno de otro, el Chacho aprovechó la última noche y dio un gran rodeo para colocarse a su retaguardia y desconcertarlo con una carga por el lado en que no la esperaba. Dejó la mayor parte de su ejército en el campamento, preparado para recibir dignamente el enemigo, y él emprendió su marcha solo con una división de seiscientos hombres, con la que tenía suficiente para la maniobra que pensaba emprender.

El Chacho marchó durante la noche con toda la rapidez y tino, de manera que al amanecer del siguiente día se hallaba a retaguardia de Sandes y a corta distancia, sin que este lo hubiese sospechado. Para el caso en que fueran derrotados, o tuvieran que dispersarse por cualquier causa, ya el célebre caudillo había dado a los suyos punto de reunión en día fijo, donde los esperaría con todos sus elementos, cuando el enemigo lo creyese más deshecho y diese por terminada la campaña. El punto donde debían reunirse era el Gigante, porque allí debían también esperarlo tropas de refresco, para el caso en que tuviera necesidad de dar un nuevo golpe, o de hacer alguna travesura de malas consecuencias para el enemigo.

Sandes, calculando pelear al día siguiente, hizo un alto aquella noche, que la tropa pasó con el caballo de la rienda y pronta para montar a la primera señal y hacer frente a cualquier emergencia. Antes de amanecer, mandó una descubierta a vanguardia, la que poco después regresaba con magníficas noticias. El enemigo, según el oficial de la descubierta, parecía no haber sentido la aproximación del ejército, pues se hallaba tranquilamente campado y sin la menor desconfianza.

-No tienen caballadas de reserva -añadió el oficial-, pero tienen sus caballos ensillados como si hubieran de ponerse en marcha al romper el día.

En el acto de recibir estas noticias, Sandes mandó un ayudante a cada cuerpo para que se pusieran en marcha inmediatamente, causando el menor ruido posible, por la proximidad a que estaban de los montoneros. El ejército se puso en marcha con todo silencio, atando los sables la caballería para no dejar sentir su ruido característico en la marcha, y secándose los cencerros a las tropillas, tropillas que debían quedar a retaguardia, para no entorpecer la marcha con aglomeraciones innecesarias.

El Chacho, que se había colocado él mismo de avanzada de los suyos, miró todo este movimiento, adivinó con su sagacidad sorprendente las intenciones del enemigo, y apartó cien hombres de los más prácticos que, mientras él marchaba, debían ocuparse exclusivamente en arriar aquellas tropillas que iban a quedar a retaguardia del ejército, o dispersarlas en caso que no las pudieran arriar. En el primer caso, debían marchar con ellas al Gigante, donde lo esperarían, y en el segundo, debían incorporársele en cuanto las hubieran dispersado, al campo de la batalla, o seguir al punto de reunión indicado si esta había concluido.

Tomadas todas estas disposiciones, el Chacho se puso en marcha, tan cerca de la retaguardia de Sandes, que aunque esta la sintió, creyó que eran soldados del propio ejército y no hizo el menor caso. Si ellos iban marchando para sorprender y batir un enemigo campado a vanguardia, cómo habían de suponer que aquel enemigo les seguía los pasos mezclado a ellos mismos. Si alguien lo hubiera dicho, es indudable que no se lo hubieran creído, tan asombrosa era la maniobra.

Los cien jinetes que debían arrebatar las tropillas, venían rodeando a estas, sin que los mismos que las custodiaban, preocupados con la batalla que debía principiar de un momento a otro, los hubieran notado.

A los primeros resplandores del nuevo día, Sandes hizo alto y tomó sus últimas disposiciones; estaba ya sobre el enemigo, el que a su vez se movía sin dar señales de alarma y procediendo con la mayor serenidad.

En cuanto hubo aclarado y pudo divisarse el campo en alguna extensión, las fuerzas del Chacho no se inmutaron en presencia de aquel enemigo, lo que probaba que conocían su proximidad desde mucho antes. Por la disposición de sus tropas y su colocación, se creían que estaban decididos a dar la batalla, lo que puso a Sandes de un buen humor que no se le conocía desde que inició aquella endiablada campaña. Entretanto, la presencia del Chacho a retaguardia aún no había sido notada, porque todos tenían la atención fija en la gran masa de caballería formada a vanguardia.

Sandes rompió por fin sobre ellos un vivísimo fuego de fusilería, previniendo a los regimientos que estuvieran prontos a cargar a la primera señal. Para él era indudable que el enemigo no resistiría mucho y que se pronunciaría su derrota sobre tablas, de modo que teniendo pronta su caballería para la persecución, la victoria sería completa y definitiva.

El fuego fue respondido por guerrillas de la caballería que tenía carabinas, mientras la artillería se preparaba a entrar en juego. Fue recién entonces cuando Sandes se dio cuenta de la maniobra del Chacho; pero demasiado tarde para evitar sus primeras consecuencias y el terror que en el primer momento se apoderó de su tropa. Aprovechando el estruendo de la fusilería, los cien jinetes cargando a sable sobre los que custodiaban en las tropillas empezaron a arriarlas con la mayor rapidez para alejarlas pronto de toda protección. El ruido y gritería producidos por esta operación llamó la atención del ejército, mandando Sandes un ayudante a inquirir la causa.

Pero en aquel momento el Chacho se encargaba de llevar el parte detallado de aquel movimiento, con la carga de caballería más bizarra y violenta de que hubiera memoria. El Chacho cargó sobre la artillería y la infantería colocadas a los costados de esta, no sólo para apagar sus fuegos, sino para ver si podía apoderarse de un par de piezas con las que pudiera contrarrestar sus fuegos.

En cuanto sus partidarios comprendieron que había cargado, por el tumulto que se produjo, cargaron también con un brío y un entusiasmo que pocas veces se había visto en las mismas tropas regulares. Aquellos no eran montoneros sino soldados de primer orden con los que bien podía contarse en la situación más difícil.

Tomados así entre dos violentas cargas de caballería, sableados de una manera formidable, enlazadas y sacadas de la formación dos piezas de artillería, los soldados de Sandes vacilaron, la confusión más terrible se pronunció en sus filas, y los infantes empezaron a arrojar sus fusiles buscando una salvación, pues ya daban al ejército por derrotado. Era necesario todo el valor, todo el carácter firme del coronel Sandes para salvar su ejército en trance tan apurado y ponerlo en condiciones de resistir primero, y tomar la ofensiva en seguida.

Las tropas del Chacho no se cansaban de sablear entre las filas enemigas y lancear a los que salían de ellas. Sandes entonces soltó su caballería sobre el enemigo, organizando su infantería desmoralizada, mientras las caballerías chocaban con extraño brío. El Chacho entretanto se había retirado con sus regimientos y había puesto en batería las piezas arrebatadas en el primer momento. Pero careciendo de artilleros, solo podría hacer el aparato de manejarlas, lo que ya era algo.

El combate cada vez más recio y encarnizado fue restableciéndose poco a poco por las fuerzas nacionales, que pudieron en muchos puntos tomar la ofensiva. Los regimientos del Chacho salieron del combate para reorganizarse y volver a cargar, lo que fue un resuello salvador para las tropas de Sandes. Este recorría personalmente la línea de batalla, restableciendo el orden en los diversos cuerpos, y volviendo a palos a la línea de combate a los que la habían abandonado.

Los estragos causados por aquella doble carga diabólicamente combinada, habían sido tremendos para Sandes. La artillería estaba rodeada de cadáveres de sus soldados, e imposibilitada de marchar. La infantería se hallaba confundida y mezclados los batallones, cuyas filas habían sido diezmadas. Y la misma caballería medio acobardada remolineaba, perdida por completo su formación.

Los regimientos del Chacho, que habían tenido muy pocas bajas, se rehicieron bien pronto y volvieron a la carga con tantos bríos como la vez primera. Pero ahora fueron recibidos por un bárbaro fuego de infantería, que raleó sus filas de una manera terrible, pero que no fue bastante a hacerles dar la espalda. Y se metieron entre los cuadros, rompiendo la cara de estos y causando serios estragos.

A pesar de la superioridad del ejército de Sandes, la batalla era peligrosa si sus tropas flaqueaban. De otro modo este tenía la seguridad de que en la prolongación del combate estaba la indudable derrota del Chacho, pues con solo fuerzas de caballería no podría nunca aventajar a un ejército de las tres armas. La infantería tenía que hacerles numerosas bajas, manteniéndose a la defensiva; la artillería, aunque maniobrando con dificultad, tenía que causarle algún estrago; y aún quedaba la caballería para realizar la persecución inevitable, porque el Chacho al fin tendría que dar la espalda y ponerse en fuga precipitada si quería salvar los restos de aquel ejército asombroso como bravura y constancia.

Las bajas causadas por la infantería principiaron a ser alarmantes para el Chacho, que no quería sacrificar sus soldados inútilmente y que se contentaba con el estrago causado al principio, que por lo menos dejaba postrado al enemigo después de haberle mostrado de una manera sangrienta, lo que era una guerra de recursos. En cuanto se convenció que no podría triunfar en aquel combate, y que mientras más lo prolongara era más difícil su situación, se preparó a la retirada más airosa. Para garantía de la vida de los prisioneros que pudiesen quedar en poder del enemigo, él se llevaba cuatro oficiales y unos cien hombres heridos en su mayor parte. Las armas tomadas eran muchas, porque en los primeros momentos de confusión, sus soldados habían atendido a arrebatar todas las armas que pudieron, ya fusiles, ya sables. Así considerando perdida la batalla, el Chacho inició su retirada en el mayor orden, aunque bajo un terrible fuego de fusil y de cañón.

El momento no podía ser mejor indicado, y Sandes lanzó detrás de él su caballería que poca parte había tomado en la batalla, siguiendo con el ejército una marcha precipitada. Su ánimo era destruir completamente al Chacho en aquella jornada, y concluir de una vez con la montonera.

Viéndose perseguido con aquella tenacidad, el Chacho se dejó alcanzar para engañar mejor al enemigo, e hizo dar entonces por su trompa de órdenes la señal convenida, que para la caballería de Sandes solo quería decir a media rienda. Entonces las fuerzas del Chacho empezaron a huir por todas partes en la más vergonzosa derrota, aparentemente, puesto que no hacían más que obedecer las órdenes de su jefe, dadas con anterioridad.

Fraccionar los regimientos para perseguir aquellos grupos no era prudente, si el enemigo hubiera huido de otro modo. Pero como para Sandes iba huyendo vencido para siempre, no tuvo inconveniente en hacerlo, siguiéndose la persecución en todos rumbos. Tras del grupo numeroso donde iba el Chacho, Sandes lanzó su numerosa escolta. Pero aquel grupo fue disminuyendo, fraccionándose en todas direcciones, hasta que quedó el Chacho acompañado de unos veinte hombres, huyendo del lado de las sierras.

Recién al anochecer el coronel Sandes hizo alto, para reunir sus tropas y volver al día siguiente al campo de la batalla a recoger los heridos diseminados por todas partes y reorganizar su ejército. No tenían caballos de relevo, puesto que en el primer momento el Chacho había arrebatado las tropillas, dejándolos solo con lo montado.

Entretanto y mientras ellos seguían la persecución, una fuerte partida del Chacho a las órdenes de un coronel Videla, dando un rodeo, había vuelto al campo de la batalla abandonado por el enemigo triunfante, y allí había hecho una rejunta de todas las armas diseminadas y de prendas de los soldados, llevándose un buen número de prisioneros para presentarlos al Chacho como garantía de los que el enemigo les hubiera hecho. Alzaron a cuanto compañero hallaron entre los heridos, despojando a los muertos de sus armas, y se alejaron rápidamente temiendo que el enemigo volviese al campo de batalla aquella misma noche.

Recién al otro día, cuando vino Sandes a recorrerlo, supo con desesperación por sus heridos lo que allí había pasado mientras ellos destruían los restos del Chacho. Pero creyó que sólo se trataría de pequeñas partidas de ladrones, porque para él la montonera quedaba terminada. Él mismo había visto huir al Chacho, seguido de unos veinte hombres, que constituían todo el resto de su ejército. A esas pequeñas partidas de ladrones que habían quedado diseminadas como lógica consecuencia de semejante ejército, se proponía destruirlas poco a poco a medida que siguiese su marcha hacia La Rioja.

El limosnero hidalgo

Mientras el coronel Sandes marchaba sobre La Rioja, creyendo haber concluido con la montonera, esta se reorganizaba en el Gigante, más fuerte que nunca, pues todos los perseguidos por Sandes acudían allí a sentar plaza entre las filas del Chacho. El ejército del Chacho sufría entonces mil necesidades, necesidades que caían de rechazo sobre las familias que habían quedado en La Rioja en la mayor miseria. Ellos no tenían dinero que dejarles, puesto que no tenían sueldo, y las rentas de La Rioja apenas hubieran podido pagar una compañía.

Esto era lo que más preocupaba a Peñaloza, pues las miserias del ejército mismo estaban acostumbrados a sobrellevarlas con una heroicidad suprema. El Chacho hubiera podido sacar dinero, poniendo a contribución las provincias que no estaban con él, y saqueando al comercio, de los artículos más necesarios a la vida de su ejército; pero ya sabemos que esto no estaba con su modo de ser, eminentemente hidalgo.

-Dejemos las tropelías -decía- para el ejército de la civilización, y no carguemos nosotros con el odio de los pueblos, autorizando la clasificación de salteadores, con que nos regalan. Recuerdo que Lavalle pedía en los pueblos donde llegaba el alimento necesario para su tropa, y yo quiero hacer lo mismo, porque no quiero que nadie tenga el derecho de tildarnos por una mala acción. Así conservaremos la simpatía del país entero, y nuestra causa será siempre la más justa.

Consecuente con estas teorías, que los suyos no se atrevían a contrariar, el Chacho marchó del Gigante en dirección a Tucumán, gobernado entonces por el cura Campos.

-No sé cómo me tratará el cura -decía el Chacho-, pero Tucumán me es simpático; allí debe haber buenos recuerdos míos y no vacilarán en ayudarme. No tengo suerte con los curas, ni fe a los frailes, desde que vi como se manejaba Aldao; sin embargo dicen que este Campos es hombre liberal y bueno. Allá veremos.

Y el Chacho se dirigió a Tucumán, dejando en el camino varias partidas ligeras, para que lo tuvieran al corriente, de lo que hacía Sandes, avisándole sobre todo si se movía en la misma dirección que él llevaba.

El Chacho entró a la provincia de Tucumán con el mayor orden, y no como un enemigo, a pesar de ir con un ejército respetable, siendo su primera operación despachar comisiones compuestas de un jefe y dos oficiales, para que fueran a pedir limosna para su tropa. El Chacho tenía simpatías poderosas en Tucumán, donde lo recordaban con cariño como al enemigo más irreconciliable de la tiranía. Sus bellas acciones habían pasado a la leyenda popular, y se recordaba con asombro cómo aquel caudillo era el único y el último que había resistido al poder de Rosas. Y quien un poco de yerba, quien una cantidad de azúcar, quien un poco de pan o galleta, todos los negociantes daban su limosna para el ejército del

Chacho. Así las comisiones hacían tan buenas colectas de todo género de artículos y dinero, que tenían para consumir por el momento, y aún para guardar.

Poblaciones completamente indefensas, el ejército del Chacho podía haber entrado a ellas imponiendo fuertes y terribles contribuciones de guerra. Pero ¿quién se habría atrevido a disgustar al Chacho de aquella manera? Su ejército estaba ya habituado a aquel proceder, al extremo que no se le ocurría que podía cometer la menor violencia.

Peñaloza siguió avanzando hacia la capital, en busca de recursos y elementos de guerra que tanto necesitaba. Estando esta y otras provincias sometidas al gobierno nacional, el Chacho creía encontrar allí elementos de guerra, y víveres pertenecientes a este, de los que pensaba apoderarse como botín de guerra. Sin por esto romper sus relaciones de amistad con sus respectivos gobernadores, puesto que a ellos ningún mal le hacían con esto.

Pero sucede que el cura Campos no era del mismo modo de pensar. Él, como gobernador de Tucumán, estaba con el gobierno nacional y tenía que mirar al Chacho como un enemigo propio, cuyo triunfo no convenía en manera alguna. En cuanto supo que el Chacho se hallaba en territorio tucumano, mandó poner en pie de guerra toda la provincia y empezó a organizar en la capital un ejército tan poderoso como le fuera posible. Estaba sostenido por el gobierno nacional, el coronel Sandes no debía andar lejos, según suponía, y el éxito más completo coronaría entonces todos sus esfuerzos. Sin embargo le era muy duro proceder contra el Chacho, a quien Tucumán le debía tan buenos servicios, y mandó una comisión que buscara a Peñaloza y le previniera saliera inmediatamente de aquella provincia, porque le sería muy doloroso tener que pelear con él.

Ya sabemos que el Chacho contaba con muchas simpatías en la provincia de Tucumán, pero la influencia del cura Campos era decisiva. Si el cura Campos lo exigía, los tucumanos eran capaces de pelear no solo con Peñaloza sino con el diablo mismo, porque desde que él lo rechazaba, con las armas en la mano, es porque lo consideraría un enemigo irreconciliable. Así, mientras su comisión andaba en busca del Chacho, empezó él a organizar de todos modos y valiéndose de todos sus recursos, un ejército con que resistir lo que dio en llamar la invasión de Peñaloza.

Este, al contrario, pacífico y manso con todo lo que no eran fuerzas nacionales, avanzaba lentamente hacia la capital, lo más ajeno al recibimiento bélico que se le preparaba. Grande fue su sorpresa y su asombro cuando se encontró con la comisión de Campos y se impuso de la misión que esta llevaba.

-Está visto que yo no tengo suerte con los frailes y con los curas -dijo-, aunque por un cura fui criado. El fraile Aldao se declaró mi enemigo porque así le dio la gana, y ahora el cura Campos sale haciendo lo mismo cuando yo menos lo esperaba. Yo venía a Tucumán con las mejores y más cariñosas intenciones, porque la creía una provincia amiga, pero si me rechaza con las armas en la mano, tendré que mirarla como enemigo y proceder como tal. Mi conciencia estará tranquila, perfectamente tranquila, pues yo no habré tenido la culpa de lo que sucede, desde que he venido aquí como el más cordial de los amigos.

Las personas que componían la comisión trataron de disuadir al Chacho y le aconsejaron que se retirara para no provocar un combate sangriento y perjudicial para él; pero no quiso acceder al pedido en manera alguna, manifestándose firmemente resuelto a seguir adelante.

-Sin embargo -dijo-, alguna concesión puedo hacer; yo pasaré por Tucumán, como he pasado hasta aquí, sin ofender a nadie y sin causar el más leve daño. Y así seguiré a Córdoba, de donde salen todos los elementos que me combaten y me detestan. Pero si se trata de ofenderme, si alguna fuerza armada es enviada a hostilizarme, entonces, y a pesar de mi buena voluntad y de mi deseo de pasar pacíficamente, me veré obligado a detenerme y a pelear firme con todos los que se pongan delante de mí. Pueden ustedes llevar esta contestación al cura, para que sepa a qué atenerse y no me culpen a mí de lo que pueda suceder.

La comisión quiso influir entonces para que el Chacho no avanzara más y esperase allí una contestación; pero él se negó a acceder al nuevo pedido diciendo que no estaba en su mano la pérdida de un solo día, puesto que ello podría traer la ruina del ejército.

-Puedo ser alcanzado por Sandes de un momento a otro, y batido lejos de mis recursos -dijo-; tengo que apresurar mucho más marchas, puesto que debo llegar a Córdoba y de allí regresar a La Rioja, despistando a las fuerzas nacionales que me persiguen.

La comisión regresó a Tucumán apresuradamente, puesto que el Chacho seguía detrás de ellos, para tener tiempo de avisar a Campos lo que sucedía y que este tuviera tiempo suficiente para precaverse. Como el cura Campos no esperaba esta contestación para proceder, lo encontraron ya con un ejército de las tres armas, preparado y pronto para entrar en combate en cualquier momento. Así que Campos se impuso de la respuesta del Chacho, decidió ponerse en marcha en el acto, para encontrarlo fuera de la capital, y no exponer a esta a los horrores de una batalla que sería reñida, dada la competencia y valor de aquel enemigo.

La misma comisión que volvía quiso entonces interceder con Campos para que dejara pasar al Chacho sin hostilizarlo, puesto que él no hacía ningún daño; pero el cura no quiso escuchar aquellos empeños, manifestando que la complicidad con el rebelde Peñaloza podía traer a Tucumán males enormes, y se puso en campaña, mandando personalmente su ejército, compuesto de más de dos mil hombres perfectamente armados. El cura Campos estaba firmemente resuelto a batir al Chacho por completo y dispersarlo, para que cuando llegara Sandes con su ejército, no tuviera nada que hacer. El Chacho, en cambio, estaba a su vez firmemente resuelto a concluir con el cura Campos de una manera definitiva para que, si se aproximaba Sandes, no tuviese allí ningún apoyo con qué contar.

El cura del Campo fue a internarse a orillas del Río Colorado, punto donde también se dirigió el Chacho, encontrándose allí ambos ejércitos dos o tres días después. En cuanto el Chacho divisó el ejército de Campos, le envió un parlamento con la más hidalga de las proposiciones. Con él le mandaba decir que el ejército riojano no pasaba por allí como enemigo, puesto que no lo era de Tucumán, que lo dejara pasar sin hostilizarlo y se habría evitado una batalla inútil completamente, puesto que no existía ni motivo ni pretexto para darla.

-Diga usted a Peñaloza -respondió del Campo, con el peor modo posible- que se dé vuelta y salga inmediatamente del territorio de la provincia, pues de otro modo lo obligaré a salir por la fuerza.

-Sin embargo -volvió a insistir el Chacho-, dígale que sigo avanzando como amigo, y que mis tropas no harán el menor daño, ni dispararán un solo tiro hasta no ser agredidas; que reflexione bien lo que le digo y no haga una locura que a nada conducirá, porque mis tropas son invencibles. -Y como le había dicho, siguió avanzando en columna, y aparentemente, sin tomar la menor precaución, como si realmente creyese que no iba a ser atacado.

El cura del Campo tendió su línea de batalla con el Río Colorado a la espalda y desprendió sobre el Chacho una fuerte guerrilla, que empezó a hacer un fuego sostenido y certero.

El Chacho, sonriendo con la mansedumbre que le era habitual, desprendió a su vez un escuadrón de caballería, que cargó sobre la guerrilla, la arrolló y la obligó a retroceder; principiaba, pues, la batalla, que tanto había querido evitar.

El ejército tucumano, con el Colorado a la espalda, estaba en muy mala posición: del Campo había querido cubrir su retaguardia con el río, pero en caso de ser vencido se había cortado su retirada. El Chacho apreció desde el principio aquella gran desventaja, que bastaría por sí sola para darle el triunfo. En cuanto el enemigo tuviera que retroceder por cualquier causa, y se hallara con el obstáculo del río, se aterraría, y la derrota en el mayor desorden no tardaría en producirse.

El ejército de del Campo había roto sobre sus enemigos un buen fuego de fusilería, sostenido por dos piezas de bronce, que empezaron a causarle algunos estragos.

-Es preciso que se callen la boca aquellas dos piezas -dijo el Chacho-, y lo demás es negocio de tres o cuatro atropelladas; a esas pobres infanterías se las va a llevar a la trampa. Ya he dicho yo que eso no sirve para nada. -El Chacho hacía alusión a sus ideas respecto de lo inútil de la infantería, cuando se tenía una caballería en toda regla. Estaba persuadido que no había infantería capaz de resistir dos cargas vigorosas y sucesivas, y por nada de este mundo hubiera llevado consigo el mejor batallón.

Siendo, pues, su primer objetivo aquellas piezas, que algún mal le habían hecho ya, sobre ellas cargó con un vigor asombroso, llevando personalmente la segunda carga. Los artilleros pelearon como leones, la infantería hizo esfuerzos tremendos, entusiasmada por las voces del cura del Campo, presente en lo más recio de la batalla, pero todo fue inútil. No pudieron resistirse aquellas cargas formidables, la artillería apagó sus fuegos, y el último regimiento que la cargó, se retiró triunfante llevando las dos piezas a la cincha de sus caballos.

La batalla se hallaba reciamente empeñada, pero de una manera irregular y contra todo cálculo. Aquello era una sucesión monstruosa de cargas de caballería, que no daban tregua, ni tiempo de reorganizarse a los cuerpos que las soportaban valerosamente. El fuego de infantería se hacía casi inútil sobre aquel torbellino de jinetes, que se desplegaban por todas partes como un inmenso abanico, para amenazar todos los puntos a la vez y replegarse sobre el más fuerte para cargarlo con un vigor imponderable.

El cura del Campo había llevado varias veces su infantería a la carga, después de hacer con ella un fuego nutrido y endiablado. Pero otras tantas habían tenido que retroceder, aunque causando un bárbaro estrago. Y apenas iniciaba su marcha de retroceso, se veía cargada por una masa de caballería, que la aniquilaba y la llevaba hasta la orilla del río, donde muchos se lanzaban para huir de la muerte. Del Campo empezó a temer un descalabro, comprendiendo demasiado tarde lo nulo de su posición e intentó correrse sobre el flanco izquierdo, tratando de buscar por allí una retirada cómoda. Pero el Chacho, que no perdía un solo accidente de la batalla, adivinó sus intenciones, y por allí cargó de la manera más firme y decisiva.

La poca caballería de del Campo había entrado en juego al fin, con tal vigor y tal empuje, que algo restableció la batalla, poniendo al enemigo en serios apuros. La infantería acudió a apoyar aquel movimiento salvador de la caballería con tales bríos, que del Campo vio ya el triunfo de su parte. Pero aquellas malditas tropas riojanas eran de hierro para combatir, y el Chacho tenía una astucia suprema. En un momento desbandó toda su caballería, simulando una derrota, con tal arte que la caballería de del Campo se lanzó tras él, persuadida de su triunfo.

Era lo que el Chacho quería; una vez que la vio fuera del apoyo del fuego de la infantería, se rehizo, dio media vuelta, y pegó tal carga, que el enemigo, que no se sospechaba semejante movimiento, dio vuelta a su vez y huyó, pero en positiva derrota. El Chacho lo llevó a sable y lanza hasta el río Colorado, donde empezaron a arrojarse los jinetes completamente desmoralizados.

El combate estaba perdido por del Campo; pero perdido de una manera espantosa, porque no tenía cómo salir del campo de batalla. Las tropas tenían que elegir entre morir a manos del enemigo, en una última y desesperada carga, o arrojarse al río buscando una salvación posible. Muchos habían adoptado este último temperamento, ahogándose en su mayor parte. Las pérdidas habían sido enormes por ambas partes, en relación al número de combatientes, pero el Chacho había tenido muchas menos bajas.

Una vez que se vio triunfante, y que el enemigo no esperaba más que su última carga para arrojarse al río, el Chacho hizo alto, mandó echar pie a tierra, y envió un nuevo parlamento a las filas de del Campo.

-El general no ha venido a Tucumán como enemigo -dijo este al estado mayor reunido alrededor de del Campo-, y si ha peleado ha sido porque a ello lo obligaron, a pesar suyo. Una vez triunfante, dice que el ejército puede retirarse, en la seguridad de que no será molestado. Que él continúa siendo amigo de Tucumán, a pesar de todo y que si no se le molesta, seguirá el camino que llevaba, sin ejercer el menor acto de hostilidad.

El Chacho, con aquel acto, se mostraba en toda su grandeza y magnanimidad. Y mientras los restos del ejército vencido se retiraban sin ser molestados en lo más mínimo, el Chacho empezó a recoger todos sus heridos valiéndose de las ambulancias de los vencidos. Y se retiró con los más leves, dejando los graves al cuidado de la población con quien tan generoso se mostraba.

El cura del Campo había entrado a Tucumán, y juntando todos los elementos que allí dejó como una especie de reserva, se preparó a resistirle al Chacho, dando un nuevo combate, si era necesario, y atrincherándose en las azoteas y plaza principal. No trayendo el Chacho infantería ni artillería, aquel combate de trincheras y azoteas tenía que serle fatal. El traía las dos piecitas tomadas en el Colorado; pero a más de tener poca munición, no tenía quiénes se las manejaran.

Pero el Chacho no entró en la ciudad, porque no era su intento pelear con los tucumanos como lo había manifestado desde un principio. Campó con su ejército a una legua de la ciudad, y envió desde allí una comisión para que tranquilizara los ánimos y les hiciera presente a los miembros del gobierno que él no pensaba atacar, que iba a dar un descanso a su tropa y seguir su marcha de regreso a La Rioja en busca de Sandes, que era su verdadero enemigo. El Chacho pensaba seguir hasta Córdoba, pero decía esto para evitar que fueran a mandar un chasque previniendo su operación, que si no imposible, sería mucho más difícil y costosa.

Los jefes del Chacho pidieron permiso para sacar a Tucumán una pequeña contribución de guerra, en alimentos y dinero, pero este se lo negó.

-No quiero que digan que abuso de mi triunfo y que los robamos; en Córdoba hallaremos cómo desquitarnos de todas nuestras privaciones, pues allí deben estar todos los recursos del gobierno nacional y su famoso ejército.

El Chacho repartió sus heridos en todos los pueblitos de los alrededores, y siguió su marcha hacia Córdoba. Aunque él había dicho que regresaba en busca de Sandes, notada la dirección que llevaba, del Campo envió chasques al jefe nacional, avisándole del combate del Colorado, y asegurándole que el Chacho, con un fuerte ejército, seguía para Córdoba, donde podría alcanzarlo si apresuraba las marchas.

En Córdoba había entonces algunas fuerzas de la guardia nacional destinadas a engrosar las filas de Sandes, como estaban establecidas las proveedurías que habían de atender al sostenimiento de las tropas nacionales. Esto era lo que el Chacho buscaba con grande empeño, pues su tropa estaba necesitada y hambrienta.

El Chacho apareció en los alrededores de la ciudad cuando no se le esperaba de ninguna manera, puesto que se le suponía vencido por Sandes, según las comunicaciones que este había enviado del Puente de Valdés. Al principio se creyó que sería la vanguardia de este; pero cuando se apercibieron que eran fuerzas montoneras, fue cuando ya era tarde para resistir.

El Chacho había situado sus dos piezas de artillería en las alturas más próximas, y amenazaba con ellas derrumbar media ciudad. Y envió un parlamento para que dijera a la autoridad que no era su ánimo derramar sangre, que iba a entrar pacíficamente a la ciudad uno de sus regimientos, para que tomara las existencias de la proveeduría. Pero que si le negaban la entrada, tendría que hacerlo entonces violentamente atacando la ciudad como a pueblo enemigo.

En Córdoba no estaban preparados para un combate, pues no esperaban de ningún modo ser atacados; pero no podían permitir así nomás la entrada del Chacho, menos cuando este declaraba que iba a saquear las proveedurías del gobierno. Aunque no fuera más que por hacer el aparato, el gobernador mandó a intimar al Chacho que se retirara, enviando para resistir su entrada a las pocas fuerzas que había en la ciudad.

Dispuesto el Chacho a atacar entonces, y viendo que no podían hacerle mucha resistencia, para concluir más pronto, porque no quería tampoco perder mucho tiempo allí, atacó vigorosa y decididamente a aquellas tropas, que no pudieron resistir y que muy pronto se declararon en derrota. El Chacho entró entonces a Córdoba con solo dos regimientos, y se hizo conducir hasta los depósitos de víveres y armas del gobierno, de donde sacó cuanto había, preparándose a retirarse al siguiente día.

No se produjo por las tropas del Chacho el menor desorden. Cargaron a lomo de mula cuanto podía hacerles falta, y se retiraron fuera de la ciudad a descansar toda aquella noche, para ponerse en camino al día siguiente. El comercio no fue tampoco molestado para nada, porque contento el Chacho con lo que llevaba, no quiso imponerle la menor contribución, como había pensado al principio, desde que se trataba de una provincia enemiga suya, de una manera irreconciliable.

El Chacho emprendió su marcha al día siguiente, llevando abundantes víveres y una tropa de vacas, que podía durarle una buena cantidad de tiempo. Suponiendo que Sandes pudiera contramarchar, no teniendo noticias suyas, y sabedor de lo que había sucedido en Tucumán, dio un gran rodeo para evitar todo encuentro posible, marchando apresuradamente y con la mayor suma de precauciones, pues ya no se trataba solamente de esquivar combate con las tropas nacionales, sino de salvar el magnífico botín tan felizmente tomado.

-Una vez en La Rioja, que nos busquen -decía el Chacho alegremente-, y sobre todo que nos quiten lo que les hemos tomado.

La Chacha en campaña

Al aproximarse Sandes a La Rioja, Victoria se alarmó seriamente, pues esto quería decir que el Chacho andaría operando a gran distancia de allí. El enemigo podía apoderarse de la capital mientras el Chacho no aparecía, y hacer todo género de horrores, que era preciso evitar a toda costa. La Victoria, que temía por ella y por las pocas tropas que a su cargo habían quedado, hizo bombear a Sandes, y sabiendo que este se dirigía a La Rioja por las Sierras de don Diego, ella salió por el lado de Catamarca, seguida de unos quinientos hombres, que componían todo su ejército de reserva. Pero no era solo montar y salir de La Rioja y huir; era preciso hostilizar a aquel enemigo y obligarlo, aunque no a salir de La Rioja, a que no tomara por lo menos medidas violentas.

Sandes llegó a La Rioja desesperanzado de hallar al Chacho, e ignorando por completo los parajes por donde este andaba. Debía haber huido en dirección a Chile, según su cálculo, en la imposibilidad de reunir un nuevo ejército. La mayor parte de los suyos los hizo campar Sandes fuera y lejos de la ciudad, entrando a ella simplemente con su escolta. El ejército del Chacho había sido deshecho, y no tenía que temer presencia de ningún enemigo.

El gobernador hizo presente a Sandes, acatando su autoridad, que vencido el Chacho, no sabía que existiesen tropas armadas en campaña; pero que cumplía con el deber de avisarle que, al aproximarse él, la Victoria había salido de La Rioja, con unos quinientos hombres bien armados. Mucho rió Sandes con esta revelación que no esperaba, suponiendo que la Victoria hubiera salido con la intención de llevar esa fuerza al Chacho. Sandes sabía, por lo que le habían dicho ya, que la Chacha tenía unas agallas de primera fuerza, pero no podía contener la risa que le hacía experimentar la idea de ver a la mujer de Peñaloza montonereando por su cuenta.

-Sin embargo -dijo-, es preciso dispersar esos quinientos hombres, y mañana voy a mandar unas cuantas partidas en su busca.

¡No sabía el coronel Sandes los dolores de cabeza que le iba a dar la señora Chacha, montonera!

Establecido en La Rioja, y mientras mandaba bombear el paraje donde podía hallarse la Chacha con sus montoneros, empezó a proceder con toda crueldad contra aquellos chachistas que él creía debían saber dónde se hallaban la Chacha y el Chacho. Y los azotes, los estaqueos y las lanceadas se pusieron en inmediata práctica. Y en toda La Rioja se levantó un inmenso clamor contra aquella tropa de bárbaros que tales horrores empezaba a cometer.

Por el simple hecho de ser chachista, el acusado de tal iba a parar a las filas de un cuerpo de línea, pudiéndose contar por feliz el que no recibía antes su correspondiente paliza o cepeada. Cada preso tenía que saber dónde andaba el

Chacho, y como la cuestión era remontar los cuerpos de línea, se les destinaba, hasta por la simple acusación de tener cara de chachista.

-Pero, señor -decía algún inocente-, si esta es la cara que me dio mi madre, yo no tengo la culpa que sea así.

-Ni yo tampoco, para qué andás con ella.

Los hombres, desesperados, salían buscando la incorporación de la Victoria, pues del Chacho nada se sabía, porque quedarse en La Rioja era para provocar los más bárbaros martirios.

Sandes despachó algunas comisiones para bombear a la Victoria, pero estas no pudieron dar con ella, suponiendo entonces que había ido a buscar a su marido por la dirección de Chile.

Sin embargo ella no andaba lejos y, escondida entre los montes, espiaba la oportunidad de jugar a Sandes una mala pasada digna de su marido. Los dos o tres jefes que la acompañaban eran muy buenos, y ella tenía más ánimo que el mismo Peñaloza, porque estaba empeñada en demostrar a este, que era digna compañera de tan famoso guerrero.

-Daría un ojo de la cara -había dicho desde el principio- por poder sorprender a esos salvajes, y arrebatarles aunque fuera media docena de prisioneros.

-Nada más fácil -le habían respondido sus jefes-; es cuestión de espiarles y aprovechar la oportunidad.

Confiados en que el Chacho había concluido, y sin temor ninguno por los montoneros que andaban con su mujer, los cuerpos campados fuera de la ciudad no tenían la menor vigilancia y dormían sin más centinelas que los del cuerpo de guardia. Los jefes y oficiales, en su mayor parte, pasaban la noche en la ciudad, entregados a todo género de diversiones.

Ni las familias riojanas ni las mujeres de las orillas estaban para fiestas. Sus maridos y hermanos, los que no andaban con el Chacho o la Victoria, habían muerto heroicamente en el campo de batalla, en las estacas, o gemían prisioneros en los cuerpos de línea. Estaban para llanto más que para fiesta; pero se les obligaba a concurrir a los bailes que improvisaban los vencedores, trayéndose por la fuerza a aquellas que resistían la orden de concurrir, obligándolas a bailar bajo bárbaras amenazas. Esto ya no era soportable, se les trataba como a animales, negándoles hasta el derecho de sentir a sus deudos, y la indignación y el odio contra semejante gente llegaba ya a su límite más doloroso.

Campada muy cerca de la ciudad, la Victoria estaba al corriente de lo que pasaba en esa, y había despachado varios baqueanos en busca del Chacho para que lo impusieran de lo que sucedía.

Entretanto y para tomar algún desquite contra aquellos bárbaros, organizó una sorpresa sobre el campamento de Sandes, aprovechando aquellos mismos bailes y fiestas a que asistían todos los jefes. Siendo muy escasa su fuerza para dar un combate, por corto que fuera, resolvió que el único objeto de aquella sorpresa sería arrebatar a algunos prisioneros, ayudar a libertarse a los riojanos destinados en el cuerpo de línea, y poner a todo el ejército en seria alarma, obligándolo a mantener una vigilancia constante que obligara a permanecer en el campamento a los jefes, que tendrían para ello que dejar en paz a la población femenina de la ciudad.

La Chacha, a la cabeza de una entusiasta columna, se aproximó al campamento de Sandes, en las primeras horas de la noche, cuidando no producir el rumor más leve. Y después que el toque de silencio se hubo repetido en todos los cuerpos y se hubo entregado la tropa al descanso, salió sigilosamente de su escondite y avanzó sobre el campamento del ejército.

Ya hemos dicho que la vigilancia era poca y mala porque nada se temía, así es que el pelotón que marchaba adelante explorando el terreno, pudo llegar al primer cuerpo de guardia sin ser sentido. Los soldados que no dormían se hallaban entregados a la más entretenida jugada. El primer rumor de lucha debía ser la señal para que Victoria avanzara a la carga y ejecutase su plan de ataque.

Estaban los milicos en lo más intrincado de la jugada, cuando el pelotón de los montoneros los acometió a golpes, y antes que tuvieran tiempo de darse cuenta de lo que pasaba, los volteó, atándolos y echándolos a las ancas. El que hacía un prisionero, no se detenía allí a esperar el resultado general de la sorpresa y huía inmediatamente al punto de reunión que se habían dado de antemano.

Al rumor de la lucha, los que estaban más próximos, medio dormidos y sin darse ellos mismos cuenta de lo que decían, habían gritado: "¡el Chacho!, ¡el Chacho!"

Y era precisamente aquel el momento en que la Victoria caía con sus montoneros como una tormenta, sembrando la muerte y el espanto en las sorprendidas filas, que no podían calcular el número del enemigo que se les echaba encima.

-¡El Chacho! -oían gritar, y corrían en todas direcciones, buscando un refugio y creyendo que por lo menos serían tres o cuatro mil hombres los que traían el ataque. Sin jefes y hasta sin capitanes, las compañías no tenían quién las hiciera reaccionar, y el tumulto crecía haciendo mayor el espanto. Las tropas de la Victoria no se detenían un momento; ellas sableaban en todas direcciones arrebatando cuanto prisionero podían.

Al sentir los gritos de "¡el Chacho!" y el estruendo del combate, los cien o doscientos riojanos diseminados en todos los batallones se plegaron al movimiento, arrebatando las armas a los soldados que tenían más próximos y matándolos con ellas mismas, aprovechando la sorpresa. Entretener era expuesto, en la ciudad estaba la escolta de Sandes y algunas otras compañías que podían acudir a restablecer el combate y cambiar las cosas. Así la Victoria, para no dar lugar a nada de esto, recorrió el campamento de un extremo a otro, a todo correr y causando todo el mal posible; volvió a recorrerle en sentido inverso y se puso en retirada con la misma rapidez que había llegado. Los soldados no habían tenido tiempo de darse cuenta de lo que sucedía, cuando ya la Victoria y sus montoneros se hallaban a una legua de distancia.

Sin tener una sola baja, un solo soldado lastimado, la Victoria había causado más de ochenta bajas entre muertos y heridos, se llevaba treinta y tantos prisioneros, y había libertado a todos los destinados riojanos. Todo esto como un relámpago, con una presteza vertiginosa y una seguridad plena en el resultado.

Los primeros que lograron salir del campamento, se fueron a la ciudad a llevar a Sandes el parte de lo que pasaba. Y este, persuadido de que aquella sorpresa debía ser traída por el Chacho mismo, hizo montar su escolta, reunió a todos los que se hallaban en la ciudad y fue en persona a recorrer el campamento sorprendido.

Pero mientras le llegó la noticia, mientras reunió los jefes y oficiales que estaban en la ciudad y se puso en camino, había perdido un tiempo precioso. Los montoneros debían ir muy lejos, pues según los primeros dichos tomados en el campo de la acción, hacía ya mucho tiempo que se habían retirado, pues el ataque, recio y vigoroso, apenas había durado unos diez minutos.

Cuando el coronel Sandes supo que no era el Chacho, sino su mujer, la que había realizado aquella audaz sorpresa, su desesperación no conoció límites. Se arrancó los cabellos furiosamente, y él mismo se puso en persecución seguido de su escolta. Pero todo fue completamente inútil, amaneció el nuevo día y Sandes ni siquiera había logrado sentir a los montoneros, lo que probaba que estos o habían cambiado de dirección, o llevaban una enorme delantera. Persuadido que nada lograría con seguir adelante, el coronel Sandes hizo alto, y esperó que aclarase bien el día para determinar lo que había de hacer. Estando en esta situación lo alcanzó un chasque del ejército que fue a aumentar su desesperación. Este chasque era el que le hacía el cura del Campo dándole cuenta de su combate con el Chacho y anunciándole que aquel se dirigía sobre Córdoba. Sandes soltó una maldición como un trueno y retrocedió nuevamente, con la inteligencia completamente turbada por la ira.

La situación era verdaderamente desesperante: había ido a buscar al Chacho a La Rioja, y no solo lo sorprendió la mujer, sino que se encontraba con que este a quien consideraba deshecho y sin un hombre le había ganado la retaguardia y había vencido a del Campo en Tucumán y tomado probablemente a Córdoba entre todas sus operaciones. Sandes estaba mortificadísimo porque aquello lo desprestigiaba como militar, haciéndole aparecer inferior a un triste montonero que no tenía más recursos que los de su imaginación. ¿Qué pensaría el gobierno ante tan repetidos descalabros?

Sandes abandonó La Rioja apresuradamente y marchó hacia Tucumán por la Sierra de don Diego, para salir entre Tucumán y Córdoba, sorprendiendo al Chacho cuando viniera de regreso, sin sospechar lo que en el camino le esperaba. Irritado con lo que le sucedía, sin un solo baqueano porque sus prisioneros habían escapado con la Victoria, sus crueldades fueron tantas y tales que Sandes se hizo odioso no solo ya para los montoneros sino para sus mismos soldados, cuyas más leves faltas se castigaban con un rigor extremado. Los habitantes de aquellos pobres y miserables puntos fueron las víctimas expiatorias de los triunfos del Chacho, porque tomados por el ejército nacional, eran destinados a sus filas sin excepción de ningún género.

Sandes buscaba baqueanos para hacer la guerra al Chacho, gente que le enseñara sus guaridas y le dijera los puntos a que se dirigía, y como no podía hallarlos mediante las más tentadoras promesas, empleaba el rigor y la crueldad, sin que este método le diera mejores resultados. Pero no encontraba en todo el norte un solo hombre que se prestara a servir contra Peñaloza.

Los que prometían hacerlo para librarse de los castigos que se le imponían, entretenían con promesas y llevaban al ejército a los campamentos que había ocupado el Chacho, aprovechando para escaparse la primera ocasión que se les ofrecía.

Parece fábula, pero el Chacho, con su prestigio personal solamente, tenía en jaque a todo el ejército de la República, burlando al gobierno y a los mejores jefes que contra él se mandaban. Así como Juan Moreira jugaba en nuestra campaña con las autoridades de la provincia, peleando y venciendo las partidas más fuertes que salían en su persecución, el Chacho provocaba de igual a igual al gobierno de la nación, poniendo en conflicto los ejércitos que este enviara en su busca para destruirlo.

El Chacho, sin dinero, sin recursos, sin uno solo de los elementos que hacen fácil la guerra, con sus voluntarios mal armados y empobrecidos, burlaba aquellos ejércitos de primer orden, apareciendo ante ellos como un ser fantástico e invencible, que después de una derrota, aparecía más fuerte y mejor organizado que antes de sufrirla. Esto era vergonzoso para un ejército de las tres armas, que disponía de todo género de elementos. Pero es que tampoco podían hallar al Chacho, lo que hubieran deseado, para librar con él una batalla definitiva que concluyera por fin con sus montoneros y lo redujera a acatar la autoridad del gobierno nacional.

El gobierno, comprendiendo que la duración de aquella guerra excepcional comprometía su crédito ante la misma república, organizó otro ejército que, al mando del general Rivas, debía operar en combinación con Sandes. Así el ejército del Chacho tendría que caer a manos del uno, huyendo del otro.

Antes de llegar a Córdoba supo el coronel Sandes lo que había sucedido, es decir cómo el Chacho se había apoderado de las proveedurías y de los depósitos de armas, huyendo en seguida sin dejar ni una sola galleta ni una narigada de yerba. El coronel Sandes se puso en marcha entonces hasta Catamarca, resuelto a alcanzar y batir al Chacho a costa de cualquier sacrificio, pues semejante posición era insostenible.

El cura del Campo le había facilitado cuatro baqueanos de su mayor confianza, para que le bombearan al Chacho, asegurándole que nadie como ellos conocía aquellos campos.

Estos habían visto pasar al ejército del Chacho y lo habían seguido unas leguas por simple curiosidad, así es que se comprometieron a guiar a Sandes. Por fin Sandes se hallaba sobre el rastro, seguro y en condiciones de sorprender al Chacho cuando este a su vez menos lo esperaba. La guerra llegaba entonces a su época más interesante y más fácil para el ejército del gobierno.

Para no ser sentidos, tres de los baqueanos se soltaron solos detrás del Chacho, mientras uno quedaba con Sandes para servirle de guía. Aquellos marcharían adelante y bombeando, hasta encontrar al Chacho, y regresarían con la noticia del paraje seguro donde lo hallaran.

No habían andado dos días, cuando alcanzaron a los montoneros campados y ocupados en despachar todos los cargueros a La Rioja, para quedar ellos más livianos y preparados a cualquier hecho de armas. El Chacho marchaba dejando siempre pequeñas partidas a retaguardia, que debían imponerlo de todo movimiento que ejecutase el enemigo si se lanzaba en su persecución. Y era esta táctica la que mejores resultados debía darle.

Así, en cuanto Sandes se movió detrás del Chacho, guiado por sus baqueanos, este lo supo, desprendiendo unos quinientos hombres destinados a darle un mal momento y hacerle entender que toda lucha con él era imposible. Por eso campó, despachando sus cargueros a los Llanos de La Rioja para quedarse más livianos. Aquellos quinientos hombres, desprendidos de su ejército, habían quedado emboscadas dos leguas a retaguardia, con el objeto de seguir a Sandes una vez que pasase este engolosinado con la seguridad de sorprenderlo.

Como el Chacho sabía que era bombeado, campando, Sandes se vendría sobre él a tiro hecho, y entonces su travesura le daría los mejores resultados. Él dejaría avanzar a Sandes y fingiría haber sido sorprendido, desbandándose después de un ligero combate para incitarlo a fraccionarse en su persecución. Entonces los quinientos hombres caerían por retaguardia sobre el ejército fraccionado y engañado por el fácil triunfo, poniéndolo en verdaderas apreturas.

Sandes, al saber que el Chacho estaba campado con todo su ejército, mandó precipitadamente, tomando todas las medidas necesarias para no ser sentido; hizo sacar los cencerros a las tropillas y atar los sables de la caballería, de manera que no se produjese el más leve ruido. Y marchó toda la noche entera, llegando antes del amanecer al paraje que se le había indicado como campamento del Chacho.

Allí estaba este campado con todo su ejército; se veían los fogones, a su resplandor, los hombres agrupados alrededor comiendo y tomando mate. Pero lo que Sandes no veía ni podía ver, eran los quinientos hombres que marchaban a su retaguardia tan silenciosamente como él y espiando el momento de caerle encima.

Su ejército no podía sentirlos, y aunque los hubiera sentido, hubiera creído que era gente perteneciente a él mismo, puesto que allí a vanguardia estaba el Chacho con sus terribles montoneros. Tan bien fingido era el descuido de estos, que las avanzadas y guardias enviadas por Sandes volvieron con el parte de que el enemigo se hallaba en el mayor descuido entregado al descanso.

El coronel Sandes esperó que amaneciera para dar el golpe, porque así podría hacer la persecución de una manera más eficaz, y preparó todo para la sorpresa que llevaría todo el ejército al toque de diana. Tan seguro veía el golpe, que los soldados de caballería se habían atado a la pierna las vainas de los sables para que el ruido no los descubriera, llevando en la mano las hojas para no perder el primer movimiento de espanto que se apoderaría de los montoneros al verse sorprendidos.

Los chachistas, entretanto, riendo del chasco que iban a pegar, tenían sus caballos de las riendas, y diseminados en grupos que fingían dormir, no perdían un movimiento del ejército.

A las primeras claridades del nuevo día, el coronel Sandes hizo echar diana por su trompa de órdenes, diana que era la señal del ataque general. Separados a solo unas veinte cuadras del campamento del Chacho, en pocos minutos estarían sobre él, pues a solo ocho cuadras había colocado una fuerte avanzada de caballería, que sería la primera en llegar impidiendo que el enemigo se moviera. Todas sus caballadas y arreos habían sido dejados a retaguardia para que no entorpecieran el movimiento general.

En cuanto sonó el toque de diana, los chachistas, como un relámpago, estuvieron de pie y a caballo en seguida, de modo que cuando la avanzada llegó fue recibida con una buena descarga de carabinas y una mejor carga de lanceros; así es que fueron ellos los verdaderamente sorprendidos con la inesperada actitud del Chacho.

Cuando llegó Sandes con el resto del ejército, por rápidamente que anduvo, se encontró con que su avanzada había sido obligada a retroceder, con sensibles pérdidas. La carga fue entonces impetuosa y firme.

El Chacho, que no podía en manera alguna sentir el empuje de todo el ejército y que había logrado ya su objeto, hizo tocar dispersión, y empezó a huir apresuradamente, sin perder por esto su formación. A su toque de dispersión respondió Sandes con el de a la carga, lanzándose todos en persecución de los fugitivos que empezaron entonces a fraccionarse. Aquellos dos toques sucesivos fueron también la señal de ataque para la emboscada del Chacho, que salió como una tormenta cayendo con bárbaro empuje sobre los que cuidaban las caballadas y cargueros, que no esperaron jamás semejante ataque. Los caballos fueron dispersados inmediatamente y tomados los cargueros, con grandes bajas en los cuidadores, yéndose en seguida sobre Sandes y sableando a su gusto los grupos diseminados de infantes y artilleros que iban hallando al paso.

Sandes miró aquel grupo de caballería que le hacía tan gran destrozo y creyó estar soñando, porque no pudo darse exacta cuenta de la evolución hecha por el Chacho con tanta felicidad. En el acto envió sus ayudantes que hicieran tocar reunión a cuanta tropa encontraran. Pero los cuerpos se habían alejado mucho, entusiasmados con la persecución, y tardaron tanto en llegar que, cuando pudieron ejecutar las órdenes del coronel, el campo estaba limpio de enemigos.

El Chacho había dado aquel día el más famoso de sus golpes, pues le había causado muchas bajas y se había llevado dos oficiales prisioneros y unos quince soldados, según se pudo calcular. En cambio, él había dejado un buen número de muertos y heridos que, aunque no sumaban ni la mitad de los que tenía el ejército, siempre era un daño que recibía el Chacho y algunas víctimas en quienes pudo vengar la rabia de la derrota inesperada.

No podía decirse que el ejército de Sandes fuera el derrotado, puesto que quedaba dueño del campo del combate, pero había sido burlado y sorprendido, lo que era tan doloroso como una derrota en toda regla. Para colmo de desesperación el ejército quedaba imposibilitado de moverse, porque le había hecho disparar las caballadas dejándole solo lo montado, inútil por aquel día en razón de que no había reposado un momento desde que se inició el combate. Felizmente los montoneros solo habían tenido tiempo de dispersar las caballadas, sin poder arriarlas, de modo que Sandes podía hacerlas juntar y seguir la marcha; pero tendría que perder un tiempo precioso, deteniéndose allí hasta el otro día.

Más práctico en aquella guerra y más conocedor de las mañas del Chacho, comprendió esta vez que su enemigo no estaba derrotado, ni mucho menos, y que si huía era simplemente porque así le había convenido y para reorganizarse en un punto dado de antemano y tratar sobre él una nueva sorpresa. El golpe jefe hubiera sido entonces marchar directamente al paraje donde debían reunirse, sorprenderlos allí y darles un golpe recio y tal vez definitivo. ¿Pero cómo adivinar el punto de reunión? He aquí la gran dificultad a vencer. Los heridos y prisioneros debían saberlo, indudablemente; ¿pero cómo arrancarles el secreto si se dejaban matar antes que pronunciar una palabra que pudiera perjudicar a su caudillo? Solo el rigor podría hacerlos hablar, aunque el rigor había sido usado ya de una manera impetuosa.

Sandes, con ideas radicales a este respecto, y creyendo que por medio del sufrimiento lo conseguiría todo, hizo formar sobre tablas todos los prisioneros, para elegir entre ellos el tipo que le pareciera más pusilánime para hacerlo cantar de firme en el tono necesario. Y como la operación se haría delante de los demás prisioneros, para intimidarlos más, no sería difícil que alguno de entre ellos cantara, y cantara prontamente.

Una vez formados estos, Sandes hizo salir de las filas al que le pareció de físico más miserable y de menor resistencia.

-¿Adónde ha ido el Chacho? -le preguntó de un modo severo y amenazador.

-¿Y cómo quiere que sepa -contestó el soldado-, si el Chacho se ha ido y nosotros hemos quedado aquí?

-Pocas compadradas conmigo y a responder limpio -repuso Sandes que hacía esfuerzos tremendos para contener el estallido de su cólera-. ¿Cuál es el punto que les ha señalado el Chacho para reunirse después del combate? ¿En dónde debían ir a buscarlo ustedes?

-Pero a ninguna parte; él no nos ha dicho nada porque nos sorprendieron y antes que él pudiera hablarnos, ya nos pusimos a pelear.

-Mientes -dijo entonces Sandes, tendiendo un lazo al prisionero-. Ya otro me ha dicho el paraje donde deben reunirse y yo quiero saber si es verdad o mentira, por eso te lo pregunto.

-Pues si hubo alguien tan osado para decir lo que no debe y mentir -contestó el interrogado con magnífica insolencia-, no seré yo quien lo ayude en ese camino.

-¿No quieres entonces decirme dónde debían reunirse?

-No lo sé, señor, lo juro por Dios mismo.

Estaqueándole se perdería mucho tiempo, y ya se sabía que las estacas daban muy poco resultado.

-Pues que lo pongan en cuatro lanzas -les dijo-, hasta que hable; vamos a ver si así se le despeja la memoria.

El prisionero fue echado al suelo allí mismo, estirado y clavado con cuatro lanzas delante de sus compañeros, para que viesen la suerte que les esperaba si no declaraban lo que se les preguntara.

El prisionero, que era un joven delgadito, cuyo físico acusaba muy poca resistencia, soportó aquella operación bárbara sin siquiera arrugar la cara. En su modo de expresarse y en su ropa misma, parecía que pertenecía a una familia decente y acomodada.

Habiéndosele preguntado nuevamente por el paraje donde estaba el Chacho, respondió tristemente:

-Las lanzas tendrán el poder de hacer sufrir de una manera insoportable, como tienen el poder de dar la muerte también. Pero el poder de las lanzas no llega hasta hacer a un hombre adivinar lo que no sabe.

Aquella respuesta y aquella resignación habrían hecho retroceder a cualquier otro que no fuera el coronel Sandes, pero este se sintió con ella más irritado, vio que aquel hombre le provocaba de una manera burlona, y decidió hacerlo hablar por el rigor.

Aquel joven, delante de sus compañeros conmovidos e impresionados, fue lanceado lentamente, sin que su dolor resignado y la fortaleza de su espíritu conmovieran a sus verdugos. Y expiró sonriente y magnífico, en medio de los dolores más terribles, asegurando siempre que no sabía el punto a que se había dirigido el Chacho pues nada les había dicho.

Sacado su cadáver de las lanzas que lo sujetaban al suelo, se volteó otro de los prisioneros con quien se hizo inútilmente la misma operación. Pero este, como su antecesor en el martirio, negó saber el paraje donde se había dirigido el Chacho, alegando las mismas razones que aquel. Y fue muerto de la misma manera, esperando que su muerte desataría la lengua de los demás.

Iban a repetir la misma operación con un tercero, cuando un hombre medio viejo salió de entre los prisioneros y dijo a Sandes:

-Es inútil que hagas matar a estos otros, porque ellos morirán como sus compañeros, nada saben y nada pueden decir. Yo soy el único que sé dónde está el Chacho, pero no he nacido para que nadie se limpie en mí las manos. -Y resbalando de la manga derecha un puñal que allí tenía oculto se lo clavó sobre el corazón, antes que nadie pensara en detenerlo.

Fue entonces cuando tuvo lugar allí la escena más conmovedora. Al ver la acción valiente de aquel hombre, un joven, que después se dijo era hijo de aquel, saltó de entre los prisioneros y acometió a Sandes, logrando herirlo, aunque levemente, con un cuchillo que traía consigo. Y creyendo sin duda que había herido lo bastante para dar la muerte, se arrodilló al lado del cuerpo del heroico suicida y empezó a llenarlo de caricias. Y allí fue muerto de una manera feroz, a lanzadas, bayonetazos y golpes diversos.

Los otros prisioneros quedaron aterrados, previendo para ellos un fin análogo. Pero todos ellos estaban dispuestos a sufrir igual suerte, antes que vender al Chacho y sus compañeros.

Entretanto el Chacho se dirigía a La Rioja dejando como siempre establecida una buena vigilancia cerca de Sandes, para estar al corriente de todos sus movimientos. Y fue recién en el camino que tuvo noticia del golpe dado a Sandes por la Victoria, situada en La Rioja con más de mil hombres para acudir en su protección de cualquier modo y en cualquier apuro.

Nuevas hazañas

El Chacho fue recibido en La Rioja con muestras del mayor regocijo. Como a su solo llamado todos se apresurarían a acudir, inmediatamente de llegar dio permiso a todos los soldados para que fuesen a visitar a sus familias, quedándose únicamente con aquellos que vivían en la ciudad o sus alrededores.

Sandes, según todos sus cálculos, no había quedado en condiciones de seguir adelante, y algún tiempo había de pasar antes que juntara las caballadas necesarias para ponerse en marcha con ciertas probabilidades de éxito. Durante este tiempo podía dejar descansar a sus tropas y descansar él mismo, que harto lo necesitaba.

Con lo tomado al enemigo en sus diversos encuentros y lo sacado de Córdoba, los montoneros habían vuelto relativamente ricos, ellos que estaban acostumbrados a no tener más capital que su miseria y su hambre. El Chacho era el único que nada tenía, porque nada había guardado para sí. Algunos cargueros de víveres y géneros que había reservado, y que los soldados creyeron era su parte, fue para repartirlos entre las familias de aquellos que no volvían porque habían muerto o habían caído prisioneros.

El pueblo se aglomeraba a las puertas del noble caudillo para saludarlo y vitorearlo, y las serenatas se sucedían unas a otras, de modo que aquello era una eterna música. Un par de meses duró para el Chacho aquella vida apacible y calma, gozando al lado de su mujer que amaba con delirio, todo aquello que puede hacer amar la vida.

La provincia de La Rioja estaba justamente orgullosa. Con sus solos elementos y sin más amparo que su misma miseria había resistido heroicamente lo que ella llamaba la invasión del ejército nacional, que en vano había aglomerado para vencerla y extenuarla, todos sus elementos y todas sus riquezas. Tenía en su contra todas las demás provincias, aunque de todas ellas acudían voluntarios a combatir bajo su simpática bandera, huyendo de los horrores de la tropa de línea, y en sus filas ingresaban insensiblemente, a pesar de todo y sin más aliciente que la fatiga y la batalla. Es que las enormidades de los jefes nacionales habían hecho más simpática la causa del Chacho, empujando a sus filas a muchos que jamás hubieran tomado las armas ni por unos ni por otros. Si se quedaban en sus casas para no servir al Chacho, y que el gobierno nacional no tuviera cargo que hacerle, al fin y al cabo caían en manos de Sandes, que, por lo menos, los destinaba al ejército de línea por tiempo indeterminado, tratándolos siempre como a enemigos.

-Siquiera con el Chacho no nos han de agarrar a dos tirones -decían-, y como de todos modos nos martirizan, siquiera tendremos el consuelo de vernos maltratados con algún motivo y por alguna razón.

Y todos abandonaban sus hogares para marchar con el Chacho, que era el amigo de todos y a cuyo lado no se sufrían torturas ni castigos. Esta era la razón principal de por qué el Chacho tenía siempre un ejército numeroso, a pesar de todas las miserias y necesidades que con él tenían que pasar.

Si el ejército nacional hubiera procedido de otra manera, si los hijos de aquellas provincias no hubieran sido tratados como bestias feroces y solo como altas de línea, la guerra con el Chacho no habría durado tanto tiempo. Pero los montoneros se veían obligados a pelear de una manera heroica, porque sabían que solo así podrían vencer a un enemigo que venía a esclavizarles y a arrebatarles su hogar, sus hijos y sus esposas.

-¿Y por qué razón, por qué causa? Por la misma que fusilaban los prisioneros de guerra y martirizaban hasta la muerte a los que no sabían dónde había agua o dónde andaba el Chacho.

Y pudiendo ellos responder de la misma manera, pudiendo contener todos aquellos atropellos con la misma vida de sus prisioneros, nunca habían querido hacer uso de esta arma cobarde e inicua.

-Los soldados no pueden ser castigados por las faltas que cometan sus jefes - había dicho el Chacho-, porque ellos son inocentes. -Y los prisioneros seguían siendo tratados como hermanos y atendiéndose a todas sus necesidades, cuidando de que jamás tuvieran el menor motivo de queja. Así es que los mismos prisioneros concluían por simpatizar con la causa del Chacho, recordando con horror la manera inicua con que las fuerzas nacionales trataban a los chachistas.

Como los prisioneros reincorporados al ejército, por la completa libertad de que gozaban, referían en el ejército el cariño y respeto con que se les había tratado en La Rioja, Sandes había prohibido estas conversaciones bajo las más severas penas. Y ya sabían todos que el que fuera tomado o acusado del delito de ponderar al Chacho, recibía por lo menos doscientos azotes.

Por estas crueldades y tiranías inaguantables el coronel Sandes había concluido por ser odiado de sus mismas tropas, que si seguían a su lado era por el terror que les inspiraba el terrible jefe, terror que ni siquiera les permitía atreverse a pensar en una conspiración. Es que en el ejército nacional pasaban entonces horrores del que no hay la menor idea. Es preciso haber servido en sus filas, para tener idea de ciertas monstruosidades en cuya narración no se puede creer, porque a ello se resisten los sentimientos menos humanos.

Pero el lector que dude de lo que narramos, puede hablar con cualquier oficial o cualquier soldado que haya hecho las campañas contra el Chacho, y se convencerá que no solo no hemos exagerado sino que no hemos narrado los episodios más tremendos. Los médicos del ejército, por ejemplo, estaban constantemente ocupados en la cura de los heridos que llenaban los pequeños hospitales de sangre. Aquellos heridos no eran de la batalla, puesto que pasaban meses enteros sin que tuviera lugar un solo combate.

¿De qué provenían aquellos heridos que entraban diariamente al hospital para ser curados por el cirujano? Aquellos eran soldados mutilados horriblemente por las estacas o despedazados por los azotes que se aplicaban de a miles, al extremo de dejar descubiertos los huesos.

Y no era un sentimiento de piedad lo que hacía remitirlos a los hospitales para su curación, sino por el contrario un sentimiento de la más refinada y cobarde barbarie. Aquellos infelices, que pedían a gritos que se les despenara, no iban al hospital sino para que el cirujano los pusiera en condiciones de poder recibir al día siguiente igual castigo al que los dejara en tal estado. Porque ya no se condenaba a un soldado a recibir quinientos o mil azotes de una vez. Se le mandaba suministrar esas dosis "hasta que muera" o durante nueve días, lo que se llamaba un "novenario de azotes", o todos los días hasta que respondiera a la pregunta que se le había dirigido, supiera o no supiera. Aquella era una inquisición, pero una inquisición monstruosa.

Los segundos o terceros mil azotes los recibía el soldado, no ya sobre sus carnes que habían desaparecido despedazadas por la vara del castigo, sino sobre los huesos que saltaban también en pequeños átomos. Pocos eran los soldados que resistían tres días este horrible castigo, y muy contados los que lo resistían cuatro.

Pero como era preciso cumplir el castigo para escarmiento de los demás, se seguía azotando el cadáver que volvía a ser llevado al hospital hasta enterar el novenario. En los últimos días era preciso llevarlo al castigo en mantas, porque el cadáver se despedazaba entre las manos.

Más de una vez fue necesario suspender un novenario de estacas, no porque la muerte de la víctima hubiera satisfecho a los verdugos, sino porque el cuerpo no ofrecía ya parte donde poder atar las correas o maneadores. Los brazos y las piernas habían desaparecido en las anteriores estaqueaduras, al extremo de no quedar más que el tronco solo. Y de esto jamás se daba cuenta al jefe, porque había que cumplir la pena marcada, aunque el último día solo se aplicara sobre un pedazo de algo que de todo podía tener menos de ser humano.

Así los hospitales ofrecían un espectáculo incomprensible al primer golpe de vista, que solo se puede explicar en la narración que hacía un médico polaco, Sadowski, cuando entró a formar parte del cuerpo médico de aquel ejército.

"-Entré al hospital -decía- y me llamó la atención ver a todos los enfermos tendidos boca abajo, sobre las tarimas o simplemente en el suelo.

-¿Qué significa esto? -pregunté al oficial de guardia-. ¿Por qué todos los enfermos están tendidos de barriga? ¿Obedece esto a alguna medida disciplinaria?

El oficial me dio una respuesta muda, pero formidablemente elocuente. Se acercó a una de las tarimas y levantó la manta que cubría al soldado.

Yo no pude contener un movimiento de horror, aunque en el primer momento no comprendí la dramática explicación. Aquel hombre tenía la espalda destrozada de tal manera, que se veían asomar los huesos. Eran soldados que habían recibido una dosis de azotes que nunca baja de quinientos, lo que explicaba su posición en la cama.

Mi horror llegó a su colmo, cuando al otro día vi que muchos de aquellos soldados eran llevados nuevamente al castigo.

-Pero esto es tremendo -exclamé-, ese infeliz va a morir al décimo azote.

-No importa -me contestaron-; se seguirá castigando el cadáver. Así se ha mandado y no hay más que obedecer...

Y estos infelices no eran solo montoneros, pues a estos se castigaba a estacas o a lanzas, eran soldados del propio ejército del gobierno a quienes se castigaba de aquella manera por faltas en el servicio; por simples faltas en el servicio que se castigan con uno o dos días de arresto.

El azote era el único castigo que se aplicaba.

-Señor, tal soldado ha faltado a la lista, o se ha embriagado, o ha salido del campamento sin permiso.

-Péguenle tantos azotes -era la respuesta de orden, azotes que según la falta, variaban entre cien y un novenario de dos mil, al que no sobrevivió un solo soldado."

Los arrestos, plantones y demás castigos leves estaban abolidos en el ejército como hoy lo están los azotes y el cepo colombiano. El desertor era estaqueado o azotado "hasta que muera" como única y eficaz medida de evitar la deserción, medida que no la evitaba en nada, pues para muchos era preferible aquella muerte bárbara que semejante vida. Y muchos soldados, soldados viejos y leales, desertaron pasándose a las filas de los montoneros por no tener fuerzas ya para resistir ni aun al espectáculo diario que ofrecían los diversos batallones y regimientos.

Y esta fue la causa de que algunos cuerpos se sublevaran, buscando como medio de salvación, o la muerte en el combate, o la libertad absoluta entre el enemigo, siéndoles todo preferible a semejante vida de horrores, expuestos a que por cualquier casualidad o desgracia, de perder una prenda del uniforme por ejemplo, les rompieran las carnes a varazos.

Si esto se hacía con los mismos soldados del ejército, fácil será calcular lo que se haría con los prisioneros de la batalla o con los que eran tomados en las poblaciones, escondidos para no servir al gobierno nacional; pues el que no quería servir con Peñaloza, nadie lo obligaba a hacerlo a la fuerza. Los soldados habían llegado al extremo de preferir la derrota al triunfo mismo, porque siquiera en la derrota se evitaban el horror de concluir con los prisioneros de maneras tremendas.

Era en la escolta de Sandes donde se cometían las mayores iniquidades, pues aquellos hombres, reclutados entre todos los bandidos que ingresaban al ejército por condena del juez del crimen, eran capaces de crueldades que el mismo Sandes no hubiera sido capaz de imaginar. Así es que cuando se decía de un soldado "que lo lleven a la escolta del coronel", ya se sabía que este estaba condenado a una muerte horrible y lenta, que era el entretenimiento de aquellos desalmados.

Así el ejército de línea, que debía haber sido la confianza de aquella gente, garantiéndole contra los desmanes del caudillaje, era el terror de las poblaciones porque era su verdugo a quien nada movía a piedad. Y cuando el ejército marchaba apurado, ya por la presencia del Chacho, ya porque les decían que estaba campado cerca de allí, los infelices mutilados por el azote y la estaca quedaban abandonados en los hospitales sin el menor recurso ni auxilio. Era entonces el enemigo el que iba a buscarlos y a llevarlos a sus casas para asistirlos con todo esmero y cariño. Muchos salvaron así de una muerte horrible, aunque la mayor parte pereció por falta de medicamentos y de médico, porque el estado de la mayoría no era para curarse con remedios caseros.

La campaña se hacía cada vez más penosa, porque mientras más se internaba en La Rioja en busca del Chacho, más difícil se hacía la marcha porque las aguadas estaban inutilizadas en su mayor parte; y esperando los proveedores, se veían obligados a comer carne de burro, un poco más pasable siquiera que la de caballo flaco.

Como el Chacho era una especie de fantasma que se aparecía precisamente en aquel paraje del que se le creía más lejos, los comisarios pagadores no se atrevían a hacer la cruzada y el ejército hacía un semestre que no veía un centavo. Y aunque lo hubiera tenido habría sido lo mismo, porque la mayor parte de los negocios que vendían por vales al ejército de Sandes, porque no tenían más remedio y fiaban a los montoneros con garantía del Chacho, no tenían cómo renovar sus surtidos y cerraban sus casas muchos, por falta de artículos, hasta poder traer lo más necesario. Así es que la miseria era espantosa en el ejército y en las poblaciones.

El Chacho se hallaba en mejores condiciones que Sandes, porque con lo que había tomado de los proveedores aprisionados y lo que había comprado y cambiado en San Juan y Mendoza, tenía cómo alimentar sus muchachos, que se contentaban con bien poca cosa, habituados a todo género de privaciones.

Cuando Sandes reunió nuevos elementos de movilidad, se puso en marcha nuevamente en busca del Chacho, con un cuerpo de baqueanos y rastreadores que había organizado, con los que ya le diera el cura Campos y otros que sacó de Santiago y de Catamarca. Pero estos no podían compararse con los que llevaba el Chacho, los más famosos de los Llanos de La Rioja, capaces no solo de hallar el rastro de un pájaro en el espacio, sino de despistar al más hábil, haciéndole perder el rastro de la montonera, con diferentes combinaciones de contramarchas.

Inmediatamente que se movió Sandes en dirección de La Rioja, lo supo el Chacho y salió a hostilizarlo, con una división de dos mil hombres, en la que también iba la Victoria, que no había querido quedarse en la ciudad, no solo para compartir con su marido los peligros de la nueva campaña, sino que, siendo ya conocida por Sandes, este pondría todo su empeño en ver si la tomaba prisionera, para con esto obligar al Chacho a someterse o a entregarse como prisionero de guerra.

Una carnadura de brujo

La carnadura[1] de Sandes era tan proverbial como su valor soberbio y crueldad misma. Una puñalada en el cuerpo de Sandes era lo que un alfilerazo en cualquier otro. El cerraba sus heridas no haciendo caso de ellas, vendándolas y consintiendo que le pusieran algunos medicamentos muy sencillos, solamente para librarse de los empeños de los médicos, que querían curarlo a todo trance, porque conocían bien las consecuencias de una herida abandonada.

El cuerpo del coronel Sandes era un tejido horrible de cicatrices formidables, causadas por heridas, muchas de las cuales fueron clasificadas como necesariamente mortales. Pero las heridas duraban muy poco en aquel cuerpo privilegiado; cicatrizando con una rapidez asombrosa y sin ofrecer el menor de los peligros que acompañan siempre a las heridas de cierta consideración. En aquel cuerpo se veían profundas cicatrices de lanza, de sable, de bala y de puñal, pareciendo imposible que pudiera vivir un hombre que había recibido semejantes heridas.

Bravo como un león, en la batalla de Pavón, Sandes quedó por muerto en el campo de batalla, acribillado de heridas, entre las que se contaba un tremendo hachazo que le dividía el cráneo. Sus compañeros que lo estimaban por sus bellas prendas militares, lamentaron profundamente su muerte, aquella noche, imaginándose cuán bárbaras habrían sido aquellas heridas, que habían concluido con aquella naturaleza de bronce. Dos días después, Sandes los alcanzaba en la marcha, llevando ya cicatrizada la mayor parte de aquellas heridas monstruosas, que ni siquiera habían supurado.

Las graves, como un lanzazo sobre la tetilla izquierda, habían sido envueltas por él mismo en una tira de poncho, después de habérselas cosido con una aguja e hilo que le facilitó un soldado. Y Sandes, con aquellas heridas frescas, había pasado toda la noche sobre el campo de batalla, donde cayó, recibiendo todo el rocío de la noche porque recién al día siguiente volvió en sí y pudo examinar sus heridas, poniendo las más graves en condiciones de marcha, como él decía. Todas aquellas heridas en quince días más estaban perfectamente cerradas, y Sandes en condiciones de entrar en una nueva campaña. Y tan seguro estaba Sandes de la pronta curación de sus heridas, que jamás se preocupó de ellas.

Había en Sandes otra cosa tan asombrosa como sus heridas mismas. Esta era la resistencia pasmosa de Sandes para soportarlas. O el dolor era ajeno a aquella naturaleza de bronce, o su resistencia era tal que aparentaba no sentirlo.

Conservamos en la memoria una anécdota, que oímos una vez a un soldado y que puede dar una idea de lo que era aquel hombre extraordinario. Conversaban una tarde en el fogón de Sandes algunos soldados, asistentes todos del coronel. Como

---

[1] Carnadura: disposición de la carne para cicatrizar

en aquellos momentos hacían la comida, había muchísimo fuego, preparándose uno de ellos a ensartar el asado en el asador. Los milicos conversaban con esa alegría que caracteriza al soldado criollo, aún en sus momentos más apurados y reían estrepitosamente de la cara de un trompa que habían azotado aquella diana. Las ocurrencias más saladas y originales salían de aquellas bocas, cuando se apareció de pronto entre ellos el coronel Sandes, demudado y con un semblante endiablado.

Los milicos callaron como si les hubieran metido un corcho en la garganta y se echaron a temblar, creyendo que a Sandes no le habría gustado la conversación que tenían y les iría a dar algún castigazo de aquellos inaguantables. Sandes, sin decir una sola palabra, tomó el asador de manos del que lo limpiaba, quien hizo un quite soberano, persuadido que aquello no podía ser sino para cimbrárselo por el lomo. El coronel se acercó al fogón y metió entre las brasas el asador, hasta la mitad. En seguida se sentó en el suelo y pidió al negro Pancho un cuchillo bien afilado. Todo aquello había sido hecho con una rapidez asombrosa y sin dar tiempo a pensar lo que podía ser.

El pedido del cuchillo, sobre todo, concluyó de aterrar a los milicos, pues Sandes era muy capaz de hacerlos degollar uno con otro. Mientras le entregaban el cuchillo pedido, el coronel Sandes había desnudado hasta la rodilla su pierna izquierda. La pantorrilla de aquella pierna estaba cubierta de sangre, que salía en gotas negras y espesas, de algo como una mordedura o heridas de clavo. Sandes tomó el cuchillo y como quien corta en carne muerta, hizo en aquella pantorrilla tres tajos; pero tres tajos horribles, por entre cuyos labios se veía la blanca tibia.

-Alcanza el asador -dijo a Pancho con voz breve y sin que un solo músculo de su semblante varonil se hubiera contraído.

El milico sacó del fuego el asador, completamente rojo en su parte inferior, y se acercó a Sandes, quien le dijo con una naturalidad asombrosa:

-Quemáme ahí, dentro del tajo, pero hasta el hueso.

El soldado no se atrevió a acercar el asador a pesar de lo terminante de la orden; no sabían si el coronel estaba loco o si quería hacer alguna prueba de lealtad con ello. Vaciló y no resolvió.

Entonces Sandes, con la misma tranquilidad que había hecho las demás cosas, sacó de su cintura el revólver y apuntando a la cabeza de Pancho le dijo brevemente:

-O hacés lo que te mando, o te reviento la cabeza; pronto. -Y montó el revólver.

Pancho no vaciló ya, comprendió que Sandes no jugaba, y resuelto a aguantarlo todo, acercó el asador a la herida. Una columna de humo les envolvió el semblante, y el chirrido de la carne al contacto del hierro candente, los hizo estremecer a ellos, habituados a todos los horrores. Es que aquello era tremendo y rayaba en los límites de todo sufrimiento humano. Y Sandes no parecía actor sino simple testigo de aquella escena formidable, que había impuesto al mismo Pancho, el negro más bandido y desalmado de todo el ejército.

Cuando cesó el humo por haberse enfriado el asador, y pudieron verse las caras, los milicos se encontraron con el semblante inalterable del coronel Sandes, que miraba su pierna con curiosidad interrogante. Aquella pantorrilla no era más que un churrasco horrible y humeante que no podía mirarse con serenidad, sin un sentimiento de horror.

-Tráiganme un poco de aceite -dijo Sandes- para echarle a la pierna porque se ha resecado mucho.

Acababa Pancho de echar el aceite y se preparaba a hacer un vendaje a su manera, cuando se sintió un gran alboroto de voces, carreras y golpes que sonaban a corta distancia.

-Vaya uno a ver qué es eso -ordenó el coronel-, y que no me obliguen de salir de aquí.

Dos o tres de los milicos, que lo que querían era salir de delante de Sandes, se apresuraron a cumplir la orden dada. El bochinche era formado por unos cincuenta hombres que perseguían un perro rabioso que acababa de morder a un oficial. Cuando los milicos indagaban la cosa, el perro ya había sido baleado y muerto a puñaladas y lanzazos, en medio de una gritería infernal.

Fueron los asistentes a dar cuenta a Sandes de lo que aquello significaba, y recién por la respuesta del coronel comprendieron lo que este había hecho.

-Es el mismo que me mordió -contestó Sandes-, pero mi mordedura no tendrá consecuencias.

Sandes había sido mordido efectivamente por aquel perro rabioso y sin pérdida de tiempo había tratado de hacerse el remedio que creyó más eficaz y ya hemos visto de qué manera se lo aplicó.

El cuento corrió inmediatamente con sus menores detalles por todo el ejército, acudiendo en el acto los dos cirujanos a curar al coronel, pensando que había gran exageración de lo que habían escuchado. Pero la verdad de lo sucedido, el estado de la pantorrilla churrasqueada, era superior a todo cuanto habían oído; no se explicaban cómo un hombre podía haber tenido la resistencia necesaria para soportar aquella operación tremenda. A pesar de su resistencia y su empeño de ir por sus propios pies, los milicos lograron que Sandes se dejara conducir hasta su cama y consintiera en ser curado de la quemadura, pues lo que es la mordedura había sido perfectamente curada. No sucedió así con el oficial, alférez del 1º de caballería, quien, menos resuelto que el coronel, fue curado débilmente y tarde; viniendo a morir dos meses después en medio de los dolores más atroces y ofreciendo el más conmovedor de todos los espectáculos.

Otro de los hechos que prueban la asombrosa carnadura del coronel Sandes y su valor moral a toda prueba, es el siguiente, que oímos referir también a uno de los viejos soldados de su escolta, cuando no soñábamos siquiera escribir nuestros romances.

Un joven catamarqueño fue tomado una vez por las fuerzas de Sandes, y conducido a su presencia como baqueano consumado de aquellos parajes. El ejército no bebía hacía ya treinta horas, y nadie sospechaba siquiera dónde podía haber una aguada por allí cerca. Aquel joven catamarqueño había servido con el Chacho y, según decían, conocía palmo a palmo todos aquellos territorios.

-Guía a la aguada más próxima -le dijo Sandes, dando orden de marcha al ejército, marcha peligrosa porque los soldados iban quedando rezagados en el camino a causa de la sed.

Para llevarlo más seguro, el catamarqueño fue obligado a marchar a pie y a paso de trote.

Al caer la tarde ya la sed era insufrible y no solo los soldados sino los caballos se negaban a dar un paso.

-Allí hay agua -dijo el catamarqueño-, y efectivamente poco después llegaron a una aguada bastante abundante; pero que había sido inutilizada por el Chacho, con cuerpos de caballos y aún de gente. La sed hizo que algunos bebieran algo a pesar del gusto insoportable del agua, pero ni los caballos mismos se atrevieron a beber.

El hallar agua era cuestión de vida o muerte para el ejército; y Sandes hizo preguntar al catamarqueño dónde había otra aguada por allí.

-Como a diez leguas a vanguardia hay otra aguada -contestó el joven-; puede ser que esa no esté inutilizada.

-Pues guía a ella.

-Si no me dejan montar a caballo será imposible, porque ya no puedo dar un paso.

Se creyó que el catamarqueño quería montar a caballo para escaparse, aprovechando la oscuridad de la noche y sin más trámite se dio esta orden:

"Que se le haga seguir a pie no más, y si se niega que se le obligue a andar con cuatro lanzas a la espalda."

El catamarqueño tenía el mayor interés en llevarlos donde había agua, porque sabía que era el único modo de salvar la vida. Pero estaba realmente rendido de cansancio, al extremo de no dar un paso más. Sin embargo, viendo que si no andaba se haría con él alguna herejía horrible, siguió andando a pesar del cansancio y las llagas formadas en sus pies por la larga y violenta marcha. Así anduvo cuatro leguas más o menos, hasta que no pudo más, y volviendo a hacer alto pidió de nuevo que le permitieran andar a caballo. Un lanzazo en las espaldas fue la única respuesta que recibió; diez soldados de la escolta de Sandes eran los encargados de hacerle seguir la marcha.

El joven hizo un esfuerzo poderoso y siguió andando; pero a los pocos minutos cayó postrado por el cansancio y el sufrimiento, volviendo a pedir por favor que lo alzaran a caballo. Un nuevo lanzazo seguido de amenazas terribles fue la manera como se respondió a la nueva súplica.

El joven volvió a hacer un esfuerzo tremendo y siguió andando; pero a los pocos pasos volvió a caer, ya para no levantarse más.

-Mátenme si quieren matarme -dijo-, pero yo no puedo andar más, ni siquiera puedo pararme.

Le dieron un nuevo lanzazo, pero fue inútil, el joven gimió pero no se paró más.

El parte fue a Sandes de esta manera seca y breve; el guía catamarqueño se ha echado, y dice que aunque lo maten no quiere seguir adelante.

-Pues háganlo seguir a la fuerza -respondió Sandes, pensando tal vez que aquella resolución fuera hija de la lealtad que toda aquella gente tenía por el Chacho.

Los soldados empezaron por pararlo y pincharlo con las lanzas para obligarlo a marchar. Pero el joven daba dos traspiés y volvía a caer pesadamente. Se veía claramente que no tenía ni la fuerza necesaria para tenerse en pie. Y se le siguió lanceando y empujando hasta que murió de aquella manera horrible.

El ejército siguió marchando en la dirección que había dado el catamarqueño, sostenidos los soldados por la esperanza de hallar agua. Seis leguas más adelante encontraron realmente una aguada magnífica, donde hombres y caballos pudieron aplacar su sed por completo; el catamarqueño no los había engañado.

Un mes después de esto y pasando de regreso por aquellos mismos parajes, se presentó a Sandes un paisano como de cincuenta años, fuerte y nervioso, de mirada franca y serena, que manifestó el deseo de servirle de baqueano. Extrañando Sandes aquella espontaneidad, preguntó al paisano qué causa lo inducía a servirlo con aquel desinterés.

-Es un asunto de venganza, mi coronel -repuso el paisano-; me han ofendido hasta el alma y yo quiero vengarme. No saben qué clase de enemigo soy yo, agregó con un ademán sombrío, pero no han de tardar en conocerme. Yo conozco estas provincias como mis bolsillos, coronel, puedo andar al tanteo -agregó sonriendo-, sin necesitar mirar para saber lo que hay en ellos.

-¿Y sabes dónde hay agua y dónde anda el Chacho? -preguntó Sandes sin la menor desconfianza.

-Conozco todas las aguadas que están sin inutilizar; en cuanto al Chacho yo daré con él aunque no sepa dónde anda y aunque se meta dentro de las minas mismas. ¡Oh!, no saben a quién han ofendido -añadió-, cuando lo sepan ya será demasiado tarde.

Aquél era un precioso hallazgo para Sandes que pensó tener ganada la campaña con semejante baqueano. No dudó un momento de la verdad de lo que le decía y mandó a aquel voluntario a alojarse entre su propia escolta.

-Yo no quiero tener más jefes ni más oficiales que usted mismo -le dijo este-, así es que si me pone entre sus asistentes, estaré más hallado.

Sandes lo mandó entre sus asistentes recomendándoles lo trataran bien y al día siguiente se puso en persecución del Chacho, llevando como único baqueano al gaucho catamarqueño. Y desde el primer día de marcha pudo el coronel apreciar los servicios de este hombre extraordinario. No solo no volvieron a carecer de agua, sino que tenían los mejores lugares para campar, al abrigo de toda sorpresa y con la esperanza de alcanzar bien pronto a Peñaloza.

Al mes de marchas, el paisano se había ganado por completo la confianza de Sandes, que lo tenía constantemente a su lado.

-Tengo la seguridad de que antes de diez días vamos a sorprender al Chacho en su campamento -dijo a Sandes el paisano-; pero usted me va a hacer un juramento, si no me echo atrás.

-Vamos a ver el juramento, para saber si puedo o no hacerlo.

-Quiero que usted me jure entregarme al secretario del Chacho para que yo haga con él lo que me dé la gana.

"Con prometer nada se pierde", pensó Sandes, e hizo al paisano el juramento que le pedía.

-Pues mañana a la diana estaremos sobre el Chacho.

Marchaban sobre la rastrillada del Chacho, no había duda, rastrillada fresca que indicaba estar muy próximo. Sandes y el catamarqueño iban adelante, la escolta unas ocho cuadras atrás, y en seguida el ejército en son de sorpresa. La noche era clara y calurosa, excesivamente calurosa.

Conversaban de la manera cómo habían de sorprender al Chacho aquella madrugada, cuando el paisano se detuvo de pronto y dijo:

-Para que usted tenga más confianza en mí, es preciso que sepa quién soy, así verá cuán justa es la causa de mi venganza.

-¿Y realmente, qué es lo que te han hecho que tanto te ha irritado?

-A mí nada -respondió el gaucho-; pero yo soy el padre de aquel mocito catamarqueño que hace un mes hiciste matar a lanzazos porque el pobre no podía dar un paso. -Y al decir estas palabras enterró rápidamente su cuchillo en el costado de Sandes y echó a correr con la mayor velocidad.

Fue tan recio el golpe y tan rápido, que Sandes no pudo pronunciar una palabra. Cuando llegó su escolta lo halló solo: se había arrancado el cuchillo de la horrible herida y estaba ocupado en vendársela con unas tiras, cortadas de su poncho de vicuña.

-Me han herido -dijo-; ese cachafaz ha querido asesinarme, pero no ha logrado su objeto. El Chacho no anda lejos, pues es indudable que marchamos sobre su rastro, vamos a ver si le caemos juntos. -Y concluyendo de vendarse la herida, ayudado de sus asistentes, ordenó se siguiera marcha.

Cuando se supo en el ejército que Sandes había sido herido acudieron en el acto los médicos para examinar la herida y hacerle una curación que le permitiera llegar hasta el próximo pueblo. La puñalada era tremenda, e inmediatamente mortal para cualquiera que no hubiera sido el coronel Sandes. Lavada y curada prolijamente, tan prolijamente como fue posible hacerlo a la luz de un fogoncito que se encendió al efecto, continuaron la marcha.

-Es indudable entonces que el Chacho no anda por aquí -dijeron los demás jefes-, y esta marcha viene a ser inútil. Para lograr su designio, ese bandido habrá tratado de guiarnos al paraje más solitario; de ninguna manera puede explicarse que haya servido de guía para sorprender al Chacho, una persona que tenía ya decidido el asesinato del coronel Sandes.

Sandes, queriendo ocultar la verdad de la cosa, dijo que aquel paisano era un agente del Chacho mandado exclusivamente a asesinarlo, pero bien pronto se supo la verdad.

Aquel era el padre del pobre joven catamarqueño tan ferozmente muerto, que había venido por su cuenta jurando a sus amigos que no le verían la cara hasta no haber asesinado a Sandes.

-Yo lo provocaría y lo pelearía, porque gracias a Dios a nadie tengo miedo; pero ellos han asesinado a mi pobre hijo de una manera feroz, y es preciso que muera también ferozmente el jefe que tales infamias manda.

Y había venido con toda la astucia posible, para engañar a Sandes, captarse toda su confianza y asesinarle de la manera que había creído hacerlo. Por eso es que, seguro de matarlo en el momento que quisiera, lo había guiado sobre las huellas del Chacho, para hacer sorprender al ejército una vez muerto su jefe. Así en cuanto dio la puñalada, seguro de haber hundido la cuchilla hasta el mango, echó a correr en la dirección que había de hallarse el Chacho.

Este, con todo su ejército, estaba efectivamente a un par de leguas de allí, inocente a todo lo que pasaba. El paisano llegó hasta él y lo impuso brevemente de lo que sucedía.

-Es bueno emboscarse desde ya -dijo-, porque es posible que no tarden en pasar por aquí; aunque una vez muerto Sandes no será difícil que contramarchen.

El Chacho reflexionó un momento, e hizo montar sus tropas para emboscarse; sabía perfectamente quién era Sandes y conocía toda su vida militar.

-No crea, amigo -dijo al paisano sonriendo tristemente-, Sandes no muere a dos tirones; para matarlo es preciso bandearle el corazón, y así mismo no es seguro.

-Por grande que sea la herida, por bien que haya sido hecha, Sandes no ha muerto, yo lo conozco y sé que tiene una carne como si fuera agua: no bien se ha retirado el cuchillo cuando se han juntado los labios.

-Es que yo le he de haber cortado las tripas y los riñones y todas las entrañas - contestó el paisano perfectamente convencido.

-No importa aunque eso fuera así, aunque el cuchillo le hubiera destrozado el interior del vientre, Sandes no ha muerto, ya verá amigo, le he visto yo levantarse de peores que esta.

-Pues si no ha muerto él, tampoco he muerto yo -contestó el paisano, dejando brillar en sus ojos en un relámpago la expresión de su odio implacable-. Y si es preciso pegarle en el corazón para que muera, yo le pegaré, yo se lo partiré en nombre de mi hijo, muerto tan cobardemente.

El Chacho entretanto empezó a dar un gran rodeo, guardando todo el silencio que le fue posible, para salir a retaguardia de Sandes. Para él era indudable que no había muerto y que seguiría sobre el rastro hasta su campamento.

Efectivamente, hizo estudiar aquel rastro por los baqueanos que traía, y estos aseguraron que el rastro era muy fresco y que debía pertenecer a todas luces a los montoneros.

-Lo que hay es que estos habían sido prevenidos ya por el asesino y se habían puesto en precipitada marcha. Vamos marchando sin embargo tan rápidamente como sea posible, para tratar de alcanzarlos mañana, pues no pueden estar lejos.

Los médicos hacían a Sandes toda clase de reflexiones, manifestándole que con aquella herida no podía hacer semejante marcha sin exponerse a morir.

-Este es un tajo que después de curado no vale la pena pensar en él -y negándose a oír las más cariñosas reflexiones, se puso en marcha en seguida.

La herida parecía no molestarle, pero ella era sumamente profunda, en una región sumamente peligrosa y ya el coronel empezaba a sentir fiebre. Sin embargo siguió adelante con la mayor entereza tomando muchas medidas de precaución, pues para él el enemigo no podía estar lejos. Así marchaba unas tres leguas, con un regimiento a vanguardia, atento al menor ruidito, a la menor cosa que pudiera indicar la proximidad o presencia de montoneros.

Pero en todo aquel trayecto no se halló nada que pudiera llamarles la atención.

Empezaba a amanecer, mezclándose la luz del alba a la luz de la luna, cuando el regimiento que iba de vanguardia se detuvo en el paraje en donde estaba campado el Chacho, mandando avisar al coronel Sandes aquella novedad.

Por los fogones aún calientes y con brasas muchos de ellos; por los desperdicios y aspecto general del paraje, era indudable que hacía muy pocos momentos que aquella gente había marchado. Sandes examinó personalmente el terreno y mandó seguir la marcha al trote y galope, persuadido de que antes de medio día estaría sobre el Chacho. No había aún concluido de ejecutar esta última orden cuando les llamó la atención una algazara tremenda que se sentía a retaguardia, seguida de tiros y de un tropel espantoso.

Sandes se tomó la cabeza con ambas manos lleno de desesperación, pues indudablemente había sido sorprendido por todo el ejército del Chacho emboscado allí cerca. En el acto hizo echar pie a tierra a su infantería y formar cuadro rápidamente, mientras su caballería en derrota pasaba delante de él como hojarasca barrida por un huracán. Los montoneros lo habían echado por delante, y los llevaban en derrota lanceándolos impunemente, a pesar de los esfuerzos tremendos que por contenerlos hacían los oficiales. Solo el regimiento primero y la escolta del coronel habían logrado dar media vuelta rechazando al enemigo que los acosaba con fiereza. Entusiasmados por el éxito del primer momento, los montoneros se venían hasta los cuadros de infanterías, sableando y lanceando a los soldados a pesar del vivísimo fuego con que eran recibidos.

Pero el combate no podía durar así mucho tiempo. Aunque terriblemente bravos los montoneros no tenían buenas armas, no tenían infantería, y combatían contra un ejército regular, mandado por un jefe de un valor imponderable. El combate a la larga tenía que restablecerse, siendo vencidos los montoneros, si no se desparramaban a tiempo.

De cuando en cuando, y semejante a esas golondrinas que pasan como una saeta sobre la cabeza de otros pájaros, se veía cruzar, en el vértigo de la carrera, un jinete que blandía su lanza ferozmente al pasar delante del coronel Sandes. En vano este le hacía tomar los puntos por las caras de los cuadros, en vano todos lo disputaban como blanco, el jinete volvía a cruzar ileso, amenazando siempre con su lanza el pecho del coronel. Era el padre del catamarqueño, el mismo paisano que le diera la puñalada horas antes, y que buscaba a toda costa la posibilidad de atravesarle el corazón con la lanza. Y aún cuando Sandes se hallaba rodeado de soldados no desistía de su empeño. Parecía un milagro que aquel hombre no hubiera caído ya víctima de uno de los mil tiros que se le habían dirigido.

Todo el apuro del Chacho era deshacer a la caballería que había logrado poner en derrota, dando a los destinados y prisioneros la ocasión de desertar y pasar a sus filas. Solo los infelices destinados a la infantería, miraban con ansiedad desesperante el general desbande.

Derrotada toda la caballería de Sandes, con excepción del primero y la escolta, el Chacho se vino frenético sobre los cuadros de infantería, estrellándose contra sus caras formidables. Y aunque deshizo algunos causando numerosas bajas, fue rechazado de una manera tremenda; aunque se rehizo después y volvió a la carga con más bríos que nunca. El Chacho se había persuadido que aquel día se debía triunfar en toda la línea, y combatía con una heroicidad magnífica. Pero las descargas de infantería raleaban mucho sus filas, y ya lo obligaban a retroceder antes de llegar a los cuadros. El Chacho se convenció al fin, después de dos largas horas de combate, que no era posible triunfar de aquella infantería soberbia que les hacía un fuego infernal, y resolvió retirarse; pero como se retiraba él, dando a sus tropas punto de reunión, para poder hacerlo en pequeños grupos, evitando así una persecución fatal.

Derrotada desde el principio la caballería de Sandes, guardia nacional de la provincia, traída a la fuerza en su mayor parte, no había quien lo persiguiera. Solo quedaban en pie el primero y la escolta, pero ellos habían sufrido mucho en el combate y eran además insuficientes para hacer la persecución. Además era exponerlos a una derrota inevitable si se les hacía salir fuera del abrigo de la infantería.

El ejército nacional, a pie firme, por falta de caballería, tuvo que presenciar la retirada del Chacho, retirada que hizo este arriando todos los caballos que andaban sueltos por los alrededores, recogiendo muchas armas y la mayor parte de sus heridos. Fue recién en la retirada que se apercibieron de algo que no habían notado en el ardor del combate. Al lado del Chacho y golpeándose la boca, jinete en magnífico caballo mendocino, iba una mujer que no podía ser otra que la Victoria. Ella era, efectivamente, ella que había asistido a toda la batalla, sin separarse un momento del marido, y viniendo a su lado en las más famosas cargas dadas a la infantería de Sandes.

Este lanzó algunas partidas del primero, tratando de bolearle el caballo para tomarla prisionera; pero aquellas partidas tuvieron que regresar, corridas por la misma Victoria, que les esperaba hasta cierta distancia y los cargaba enseguida con lo que parecía escolta del Chacho, obligándolos a retroceder. Cuando los perseguidores daban vuelta y huían, la Chacha se les iba a la espalda y no regresaba hasta que sus soldados no volteaban dos o tres. Entonces se incorporaba al Chacho en medio de las más estruendosas carcajadas y aplausos de sus soldados, que si habían decidido dispersarse al principio, encontraron después inútil esta maniobra y aunque separados por regimientos, siguieron luego en la misma dirección. Así el coronel Sandes, perfectamente triunfante, no pudo moverse del campo de la batalla, viéndose obligado a presenciarse la retirada de Peñaloza sin tener cómo perseguirlo. Al Chacho le había faltado infantería para triunfar en su sorpresa; y a Sandes le faltaba caballería con qué hacer una persecución que le hubiera dado por resultado el desbande de la montonera y un buen número de prisioneros tomados.

Como el Chacho veía que no podían perseguirlo, siguió marchando lentamente hasta que cerró la noche. Entonces desprendió una fuerte partida, que describiendo un semicírculo se situara a retaguardia de Sandes y diera un nuevo e inesperado golpe sobre las infanterías; golpe que por lo menos facilitaría la huída de todos los montoneros destinados en aquella arma. Ya sabían que el enemigo no tenía con qué perseguirlos y que podían hacer cuanto quisieran, retirándose protegidos por la noche, que no se presentaba tan clara como la anterior. El Chacho seguiría marchando siempre a vanguardia, engañando con el ruido de sus caballadas y la algazara de sus soldados.

Como las avanzadas de Sandes sentían siempre a vanguardia el bullicio de la tranquila marcha del Chacho, enviaban chasque tras chasque al coronel, avisándolo que el enemigo iba siempre en marcha, sin cambiar de dirección, y tan lentamente, que se le podía seguir con la infantería, porque bien podía ser que campara y ofrecer entonces la oportunidad de un golpe de mano. Esta idea no pareció mal al coronel Sandes; pensó ponerla en práctica después que sus tropas hubieran descansado un poco y tenido tiempo de dejar algunas partidas organizadas, cuidando los heridos que no se podían llevar, hasta el día siguiente que los escoltarían al primer pueblito a retaguardia. El enemigo seguía retirándose y no había que pensar en un encuentro inmediato.

Los médicos, asombrados de que la herida de Sandes no hubiera tenido un mal resultado, lo convencieron que antes de ponerse en marcha debía consentir en hacerse una nueva cura a la que el coronel no les opuso inconveniente. E improvisando una carpa pusieron manos a la obra, llegando el asombro a un colmo verdadero, cuando vieron que a pesar de la movilidad y falta de reposo, la herida apenas había supurado y empezaba a cicatrizar. Inmediatamente después de practicada la cura y colocado un vendaje conveniente, el coronel Sandes dio la orden de marcha, en silencio y en el mayor orden posible.

Empezaban a querer moverse las columnas paralelas, que era el orden de la marcha, cuando se sintió un furioso tropel a retaguardia. No tuvo tiempo el coronel Sandes de ordenar se averiguase lo que aquello significaba, pues en el acto estuvo sobre ellos la columna desprendida por el Chacho, que empezó a sablearlos de todos modos y con toda impunidad en el primer momento en que se oyó tronar en medio del general estruendo, la voz del coronel Sandes, que gritaba: "¡Formen los cuadros! ¡Formen los cuadros!"

Los cuadros estuvieron inmediatamente formados, y rompieron un fuego violento sobre los montoneros; pero estos, logrado su objeto y cumplida la orden que traían, empezaron a retirarse, causando siempre el mayor daño posible. Habían aprovechado los primeros minutos de confusión general, y habían dado una buena y violenta carga, que no solo causó muchísimas bajas, sino que desconcertó al enemigo.

Los montoneros se retiraron por vanguardia, con el intento de sorprender la avanzada de Sandes, lo que no les fue difícil. La avanzada, al sentir el fuego de fusilería, hizo un alto; pero como el fuego cesó pronto, siguió avanzando en cumplimiento de la orden recibida.

Cuando sintió el tropel de los montoneros que avanzaba por retaguardia, se imaginó que sería el resto del primero que venía a reforzarlos para atacar, o a relevarlos. Y el oficial mandó hacer alto esperando la llegada de la tropa. ¡Cuál sería su sorpresa y su asombro al ver que aquella tropa caía encima de ellos como una tormenta, sembrando entre las filas el espanto y la muerte! El mismo oficial fue la primera víctima, porque aturdido por un golpe de sable fue arrebatado de su caballo y hecho prisionero. La sorpresa no podía haber sido más completa.

Marchando ellos como marchaban, detrás de los montoneros y como avanzada de Sandes, ¿cómo podían figurarse que los habían de sorprender por retaguardia? Así esta sorpresa fue para aquellas tropas vivas y bravas, de mejores resultados que la primera. La avanzada fue dispersada en el acto, después de sufrir muchas bajas, retirándose sus soldados en la mayor confusión, por la retaguardia, seguros de hallar a mayor o menor distancia las fuerzas del coronel Sandes.

Este jefe estaba indignado contra su avanzada a quien culpaba de lo sucedido; pero bien pronto llegaron los dispersos, asegurando que aquella fuerza que los había sorprendido a ellos también, debía ser alguna fuerza que venía de otra parte, pues el Chacho, hasta el momento en que fueron sorprendidos, seguía su marcha tranquila a vanguardia sin haber desprendido un solo hombre. Y todos se referían al oficial, que ningún dato podía suministrar puesto que había caído primero. No había más remedio que renunciar por el momento a toda operación de guerra; y el coronel Sandes mandó campar, rodeando esta vez de centinelas su campamento.

Al tener conocimiento el Chacho de lo que había pasado esperó al amanecer del nuevo día, y empezó a hacer una serie de travesuras. Simulaba fuertes cargas de caballería y cuando la infantería había formado cuadros para resistir las cargas, se corría por uno u otro flanco amenazando la retaguardia y obligando a la poca caballería de Sandes a correrse a su vez de uno u otro lado, para proteger las infanterías de aquellas cargas que nunca se realizaban.

Imposibilitado de atacar eficazmente, Sandes llevó algunas cargas de infantería haciendo un fuego sostenido, cargas que el enemigo simulaba resistir. Pero en cuanto el fuego de fusilería empezaba a hacerle daño, se dispersaba dejándolos burlados y atacando siempre la retaguardia aunque sin ningún resultado. Y los montoneros reían de una manera espantosa produciendo una algazara infernal.

Los milicos de línea, habituados a todas las situaciones de la vida, habían concluido por reír también, tomando aquello como una diversión que los sacaba de sus monótonas penalidades. Pero el coronel Sandes, que se veía juguete del Chacho y de la Chacha misma, no podía sobreponerse a su despecho.

La artillería empezó entonces a jugar con bastante éxito sobre cada grupo de montoneros que ofrecía un buen blanco. Esto los contuvo de tal manera que antes de caer la tarde empezaron a retirarse, aunque tranquilamente, convencidos que no se les podía perseguir. Así, al caer la noche, el ejército nacional pudo entregarse a churrasquear con todo descanso.

Sandes, acobardado con los golpes recibidos, había dispuesto un servicio de centinelas, de manera a evitar todo género de sorpresas. Pero el Chacho parecía haberse retirado definitivamente, no dejándose sentir en toda la noche. Al día siguiente no se sentía nada que acusara la proximidad de enemigo alguno.

La desesperación de la impotencia

El odio inconciliable contra los habitantes de las provincias chachistas fue entonces tremendo por parte de las tropas de Sandes. Para evitar que pudieran desertarse los destinados a la infantería, los milicos tenían orden de matar al que intentara de huir o separarse tan solo de las filas. Asimismo los prisioneros destinados eran muy pocos, porque era mucho trabajo enseñarles la instrucción y el manejo de arma. Se prefería matarlos, destinando a la infantería solamente aquellos que en un caso dado podían servir de baqueanos en los parajes que habían de recorrer y en las aguadas. Porque aquella campaña se había convertido ya en una marcha eterna, sin un momento de tregua ni un momento de descanso.

Cada vez que el ejército campaba en algún punto con el propósito de descansar, venían las descubiertas de vanguardia o de los flancos con la noticia de que el Chacho se hallaba campado en tal o cual paraje, con toda su gente. Se hacían los preparativos consiguientes para darle un golpe definitivo, y se marchaba sin tregua ni descanso hasta llegar al paraje indicado, pero ya el Chacho no estaba allí. Se conocía en los rastros que efectivamente allí había estado hacía muy poco tiempo, tal vez horas, circunstancia que libraba de un castigo severo a los que habían llevado el parte. Allí se campaba enviándose nuevas descubiertas a todo rumbo, y campando allí a esperar los partes.

Estos tardaban más o menos, según la distancia a que se había alejado el Chacho, distancia que siempre era de diez leguas poco más o menos. Así las descubiertas, seis u ocho horas más tarde, volvían con la noticia del paraje donde había campado nuevamente el Chacho. Sandes esperaba entonces la noche, para marchar protegido por la oscuridad y sorprenderlo al amanecer; pero cuando llegaba al paraje indicado, ya el Chacho había levantado campamento y había desaparecido.

Tan poco tiempo hacía que se había movido, que muchas veces se hallaban aún encendidos los puchos de los cigarros que habían fumado. Entonces el coronel Sandes apuraba la marcha del ejército cuanto le era posible, adelantando partidas a vanguardia, pues no podía tardar en alcanzar a aquellos condenados. Pero cuando había hecho una jornada de diez o más leguas al trote y galope, lo alcanzaba alguna de sus descubiertas con una noticia desesperante.

El Chacho andaba a veinte leguas a retaguardia. Y había que contramarchar con la misma rapidez, con un cuidado inmenso en el orden de la marcha, para evitar aquellas terribles sorpresas en que generalmente terminaban todas estas marchas y contramarchas. Se contramarchaba, pues, sin descanso ni aun siquiera el necesario para comer, para no perder la oportunidad, pero cuando se llegaba al paraje indicado ya el Chacho había desaparecido para hacerse sentir nuevamente a retaguardia.

¿Era aquello casual o era intencional? ¿Conocía el Chacho las marchas del ejército y huía de su encuentro, o sus desapariciones dependían acaso de un propósito o de un sistema de no permanecer más de tres horas en el mismo punto?

Esta era la verdadera causa. El Chacho sabía que Sandes andaba a diez o quince leguas de distancia, buscándolo con ahínco y no demoraba más tiempo del que su enemigo podía tardar en andar aquella distancia. De trecho en trecho, y como a dos leguas de distancia uno de otro, iba dejando soldados bomberos que debían pasarse la palabra en cuanto sintieran la aproximación del ejército. Y distribuyendo el mismo servicio a los flancos y a vanguardia, el ejército podía dormir muy tranquilamente, en la seguridad que tendría noticias de la aproximación de Sandes, un par de horas antes que este llegara a su campamento.

Cuando se veía muy apurado y expuesto a ser alcanzado, o necesitaba dar a su tropa un buen descanso, entonces daba cita a su ejército para quince o veinte días después, en un punto determinado. Si Sandes andaba por la provincia de Jujuy, el punto de reunión eran los Llanos de La Rioja, y si en La Rioja estaba, daba cita en la frontera de Santiago. Y disolvía su ejército en grupos, que el más numeroso no pasaba de cinco a seis hombres. Y aquellos quince o veinte días que los montoneros descansaban y otros tantos que tardaba en tener noticias de ellos, eran días que el coronel Sandes pasaba en la mayor desesperación, al ver su impotencia para dar con el Chacho. El no conocía este recurso de descanso ideado por el Chacho, y como aquellas disoluciones tenían lugar cuando él iba casi a golpe seguro, a unas cuatro o seis leguas del Chacho, no podía darse cuenta de la operación, y marchaba sin descanso, con toda la rapidez posible, creyendo no tardar en alcanzarlo, y no comprendiendo cómo no lo había alcanzado ya. Y los jefes creían que Sandes iba a concluir por perder la razón, dada la desesperación en que su impotencia lo sumía.

La irritabilidad lo llevaba entonces a cometer excesos imponderables. Una vez se tomaron dos paisanos en San Luis, que debían pertenecer al ejército del Chacho, por su traje, por la manera que se habían tomado y por el hecho de no ser ninguno de ellos de la provincia de San Luis. Llevados a presencia de Sandes, no pudieron negar que eran montoneros, y confesaron sin el menor rodeo que pertenecían a las fuerzas de Peñaloza.

Siendo esto así, tenían que cantar dónde estaba el Chacho, o sufrir algunos de los bárbaros castigos a que serían sometidos. El interrogatorio se limitó simplemente a averiguar dónde estaba el Chacho con su ejército, que era lo más interesante por el momento, y que nadie podía indicarlo mejor que aquellos dos soldados del Chacho. Así es que ésta fue la única tendencia de aquel curioso interrogatorio.

-¿Cómo es que ustedes están aquí y no en el ejército a que pertenecen?

-Porque estamos licenciados -respondieron buena y tranquilamente los paisanos.

-¿Y dónde deben incorporarse al ejército y cuándo deben hacerlo?

-Cuando venga el Chacho nos juntaremos todos de nuevo.

-¿Por cuánto tiempo es su licencia?

-Por ningún tiempo, señor; cuando llegamos aquí, el Chacho nos dijo que no nos precisaba más, porque ya no iba a hacer más la guerra, que nos fuéramos a nuestras casas y que cuando él nos necesitase nos haría avisar.

-¿Y todo el ejército fue licenciado?

-Todo, sí, señor, no quedó ni un muchacho pues cada cual agarró para su pago y el Chacho se retiró con cuatro o seis amigos, nada más.

-Eso es mentira, el Chacho debe estar por aquí cerca y ustedes no quieren decirlo, pero yo se los voy a hacer confesar.

Y aquellos dos paisanos fueron puestos en cuatro lanzas, amenazándoles con que, si no decían dónde estaba el Chacho, los matarían, haciéndolos sufrir horriblemente.

-¡Pero, señor, si hemos dicho la verdad! Todo el pueblo aquí sabe que el Chacho licenció su ejército y se cortó solo; por qué nos van a mortificar y a castigar haciéndonos mentir a la fuerza.

Sin escuchar sus pedidos y juramentos los dos paisanos fueron puestos en cuatro lanzas, sufriendo aquel bárbaro martirio con un valor asombroso y firmemente resueltos a no decir la verdad de lo que sabían, es decir dónde habían de reunirse con Peñaloza.

Sandes mandó al pueblo a tomar otros prisioneros de distintos puntos para computar las declaraciones, resolviéndose entretanto apurar a los ya tomados, para que dijeran la verdad.

-Ya han confesado otros -les dijeron-; y es inútil negar más, van a decir dónde está el ejército o los vamos a despedazar.

-Si otros han dicho algo, habrá sido de miedo de que no los castiguen y habrán mentido. Nosotros podríamos haber hecho lo mismo, pero creímos que lo mejor era hablar la verdad, y es esto lo que nos ha perdido.

Y como persistieran en que el Chacho se había retirado solo, después de haber licenciado su ejército, se les mandó poner en el cepo colombiano hasta que hablaran.

¿Quién no sabe entre nosotros lo que es un cepo colombiano, ese tormento brutal e irresistible aún para el hombre más vigoroso?

Salir del colombiano con vida, es un milagro que no podrían contar cuatro de los cientos de hombres a quienes ha sido aplicado. La espina dorsal, juntada en sus extremos por los dos fusiles, se rompe y la víctima expira al fin en medio de los tormentos más bárbaros. A esta muerte indescriptible fueron sometidos aquellos dos infelices, medio eficaz, según se creía, para hacer confesar la verdad al hombre más terco.

A la tarde fueron traídos al campamento de Sandes ocho o diez hombres tomados en diferentes puntos del pueblo, sometiéndolos por separado al mismo interrogatorio que los paisanos. Todos ellos estaban contestes en sus declaraciones, que venían a probar que los paisanos no habían mentido. Según todos ellos, el Chacho había estado campado allí durante dos días, al fin de los cuales había disuelto su ejército, retirándose él enseguida, acompañado de un pequeño grupo.

La mayor parte de los soldados se habían ido inmediatamente para sus respectivos pagos, quedando otros allí para divertirse y descansar un poco, yéndose a medida que habían querido. En cuanto al paraje donde se había retirado el Chacho lo ignoraban, aunque suponían que no podía haberse ido sino a La Rioja.

Sandes mandó entonces sacar del colombiano a los dos paisanos, porque habiendo servido con el Chacho serían buenos baqueanos de todos los puntos recorridos por aquél y conocerían todas sus guaridas. Pero fue ya demasiado tarde. Cuando desligaron los dos fusiles que formaban el cepo, los dos paisanos rodaron inertes al pie de sus verdugos. Eran ya cadáveres, los pobres no habían podido resistir, según el centinela que los vigilaba, ni cinco minutos, y habían muerto sin pronunciar una sola palabra.

Aquella muerte desesperante, el terrible estado de aquellos dos cadáveres, hizo una impresión tremenda en los otros presos; pero asimismo Sandes no encontró quien le diera datos ciertos ni falsos sobre la situación del Chacho y el paraje donde podría hallarlo. No confesaban la verdad, porque por nada de este mundo hubieran hecho traición a su caudillo, y no daban falsos datos porque temían que Sandes se hiciese acompañar por ellos, y averiguada la mentira fuera peor para ellos el resultado.

El estado de los cadáveres era verdaderamente horrible. Tenían rota la columna vertebral en dos o tres partes y en la nuca, donde se había apoyado el fusil que la comprimía contra las rodillas, había una hinchazón espantosa.

Sandes mandó exhibir aquellos dos cadáveres diciendo que haría lo mismo con todos los que se negaran a darle los datos que pidiera de Peñaloza, y que algo peor haría con aquellos que le dieran un dato falso. Y estas escenas y estas crueldades se repetían en cada ciudad, en cada pueblo adonde llegaba el ejército nacional. Y así el horror que inspiraba llegaba al extremo de que a su aproximación, la gente huía como de una calamidad segura, persuadida de que se repetirían entre ella los eternos horrores y crueldades.

-¡Este es el ejército del gobierno que viene a garantirnos del Chacho, este es el ejército de orden y de moral! -gritaban por todas partes, y cada cual ponía su grano de arena para ayudar la causa del caudillo riojano, que venía a representar para ellos la libertad y el derecho, haciendo a Sandes todo el mal que indirectamente podían.

Y este, creyendo siempre que en aquellas provincias no había más medios de dominación que el terror, seguía aplicando sus formidables castigos y amenazando con ellos a todos los que no anduvieran derechos, es decir, a aquellos que no se prestaran a lo que de ellos se exigía.

Peñaloza, después del descanso dado a sus tropas, descanso que había aprovechado él mismo, y que harto lo necesitaba, se encontró con un ejército mayor que el que había citado, en el punto que les indicara. Porque los que huían de Sandes y los que miraban al ejército nacional como un enemigo feroz contra el que no había defensa posible, se habían plegado a sus milicos, buscando un puesto entre sus filas verdaderamente libertadoras. Y como sabían que el enemigo no daba cuartel, y que el que no muriera en la batalla moriría entre las estacas o el cepo colombiano, aquel ejército iba dispuesto a sufrirlo todo y a combatir hasta el último aliento, como único medio de salvación para ellos y para los pueblos donde quedaban sus familias. Así Sandes, creyendo disminuir por medio del terror el número de sus enemigos, los aumentaba de una manera imponderable, sublevando contra él a todas aquellas provincias.

-Si no podemos vencer, moriremos peleando -decían- y matando todos los enemigos que podamos. -Y era tal su entusiasmo y su deseo de combatir, que pedían al Chacho encarecidamente que los llevara al combate, porque estaban seguros de triunfar.

Peñaloza tenía que contener el ardor de sus soldados, mostrándoles la pobreza de sus armas, única cosa en que se reconocía inferior al enemigo.

-Yo no quiero llevarlos al sacrificio sino a la victoria -les decía-; es preciso esperar el momento oportuno y debilitar para entonces al enemigo, con todos los recursos que están a nuestro alcance, no dejándoles un momento de reposo para que descansen el cuerpo y coman un mal churrasco. En este terreno somos mil veces superiores y debemos de usar nuestras ventajas, para equilibrar así la desproporción de nuestros recursos. El enemigo nos tendrá siempre encima sin que pueda saber de dónde hemos salido y desapareceremos de su vista sin que pueda sospecharse adónde nos dirigimos y cuándo volveremos a reaparecer.

"Nos tendrán siempre presentes, en el agua que beban y en la que deseen beber, en la falta de reposo, en la fatiga de las marchas y en el temor de las sorpresas. Que no vivan sino pensando en nosotros y acosados por nuestros golpes de mano. De esta manera los desesperaremos, los convenceremos que no se puede luchar con nosotros y abandonarán por fin nuestros territorios corridos y avergonzados."

Este fue el nuevo sistema que adoptó Peñaloza después de aquel descanso tan provechoso. Como era tan crecido el número de sus tropas, hizo seis u ocho divisiones ligeras, y las lanzó sobre Sandes por diferentes puntos, a hostilizarlo de todos modos sin comprometer combate. Y como cada división andaría por su cuenta sin tener noticias de las otras, el Chacho dio un punto de reunión general para día fijo, y en previsión de que, por cualquier cosa imprevista, no pudieran efectuar la reunión en el paraje indicado, señaló otro punto donde pudieran reunirse cinco días después.

Sandes debía encontrarse, por este nuevo plan de campaña, hostilizado a cada momento y por todas partes, por enemigos que no le dejarían un momento de reposo y con el que no podría luchar porque desaparecería de su alcance con la misma rapidez que había aparecido. Y saldría de un grupo para ser atacado por otro, y de este otro para ser acometido por un tercero, y así sucesivamente. ¿Y cómo perseguir a un enemigo cuya posición era desconocida, y que para atacarlo de sorpresa siempre se subdividía hasta el fastidio?

Sandes empezó a sentir los efectos desastrosos de la guerra y se convenció que era preciso retirarse, o establecer un campamento definitivo de donde no se movería sino con ciertas precauciones y solo para caer reciamente sobre todo el ejército del Chacho, una vez que se presentara la oportunidad. Sandes optó por el segundo temperamento, y campó hábilmente para estar a cubierto de cualquier sorpresa y estudiar prácticamente el nuevo género de guerra a que se le provocaba.

Pero pronto se convenció que aquella inacción no podía traerle sino resultados funestos y la desmoralización de un ejército aburrido ya ante campaña tan estéril. No podía desprenderse del campamento ningún número de soldados, sin caer en alguna emboscada de montoneros. Todo recurso que les venía, por mejor que fuera la escolta que trajera, era arrebatado por ellos y dispersada esta o hecha prisionera. No había convoy de alimentos ni de municiones que no cayera en poder de las partidas del Chacho, diseminadas en todas partes. El pastoreo de los mismos caballos y mulas de que se servían, era necesario hacerlo encima del ejército para evitar que los chachistas se lo llevaran o hicieran dispersar.

Aquella vida no era ya soportable. Era necesario tomar una medida seria y el coronel Sandes se retiró a San Luis a organizar rastreadores y baquianos que lo guiaran hasta donde estaba el Chacho. Sandes pensó que tomando la provincia de La Rioja nuevamente, y situándose allí de una manera definitiva, era el único medio de poder dar a Peñaloza un golpe sensible. Pero para esto tendría que dividir sus fuerzas dejando la mitad en San Luis, único medio de poder tener comunicación segura, pues de otro modo se exponía a que el Chacho interceptara cuanto le viniera destinado, desde la correspondencia hasta los víveres. La fuerza que quedara en San Luis podía servir para escoltar todo aquello que para él fuese, y de esta manera el Chacho no podría tomarle ni un solo novillo.

Entretanto, y con un buen cuerpo de baqueanos, se podía bombear al Chacho y caerle encima alguna vez.

Sandes se veía forzado a obrar con toda la actividad y energía posible, pues el gobierno le enviaba órdenes apremiantes en aquel sentido. Ya la actitud resistente de Peñaloza hacía caer el ridículo más cómico sobre el gobierno nacional, todo cuyo poder había sido insuficiente para contener una montonera que en un principio se creyó cuestión de una semana y que después tomó proporciones terribles. Era preciso someter a Peñaloza de una u otra manera, y Sandes se preparó a hacerlo con todo el empeño de su carácter firme.

La puñalada de muerte

Muchas veces se había tratado de asesinar a Sandes, pero el mismo Chacho había sido el primero en disuadir a los que tal empeño tenían.

-Sandes tiene siete vidas como los gatos -repetía con frecuencia-, y el que vaya a asesinarle no solo no logrará su propósito, sino que morirá a sus manos. El diablo le ha prestado su cuero a ese hombre, y no hay arma que le venga bien.

Estas palabras habían desanimado a muchos que tenían aquel empeño, reconociendo toda la razón que asistía al Chacho, después de aquella última e inútil tentativa. Sin embargo, si algunos renunciaban a este propósito, otros se contentaban con aplazarlo hasta hallar la oportunidad conveniente.

Ya Sandes conocía a los montoneros en el pelo de la ropa, desconfiaba de todo el mundo, y era muy difícil acercarse a él sin exponerse a ser conocido y a sufrir las consecuencias de su propósito sin haber logrado siquiera ponerlo en práctica.

El proceder violento y cruel muchas veces del coronel Sandes había hecho nacer deseos de venganza que solo la muerte podía borrar. Los deudos de tanto infeliz muerto entre las estacas y las lanzas, los parientes de tanta mujer robada al hogar y sumida en la mayor vergüenza, eran otras tantas voces de muerte que se levantaban contra Sandes y que solo la muerte podría acallar. Y había hombres que habían quedado solos y en el mayor desamparo, que no hacían sino seguir los pasos del ejército, espiando el momento de poder saciar su venganza.

El coronel Sandes, por su parte, que sabía aquellos deseos de muerte que se tenía contra él y escamado con la última tentativa, tomaba sus precauciones de manera a poder burlar cualquiera de estas tentativas. Fiado siempre en su valor asombroso, Sandes no usaba más armas que un lujoso arreador de cabo de plata, con lo que tenía bastante para repeler cualquier agresión. Como andaba siempre en provincias llenas de enemigos donde cada hombre era para él una amenaza de muerte, sus amigos le aconsejaban siempre que aunque solo fuera por precaución, usara una cota de malla que garantiera su vida de cualquier agresión alevosa. Pero Sandes mostraba entonces el pesado cabo de su arreador, y decía:

-Esta es la mejor cota que puedo usar. El que me acometa tiene que pegarme muy firme, para librarse de mí, porque ya saben que tengo el cuero muy duro y que en última instancia se encontrarían con mi arreador; no son muchos los que así nomás han de querer jugar la partida.

A este respecto el coronel Sandes no se equivocaba, muchos hombres que se habían acercado a él, con el propósito de darle muerte, al encontrarse con su mirada severa y brava se habían sentido dominados, y no se habían atrevido a cumplirlo. El coronel Sandes era un hombre que imponía, aún con su palabra más bondadosa. En aquella fisonomía aguda y enérgicamente cortada, saltaba toda la elocuente expresión de su carácter soberbio y de una firmeza inaudita. Los más decididos temblaban ante su mirada de águila y sentían decaer toda la firmeza de sus propósitos.

El empeño de sus amigos porque Sandes cuidara su vida, llegó al extremo de que una vez le regalaran una espléndida cota de malla, que él tuvo que aceptar por no hacer un desaire, pero dos días después la regalaba él a otro amigo diciéndole: "Se la regalo aunque no creo que sirva de nada; la mejor cota es un brazo fuerte y valiente y dos ojos que no se duerman."

Esta misma manera de proceder era lo que lo hacía más temible, pues nada se impone como el valor natural y espontáneo.

Respecto a que la traición partiera de los mismos cuerpos a sus órdenes, Sandes reía buenamente de semejante sospecha, diciendo:

-Estoy convencido que aunque se buscara con todo el dinero del mundo, no se hallaría en las filas del ejército un solo hombre que se prestara a asesinarme. Y si esto no es cierto -concluía-, déjenme por lo menos tener esta buena ilusión.

-Es que en el ejército hay muchos destinados -se le observaba-, destinados que pueden ser movidos por un sentimiento de venganza o de libertad.

-A esos mismos destinados, al llegar a mí -replicaba-, les temblaría la mano y se les caería el cuchillo. No es lo mismo querer matar un hombre que ir a matarlo y hallarse frente al rayo de sus ojos.

-Sin embargo ya ve usted que ha habido quien lo haya intentado, librando usted de una manera providencial.

-El fiasco de ese mismo y la manera casual como se me ha escapado disuadirá a los que tengan igual idea, desde que aquel con todo su valor, toda su astucia y su paciencia apenas pudo causarme un rasguño que ni siquiera me privó de montar a caballo.

No había cómo convencer a Sandes de la posibilidad de que le asesinaran y sus amigos renunciaron a ello limitándose a cuidarlo ellos, ya que él no se quería cuidar.

El coronel Segovia, aquel noble y bravo militar, jefe entonces del 1º de caballería, y que tenía por él una amistad franca y verdadera, era quien más velaba por él. Cuando Sandes salía a pasear solo por alguna de aquellas poblaciones enemigas, Segovia mandaba siempre dos soldados que lo siguieran a una distancia conveniente, para evitar cualquier tentativa de agresión. Pero Sandes se apercibió de aquella compañía inesperada y prohibió a Segovia que volviera a hacerle cuidar las espaldas.

-Pero mi coronel -le decía este-, es necesario hacer esto, usted pasea solo, entre enemigos que lo odian, déjeme siquiera hacerle cuidar la espalda para evitar una desgracia.

-Estoy muy agradecido a sus cuidados, amigo mío, pero no lo haga más. No quiero que nadie crea que yo puedo tener miedo, porque con esto se alentarían los asesinos y se animarían a lo que por ahora no es posible. Quiero andar solo, completamente solo y bajo la única salvaguardia de mi arreador; créame que esta es una buena garantía y que así nomás no han de poder con él.

Así Segovia tuvo que renunciar a sus cuidados que solo iban a servir para hacerle tener un serio disgusto con su coronel y amigo.

Estando en San Luis, la vigilancia de sus amigos oficiales mismos se producía sin que Sandes pudiera apercibirse de ello, pues era precisamente allí donde más terror abrigaban. En aquella provincia se habían ejercido muchos actos de crueldad y de violencia y debía haber muchas personas interesadas en la muerte de Sandes y muy capaces de intentar dársela. Los puntanos son asombrosamente valientes y audaces y era San Luis precisamente la provincia donde se refugiaba la crema de los montoneros más bravos y chachistas más decididos. De aquella provincia se habían destinado muchos hombres a las tropas de línea de los que nada bueno se podía esperar. El regimiento 1° se hallaba en el único cuartel que había en la ciudad de San Luis, cuartel que aún existe tal cual era entonces.

Sandes vivía en una casita a pocas cuadras de allí, teniendo en su compañía dos de sus ayudantes, para mandar con ellos las órdenes que pudieran ocurrirse a altas horas de la noche. El coronel Sandes no se acostaba nunca, sin haber hecho una visita al cuartel del regimiento 1°, para cerciorarse que todo estaba en orden y que su jefe estaba en su puesto. Las poblaciones de aquellas capitales ofrecían siempre halagos y Sandes no se conformaba con que Segovia durmiera fuera del cuerpo. Podría suceder algo durante la noche, ser sorprendido y atacado el cuartel mismo, y no estando allí su jefe, podía muy bien ocurrir algún contratiempo serio.

Así, después del toque de silencio, el coronel Sandes salía de su casa e iba al cuartel del 1° a tomar un par de mates. A veces salía acompañado de Segovia, que había venido a buscarlo; pero generalmente iba solo.

La vuelta la hacía siempre solo, a pesar de las críticas de su amigo que le decía:

-Una noche le va a suceder un chasco, de puro terco y caprichoso. ¿Qué le cuesta hacerse acompañar por un soldado? Mire que aquí hay muchos bandidos, muchos enemigos suyos y la ocasión hace al ladrón.

Sandes mostraba a Segovia su grueso arreador de cabo de plata y soltaba una alegre carcajada.

-Siempre andan ustedes viendo visiones y asesinos -le respondía-, y no piensan que en el camino que yo hago, es imposible la menor tentativa de asesinato. De casa o del cuartel sentirían mi voz, sin contar con que mi arreador anda siempre de vanguardia y no sabe dormirse.

Ya Segovia se había convencido que Sandes no consentiría nunca en ser acompañado, y no había vuelto a decir una palabra al respecto.

Mientras duró la luna, no hubo por qué tener el menor recelo, pero cuando las noches empezaron a ser oscuras, volvieron los temores de Segovia; pero ya no quiso decir nada al coronel, en la seguridad que todo cuanto dijera sería perfectamente inútil.

Frente a la casa ocupada por Sandes, y sobre el cordón de la vereda, había una fila de ladrillos que ocupaba una extensión como de ocho varas, y que dejaba entre la pila y la pared un claro suficiente para el paso de un hombre. Sandes tenía la costumbre de atravesar a la acera de enfrente, y pasar por aquel espacio, sin ocurrírsele jamás que allí podían tenderle una emboscada. Estaba muy cerca de su casa, donde siempre había dos o más oficiales y algunos soldados que acudirían a la menor palabra alta.

Para una emboscada, en el camino que había que recorrer, había muchos puntos solitarios donde podría tener mucho mejor éxito. Y ni en estos mismos sitios andaba Sandes con el menor cuidado. Tenía la confianza de que nadie se había de atrever a atacarlo, y esto bastaba.

Una de estas oscuras noches, salió de su casa y, como siempre, atravesó a la acera de enfrente, para pasar por entre los ladrillos. Algo se veía, porque la oscuridad no era muy intensa y el coronel Sandes pudo observar el bulto de un hombre, que estaba metido en el hueco formado por una puerta de calle cerrada ya. Se detuvo a un par de varas del bulto y le intimó le dejara franco el paso. Sandes no tuvo desconfianza de ningún género, pero en el punto donde se hallaba el bulto aquel, el paso era muy estrecho y probablemente iba a tener que hacerlo refregándose con él. Esta fue la única razón que tuvo para decirle: "A ver, amigo, déjeme franco el paso."

El individuo aquel salió inmediatamente del hueco de la puerta y subió a la pila de ladrillos, para dejar libre todo el espacio comprendido entre esta y la pared. Sandes pasó tranquilamente, pero al llegar adonde se hallaba el prójimo, sintió un gran golpe en el costado izquierdo. Dio vuelta rápidamente y envolvió de un latigazo el semblante del hombre aquel en el chicote de su arreador. El hombre, mascando un quejido doloroso, echó a disparar, y Sandes siguió su camino pensando que se trataría de algún ladrón que no lo había conocido por la oscuridad de la noche. Sin embargo, y sin dejar de caminar, llevó la mano al paraje donde había sentido el golpe, tropezando con el mango de un cuchillo que cayó en cuanto lo hubo tocado.

"Vaya, pensó Sandes, puñalada que no ha entrado, felizmente; si a estos villanos les tiembla la mano cuando tienen que herir a un hombre que saben que si no le pegan bien les ha de romper el alma."

Y convencido que el cuchillo no había entrado sino en la ropa por la facilidad con que cayó siguió hasta el cuartel decidido a no decir nada a Segovia, para que su amigo no empezara a embromarlo nuevamente con la necesidad de hacerse acompañar. Sandes estuvo conversando un largo rato y tomando mate con los oficiales de servicio, y Segovia mismo, que aquella noche estaba de mal humor porque le habían robado su mejor caballo.

El golpe recibido empezaba a causarle alguna molestia, y resolvió retirarse pensando que aquel no era más que el dolor del golpe producido por el cuchillo que no había entrado a causa de la ropa o a causa de no tener bastante punta. Se despidió de todos recomendándoles como siempre la mayor vigilancia, y pidiendo a Segovia que al otro día después de diana fuese a visitarlo y que quería decirle algo referente al servicio.

Cuando Sandes se retiró, Segovia quedó pensativo un momento, pasado el cual dijo al comandante de cuartel:

—No estoy tranquilo porque me parece haber notado algo extraño en el semblante del coronel; no ha estado tan conversador como otras veces y se ha retirado más temprano. Si no me equivoco algo lo preocupa y tal vez sea esto lo que me quiere decir mañana.

Sandes, sintiendo cada vez más molestia en el costado, entró a su casa, y llamando a su aposento a uno de sus ayudantes, le pidió que le registrara el costado, porque un gaucho le había dado una puñalada y no se explicaba lo que podía estar haciéndole el efecto de un pinchazo.

-No es ardor de herida -decía-, porque el puñal ha entrado muy poco, debe ser tal vez algún pedazo de trapo que se ha metido ahí.

El oficial registró el costado del coronel y vio en el acto una ancha herida por cuyos labios asomaba un pedazo de acero, que no podía ser otra cosa que el cuchillo que se había quebrado, dejando dentro del cuerpo la mitad de la hoja. Como la puñalada había sido dada por la espalda y recibida en un sitio que Sandes no podía verse, pidió al oficial le extrajera aquel pedazo de cuchillo.

-Yo creí que el cuchillo no había entrado, por la facilidad con que cayó -decía-, pero ahora veo que es porque se había roto-. Y refirió al oficial cómo le habían inferido la herida, y cómo no había dicho nada en el cuartel creyendo que lo que tenía era tan solo la incomodidad del golpe.

Aturdido el oficial porque la herida le pareció muy peligrosa y porque Sandes quería que él le arrancara el pedazo del cuchillo, corrió en el acto a llamar al comandante Segovia, recomendándole que se apurara porque el coronel había sido herido de gravedad.

-Con razón notaba yo algo en el semblante de Sandes -exclamó Segovia saliendo precipitadamente-; estoy seguro que cuando vino aquí ya estaba herido.

Cuando llegó al aposento del coronel, ya este se hallaba en la cama, haciéndose sacar con el oficial el pedazo del cuchillo, quien hacía todo el aparato posible para dar tiempo a que llegase Segovia y viera lo que había de hacerse. El caso era muy apurado; en San Luis no había médico alguno que inspirara confianza, y ante todo era preciso curar la herida, para evitar una complicación o un tétano.

Sandes estaba empeñado que, entre su ayudante y Segovia, le sacaran el pedazo del cuchillo; o si no les decía: "Llamen a mi asistente y me lo hago sacar con él."

-Un momento -dijo Segovia, para que Sandes no fuera a hacer lo que decía, pues ya sabemos que trataba su propia carne como si fuera madera-, un momento que voy a traer una pinza porque está muy adentro y no se puede sacar con los dedos. -Y recordando que al lado de la casa de Sandes vivía un boticario, fue a buscarlo y lo trajo para que dragoneara de cirujano, ya que no era posible otra cosa.

El boticario, salvando su responsabilidad, procedió a la extracción del pedazo de cuchillo que medía la friolera de siete centímetros. El acero no era muy famoso, y la violencia del golpe dado un poco de arriba a abajo, había hecho romper la hoja, tocándole entre las dos costillas.

¡Fuerte y segura, a no dudarlo, debía ser la mano que había inferido aquella herida! Felizmente, en aquella carnadura sobrenatural, parecía que no tendría mayores consecuencias. Sin embargo, el coronel Sandes se sentía muy mortificado, cosa que no le había sucedido con las heridas más peligrosas que había recibido.

El boticario, salvando siempre su responsabilidad y diciendo que era preciso ver a un médico lo más pronto que le fuera posible, porque le parecía que aquella herida era de la mayor gravedad, lavó y vendó la herida del mejor modo que le fue posible. Concluida la operación, Segovia trató de tomar a Sandes todos los datos posibles para tratar de tomar al asesino, pero Sandes no pudo dar otros que los que ya conocemos.

Se mandó buscar el mango del cuchillo en el paraje que el coronel indicaba, donde se encontró efectivamente. Era una cuchilla ancha y poco aguda por tener algo redondeada la punta, de la que faltaba efectivamente el pedazo que había sido extraído de la ancha herida.

Toda aquella noche se empleó en explorar todos los alrededores hacia el lado que el coronel indicaba había huido el asesino, pero no pudo conseguirse nada. Nadie lo había visto y nadie podía dar de él la menor seña. El mismo Sandes no podía decir nada a este respecto, pues con la oscuridad de la noche apenas había visto el bulto, pudiendo darse cuenta de que aquel hombre era un gaucho; este era pues el único dato que se tenía.

Aunque poco podía hacerse con esto solo, Segovia puso en campaña sus más prácticos y competentes oficiales, pero nada se pudo lograr. El asesino no había dejado el más leve rastro, ni se tenía la menor idea del paraje donde se le podía hallar.

Al día siguiente todos los oficiales habían regresado al cuartel, siendo inútiles todas las pesquisas hechas.

-Yo lo encontraré, sin embargo -decía Segovia-, y en menos tiempo del que se precisa. -Y mandó buscar a Rufino Natel, el más famoso rastreador que existía en la provincia de San Luis y a quien Segovia conocía por diversos servicios que otras veces le había prestado.

Como el estado del coronel Sandes se agravara de una manera sensible, manifestando este que le parecía que algún cuerpo extraño había quedado dentro de la herida, se mandó un chasque a Mendoza en busca del doctor Edmundo Day, famoso cirujano en quien se tenía la mayor confianza, quien llegó apresuradamente con todos los instrumentos necesarios y un botiquín bien provisto. El doctor Day reconoció la herida que fue preciso reabrir, para extraer un pedazo de hueso roto por la misma puñalada, lo que sin duda había ocasionado la rotura del cuchillo. Extraído el hueso, fue curada nuevamente, pero el peligro no disminuyó por esto, declarando Day que la herida era muy grave, habiéndose agravado más, por la presencia de aquel hueso durante tantos días, hueso que el pobre boticario no había sospechado siquiera porque no había sondeado la herida, ni se pensó que la puñalada hubiera sido tan violenta y vigorosa que hubiera roto un hueso. El doctor Day aseguró que Sandes necesitaba el cuidado más prolijo e inteligente; pero que él no podía permanecer más tiempo en San Luis porque para venir había abandonado su numerosa clientela en Mendoza entre la que tenía enfermos del mayor interés.

En San Luis había médicos capaces de seguirlo curando, una vez que él había colocado la herida en buenas condiciones; pero estos no inspiraban la menor confianza a Segovia, porque sabía que eran chachistas y capaces tal vez de dejarlo morir. El doctor Day dijo entonces que, para que él pudiera seguir atendiéndolo, era necesario llevarlo a Mendoza, que el viaje no le haría ningún daño, que muy pronto estaría bueno. Sandes se opuso a aquel viaje, diciendo que lo curara cualquier mediquete de allí; pero Segovia y sus amigos lograron convencerlo, hasta que le arrancaron su palabra de que se dejaría llevar.

Aquí hubo una nueva lucha porque Sandes pretendía hacer el viaje a caballo, sosteniendo que la herida no tenía nada que ver con el resto del cuerpo; pero ya colocado en el terreno de las concesiones tuvo que consentir que lo llevaran en una especie de galera que había para el uso del ejército, la que se arregló de manera que el herido pudiera viajar con entera comodidad. El mismo Segovia arregló la escolta que debía llevar al coronel de manera que pudieran emprender el viaje con entera seguridad.

Era la primera vez que el coronel Sandes se mostraba tan mortificado por una herida, y la primera vez que tardaba tanto en curarse de una manera definitiva.

-Es que es una herida espantosa -decía el doctor Day-, y de las que se clasifican como necesariamente mortales. Cualquier hombre -añadía-, que hubiera recibido semejante herida, habría muerto antes de que yo hubiera llegado a San Luis. Lo que hay es que ese hombre tiene una organización poderosísima y de carnadura excepcional.

Si se consigue someterlo a la obediencia en el régimen curativo, cuya base es la tranquilidad, no sería difícil que se le pueda curar de una manera completa, sin que tenga que temer consecuencias posteriores. Pero si no quiere obedecer las prescripciones médicas, si antes de estar curado quiere andar a caballo y seguir las fatigas de esta campaña tan llena de penurias y de agitaciones, no digo que muera inmediatamente, pero sí que esta herida, por sí sola, es capaz de determinar la muerte, por más curada que parezca.

Sandes prometió a su amigo Segovia no moverse hasta que el doctor Day no se lo permitiera, y ambos jefes se separaron con el más fraternal de los abrazos, prometiéndole Segovia írsele a reunir la Mendoza, si su curación tardaba. Segovia se quedaba en San Luis, no sólo porque así convenía para hostilizar al Chacho y no dejarlo entrar a la ciudad, sino para seguir aquella pesquisa en la que se había comprometido y en la que había empeñado todo su amor propio.

-Es una vergüenza que el asesino se escape -decía-, por menos que sean los datos existentes sobre su persona y por más tiempo que haya pasado desde que se cometió el crimen.

La presente edición
se terminó de imprimir en
UNIVERSITAS
en el mes de julio de 2020

Impreso en Córdoba. Argentina.

Universitas